No 3

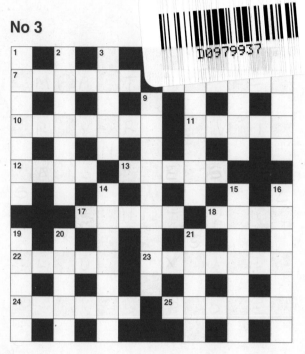

Across
7 - Fairness (6)
8 - Shouted an order (6)
10 - Very large drum (7)
11 - High choral part (5)
12 - Beach covering (4)
13 - Annoyed (5)
17 - Endures (5)
18 - Used to be (4)
22 - Loud noise (5)
23 - Places of business (7)
24 - Explosive device (6)
25 - Pierces (6)

Down
1 - Socialist (7)
2 - Adding up (7)
3 - Lose direction (5)
4 - Type of humor (7)
5 - Odor releasing animal (5)
6 - Expression (5)
9 - Shaking (9)
14 - Troughs for cattle food (7)
15 - Request earnestly (7)
16 - Persevere with (7)
19 - Capes (anag) (5)
20 - Glue (5)
21 - Bad weather (5)

No 4

1	2		3		4		5		6		7	
8							9					
				10								
11						12						
13			14			15				16		
17	18			19				20				
				21								
22						23						
24				25								

Across
1 - Ice masses (8)
6 - Type of perfume (4)
8 - Photographic equipment (6)
9 - Played (6)
10 - Floor cover (3)
11 - Lose grip (4)
12 - Hard white substance (6)
13 - Annoying (6)
15 - Considering (6)
17 - Movement (6)
20 - Hauls (4)
21 - Help (3)
22 - Marble (anag) (6)
23 - Surprised (6)
24 - Nourishment (4)
25 - Person with authority over others (8)

Down
2 - Intermittent clicks (7)
3 - Let air out (5)
4 - Raising (7)
5 - Soar; rush (5)
6 - Class of animals (7)
7 - Strain (5)
14 - Wrong (7)
15 - Assign authority to (7)
16 - January 1st (3,4)
18 - Lover of Juliet (5)
19 - Very slow (5)
20 - Lag behind (5)

No 5

Across
1 - Accumulate liquid (6)
7 - Stuff (8)
8 - Compete for (3)
9 - Request company (6)
10 - Depart from (4)
11 - Visual perception (5)
13 - Communication (7)
15 - Number of people (7)
17 - Small pieces of land (5)
21 - Employs (4)
22 - Northwestern State (6)
23 - Charged particle (3)
24 - Laziness (8)
25 - Tints (6)

Down
1 - Heavy iron blocks (6)
2 - Observing (6)
3 - Start (5)
4 - Increased the gap (7)
5 - Judges (8)
6 - Wandering (6)
12 - Those who control hounds (8)
14 - Taught (7)
16 - Top; gain (6)
18 - Protective cover (6)
19 - Beams (6)
20 - Animal (5)

No 6

Across
1 - Styles (6)
4 - Walks slowly (6)
9 - Fear of heights (7)
10 - Develops (7)
11 - Crannies (5)
12 - Performer (5)
14 - Tidy up (5)
15 - Happen again (5)
17 - Pay out money (5)
18 - Manservant (7)
20 - Pedal (7)
21 - Even paced (6)
22 - Acquires a new skill (6)

Down
1 - Providing (6)
2 - Drug (8)
3 - Gives out (5)
5 - From Mars (7)
6 - Sneer (4)
7 - Detective device (6)
8 - Makes complete or perfects (11)
13 - Bullfighter (8)
14 - Confined (7)
15 - Plunders; steals (6)
16 - Dreads (anag) (6)
17 - Sift (5)
19 - Seep; exude (4)

No 7

Across
1 - Funeral car (6)
5 - Young dog (3)
7 - Playing field (5)
8 - Accept (7)
9 - Soft drink (5)
10 - Argues (8)
12 - Boyfriends (6)
14 - On lime (anag) (6)
17 - Veteran of battle (8)
18 - Praise (5)
20 - Story with a moral (7)
21 - Municipalities (5)
22 - Effigy (3)
23 - Increasing (6)

Down
2 - Facial hair (7)
3 - Hitting very hard (8)
4 - Ignore correction (4)
5 - Illusion (7)
6 - Eaten at cinema (7)
7 - First Pope (5)
11 - Coded (8)
12 - Fuming (7)
13 - Waterlessness (7)
15 - Greek letter (7)
16 - Striped insects (5)
19 - Cuts woods (4)

No 8

Across
1 - Use of the wrong name (8)
5 - Price (4)
8 - Decorate (5)
9 - Rising and falling breath (7)
10 - Boastful person (7)
12 - Wrongdoing (7)
14 - Small rivers (7)
16 - Skilled craft worker (7)
18 - Raging fire (7)
19 - Eg heart or liver (5)
20 - Direction (4)
21 - Pattern of symptoms (8)

Down
1 - Average value (4)
2 - Looks of anger (6)
3 - Medicinal creams (9)
4 - Reverberated (6)
6 - Starting point (6)
7 - Constricts (8)
11 - Fill beyond capacity (9)
12 - Express judgment (8)
13 - Pushes filling inside (6)
14 - Charles Schulz' beagle (6)
15 - In a slow tempo (6)
17 - Leg joint (4)

No 9

Across
1 - Refreshing candies (11)
9 - Push away (5)
10 - Deciduous trees (3)
11 - Proof of vindication (5)
12 - Measure of your age (5)
13 - Viewers (8)
16 - Forwarding to another (8)
18 - Exam pass level (5)
21 - Metal fastener (5)
22 - Bath vessel (3)
23 - Vast multitude (5)
24 - Upset musical rhythm (11)

Down
2 - Self-centered people (7)
3 - Outcasts from society (7)
4 - Bird of prey (6)
5 - Table surface decoration (5)
6 - Eighth Greek letter (5)
7 - Producers of scripts (11)
8 - Deprived of strength (11)
14 - Withdraw (7)
15 - Precondition (7)
17 - Ensnare or catch out (6)
19 - Monastery church (5)
20 - Principle of morality (5)

No 10

Across
1 - Connected by kinship (7)
4 - Cuts slightly (5)
7 - Attach to (5)
8 - Stares (7)
9 - Shade (4)
10 - Not new (3)
11 - Gull-like bird (4)
15 - Long narrow flags (9)
17 - Unwrap present (4)
19 - Musical event (3)
20 - Dither (4)
24 - Copy (7)
25 - Indian coin (5)
26 - Animal cries (5)
27 - Smiled contemptuously (7)

Down
1 - Cook joint of meat (5)
2 - Protective coverings (7)
3 - Written words (4)
4 - Noble gas (4)
5 - Office person (5)
6 - Carry on (7)
8 - Stimulate to action (9)
12 - Period of time (3)
13 - Female chicken (3)
14 - Capers (7)
16 - Spoil (7)
18 - Same as (5)
21 - Role; office (5)
22 - Animal feet (4)
23 - Correct (4)

No 11

Across
7 - Activity (6)
8 - Bubbles (6)
10 - Mythical firebird (7)
11 - Roman country house (5)
12 - Female sheep (4)
13 - Not elaborate (5)
17 - Wound; cut (5)
18 - A nobleman (4)
22 - Hold onto tightly (5)
23 - Sellers (7)
24 - Distant from (6)
25 - Develop (6)

Down
1 - Tried a small amount (7)
2 - Caresses (7)
3 - Links together (5)
4 - Come out on top (7)
5 - Plant stem (5)
6 - Test (5)
9 - Dynamite (9)
14 - Air journeys (7)
15 - Concentrate again (7)
16 - Defeated heavily (7)
19 - Blemishes (5)
20 - Records on tape (5)
21 - Decoration (5)

No 12

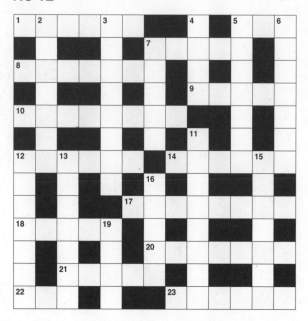

Across
1 - Confession (6)
5 - Ruction (3)
7 - Multiplied three times (5)
8 - Delicate fabric (7)
9 - Moves back and forth (5)
10 - Glass workers (8)
12 - Soul (6)
14 - Common bird (6)
17 - Agitated grain (8)
18 - Measure (5)
20 - Squirm (7)
21 - Bird houses (5)
22 - Ovum (3)
23 - Sticky sugars (6)

Down
2 - Moves at speed (7)
3 - Small window (8)
4 - Recedes (4)
5 - Go forward (7)
6 - Boatman (7)
7 - Pile of stones as marker (5)
11 - Faithfulness (8)
12 - Immature (7)
13 - Screaming (7)
15 - Coincide (7)
16 - Demonstrates (5)
19 - Maneuver (4)

No 13

Across
1 - Edible mollusk (6)
7 - Emptied (8)
8 - Enquire (3)
9 - Causes to act (6)
10 - Flower arrangement (4)
11 - Gears (anag) (5)
13 - Functional drawings (7)
15 - Pleased (7)
17 - Gold block (5)
21 - Curved shape (4)
22 - Division of a group (6)
23 - Container (3)
24 - Eg Rudolph (8)
25 - Exchanges (6)

Down
1 - Plotter (6)
2 - Hiding away from (6)
3 - Ancient stringed instruments (5)
4 - Fluid-filled bump (7)
5 - Crusade (8)
6 - Rational motive (6)
12 - Electrical grounding (8)
14 - Restrained (7)
16 - Idols (6)
18 - Stuck together (6)
19 - Touches lightly (6)
20 - Illustration (5)

15

No 14

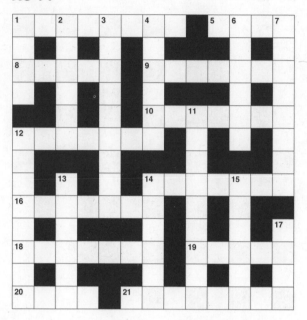

Across
1 - Daydreamer (8)
5 - Soot particle (4)
8 - Speculate (5)
9 - Blamed (7)
10 - Submarine weapon (7)
12 - Colonial royal ruler (7)
14 - Complaints (7)
16 - Quick musical tempo (7)
18 - Writing fluid holder (7)
19 - Senseless (5)
20 - Where the sun rises (4)
21 - Cuddles up (8)

Down
1 - Chickens lay them (4)
2 - Church man (6)
3 - Vain posing (9)
4 - Sea song (6)
6 - Maestro (6)
7 - Larval frogs (8)
11 - Regaining (9)
12 - Grammatical case (8)
13 - Eg falling snow (6)
14 - Evil-tempered spirit (6)
15 - Scribble handwriting (6)
17 - Golf pegs (4)

No 15

Across
1 - Big cat (6)
5 - Pull (3)
7 - Trees (anag) (5)
8 - Forward rotation of ball (7)
9 - Cereal grass (5)
10 - Advocators (8)
12 - Proclamations (6)
14 - Matures (6)
17 - Occurred again (8)
18 - Take off (5)
20 - Special knowledge of spirituality (7)
21 - Historic nobleman (5)
22 - Female sheep (3)
23 - Dish out (6)

Down
2 - Precluded (7)
3 - Harsh manner (8)
4 - Unit (4)
5 - Novice (7)
6 - First book of the Bible (7)
7 - Beginning (5)
11 - Plane's control surfaces (8)
12 - Letter (7)
13 - Tearing (anag) (7)
15 - Requiring (7)
16 - Woolen fabric (5)
19 - System (4)

No 16

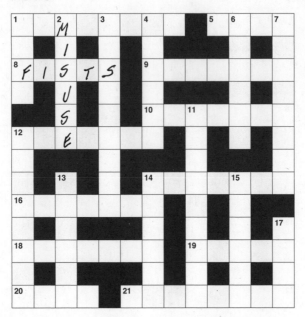

Across
1 - Ordered (8)
5 - Symbol (4)
8 - Clenched hands (5)
9 - Scores; totals up (7)
10 - Money saved (4,3)
12 - Cleaned (7)
14 - Scared people (7)
16 - Awakening from sleep (7)
18 - Hearing range (7)
19 - Representation (5)
20 - Mission (4)
21 - Violent or brutal acts (8)

Down
1 - Withstand (4)
2 - Utilize wrongly (6)
3 - Malevolence (9)
4 - Widen (6)
6 - Desperate situations (6)
7 - Bouquets (8)
11 - Spraying with water (9)
12 - Long-tailed parrot (8)
13 - Grieves (6)
14 - Clasp (6)
15 - Wipeout (6)
17 - Renounce (4)

18

No 17

Across
1 - Chopped (6)
5 - Of that form (3)
7 - Smart (5)
8 - Tool for the Arctic (7)
9 - Steered car (5)
10 - Form the base for (8)
12 - Wading birds (6)
14 - Throngs (6)
17 - Opened (8)
18 - Diacritic symbol (5)
20 - Enthusiasm (7)
21 - Preserved (5)
22 - Health resort (3)
23 - Guardian (6)

Down
2 - Official document (7)
3 - Person who leaves a country (8)
4 - Untamed (4)
5 - Rejected (7)
6 - Russian monetary units (7)
7 - Hank of wool (5)
11 - Persons of no note (8)
12 - Rushes (7)
13 - Copy (7)
15 - Shotgun mechanism (7)
16 - Manipulate dough (5)
19 - Makes a mistake (4)

No 18

Across
1 - Frames (6)
4 - Prevents (6)
9 - Issue forth (7)
10 - Struggles (7)
11 - Extinct birds (5)
12 - Threshold (5)
14 - Seed cases (5)
15 - Game of luck (5)
17 - Long narrow estuary (5)
18 - Decree or designate (7)
20 - Imply (7)
21 - Sprinkles with water (6)
22 - Soft mineral plaster (6)

Down
1 - Warhorses (6)
2 - Cosmic particles (8)
3 - Tests (5)
5 - Feudal tenants (7)
6 - Small watercourse (4)
7 - Diminishing of light (6)
8 - Peevishness (11)
13 - Grievers (8)
14 - Undergarments (7)
15 - Soup spoons (6)
16 - Musical time (6)
17 - Misty (5)
19 - Agitate (4)

No 19

Across
1 - Subsides (7)
4 - Board game (5)
7 - Not odds (5)
8 - Chants (7)
9 - Strongbox (4)
10 - Consumed (3)
11 - Donate (4)
15 - Classical scholars (9)
17 - Catwalk posture (4)
19 - Humor (3)
20 - Stone block (4)
24 - Have as a part (7)
25 - Sisters of one's parents (5)
26 - Enthusiasm (5)
27 - Financial incentives (7)

Down
1 - Small hard fruits (5)
2 - ___ night: Shakespeare play (7)
3 - Ultimate (4)
4 - Baby beds (4)
5 - Dissatisfaction (5)
6 - Groupings (7)
8 - High degree of focus (9)
12 - Flightless bird (3)
13 - Residue (3)
14 - Drawing blood (7)
16 - Thin pieces of wood (7)
18 - Faith groups (5)
21 - Relishes (5)
22 - Board game (4)
23 - Profit (4)

No 20

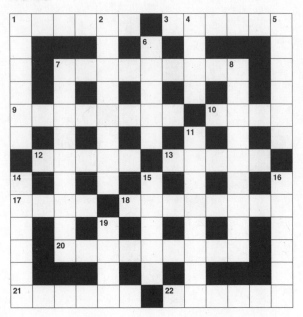

Across
1 - Container (6)
3 - Stroke lightly (6)
7 - Fighters; resistance force (9)
9 - Person that is not present (8)
10 - College administrator (4)
12 - Shelter (5)
13 - Technical problem (5)
17 - Stride (4)
18 - Semblance (8)
20 - Murkiness (9)
21 - Survives; lives (6)
22 - Qualities; plus points (6)

Down
1 - Breakfast food (6)
2 - Hurt; disrespected (8)
4 - Region (4)
5 - Keeping money (6)
6 - Tines (anag) (5)
7 - Held at arms length (9)
8 - Young plants (9)
11 - Female serving staff (8)
14 - Significant other (6)
15 - Cook with high heat (5)
16 - Misrepresents (6)
19 - Small pebbles (4)

No 21

Across
7 - Flavorful bulbs (6)
8 - Sand trap in golf (6)
10 - Submarine weapon (7)
11 - Short choral composition (5)
12 - Bird house (4)
13 - Accumulate (5)
17 - Happy; jovial (5)
18 - Idol (4)
22 - Small gnome (5)
23 - Study of animals (7)
24 - Fleshy edible root (6)
25 - Plan (6)

Down
1 - Natural fibers (7)
2 - Go off topic (7)
3 - Annoyance (5)
4 - Deduce (7)
5 - Move on ice (5)
6 - Beast (5)
9 - Make official (9)
14 - Mistake (7)
15 - Comes back (7)
16 - Imitator (7)
19 - Decorate (5)
20 - Chocolate (5)
21 - Tree branch (5)

No 22

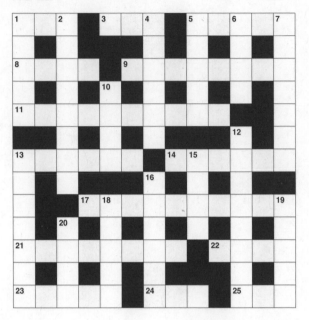

Across
1 - Tin (3)
3 - Tree resin (3)
5 - Becomes weary (5)
8 - Sharp bites (4)
9 - Betting (8)
11 - Eg earl or duke (10)
13 - Type of sausage (6)
14 - Support (6)
17 - Opposite of minorities (10)
21 - Football scorers (8)
22 - ___ Minnelli (4)
23 - Sleep noisily (5)
24 - Untruth (3)
25 - Slippery fish (3)

Down
1 - Ballroom dance (5)
2 - Marriages (8)
4 - Flat fish (6)
5 - Leg bone (5)
6 - Destroy (4)
7 - Portion (7)
10 - Mite (anag) (4)
12 - Make as small as possible (8)
13 - Domestic partners (7)
15 - Earth (4)
16 - Herb (6)
18 - Leg joint (5)
19 - Petite (5)
20 - Vigor (4)

No 23

Across
1 - Remains (6)
5 - Title of a Turkish noble (3)
7 - Proposes (5)
8 - Clergymen (7)
9 - Move back and forth (5)
10 - Supporters (8)
12 - Incline (6)
14 - Lost out (6)
17 - String musicians (8)
18 - Small fish (5)
20 - Corrected (7)
21 - Writes down (5)
22 - Domestic animal (3)
23 - A guess (anag) (6)

Down
2 - Absolves (7)
3 - Passing (8)
4 - Sage (anag) (4)
5 - Aids (7)
6 - Corresponded (7)
7 - Supplant (5)
11 - Settlements (8)
12 - Gas filled flying machine (7)
13 - Edible berry (7)
15 - Severe (7)
16 - Burns (5)
19 - Small children (4)

No 24

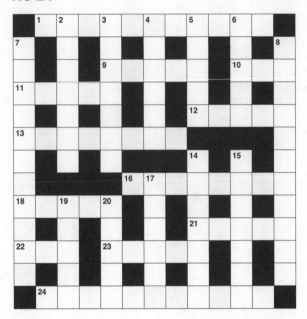

Across
1 - Gases in an aerosol can (11)
9 - Narrow roads (5)
10 - Writing fluid (3)
11 - Fabric with parallel ribs (5)
12 - Cash registers (5)
13 - Cheapest berth on ship (8)
16 - Large boa snake (8)
18 - Youngsters (5)
21 - The top people (5)
22 - Baby bed (3)
23 - Remove from school (5)
24 - Support strong military action (11)

Down
2 - Domiciled (7)
3 - Vertical stone supports (7)
4 - Protects inside surface (6)
5 - Valuable item (5)
6 - Rapidly alternated notes (5)
7 - Disinfectants (11)
8 - Very tall buildings (11)
14 - Troops arranged in line (7)
15 - Car motors (7)
17 - Immature water insects (6)
19 - Additional (5)
20 - Small spot (5)

No 25

Across
7 - Change (6)
8 - Captures (6)
10 - Nerve impulses (7)
11 - Large intestine (5)
12 - Imitates (4)
13 - Get rid of (5)
17 - Australian animal (5)
18 - Alone (4)
22 - Possessor (5)
23 - Believed in (7)
24 - Thin (6)
25 - Removes wallpaper (6)

Down
1 - Law officer (7)
2 - Business establishments (7)
3 - Look around (5)
4 - Imaginary creature (7)
5 - Tiny crustaceans (5)
6 - Employing (5)
9 - Practicality (9)
14 - Flying high (7)
15 - Enclose (7)
16 - Female deity (7)
19 - Lift up (5)
20 - Heavy iron tool (5)
21 - Enthusiasm (5)

No 26

Across
1 - Small hills (6)
5 - Golf peg (3)
7 - Beneath (5)
8 - Mishits (7)
9 - Open-air marketplaces (5)
10 - Huntsmen (8)
12 - Insist (6)
14 - Astronomy unit (6)
17 - Lover (8)
18 - Cancel (5)
20 - From the East (7)
21 - Consumed (5)
22 - Male aristocrat (3)
23 - Impervious (6)

Down
2 - Narcotics (7)
3 - Intoxicated person (8)
4 - Totals (4)
5 - Mental states (7)
6 - Flexible (7)
7 - Ruses (anag) (5)
11 - An example (8)
12 - Fights (7)
13 - Slim (7)
15 - Act of avoiding capture (7)
16 - Hymn (5)
19 - Tardy (4)

No 27

Across
1 - Political meetings (8)
6 - Military branch (4)
8 - Thoroughfare (6)
9 - Metal blocks (6)
10 - Funeral vase (3)
11 - Makes mistakes (4)
12 - Communicated (6)
13 - Tips and instruction (6)
15 - Corroded (6)
17 - Church towers (6)
20 - Pyrus fruit (4)
21 - Ash (anag) (3)
22 - Crested lizard (6)
23 - Turning force (6)
24 - Spheres (4)
25 - Dish of rice and eggs (8)

Down
2 - Changed (7)
3 - Cooks in charge (5)
4 - Position (7)
5 - Supply sparingly (5)
6 - Annunciation prayer (7)
7 - Totem (anag) (5)
14 - Encroachments (7)
15 - Cooked in oven (7)
16 - Person moved from danger (7)
18 - Beeper (5)
19 - Carnivorous fish (5)
20 - Food mashed smooth (5)

No 28

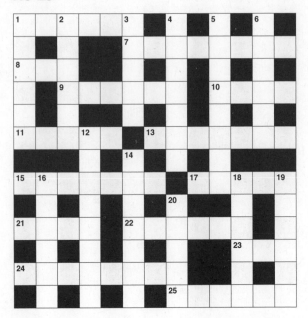

Across
1 - Cake (6)
7 - Makes defamatory remarks (8)
8 - Creativity (3)
9 - Darts forward (6)
10 - Prayer (4)
11 - Evade (5)
13 - Used to advantage (7)
15 - Saying (7)
17 - Ice home (5)
21 - Box (4)
22 - Fluid in your mouth (6)
23 - Owed and payable (3)
24 - Aromatic shrub (8)
25 - Relating to a wedding (6)

Down
1 - Judged on merit (6)
2 - Named (6)
3 - Custom (5)
4 - Not active (7)
5 - Changing (8)
6 - Mourn (6)
12 - Commanded (8)
14 - Campaign (7)
16 - Repeat (6)
18 - Armed weapon (6)
19 - Trying experience (6)
20 - Promotional wording (5)

No 29

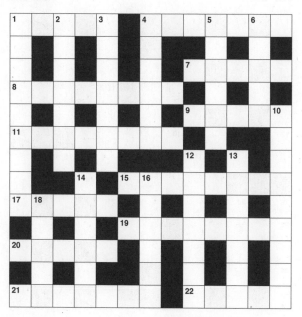

Across
1 - Burst of light (5)
4 - Screaming (7)
7 - Brushed leather (5)
8 - Huge (8)
9 - Web-footed birds (5)
11 - Personality (8)
15 - Worked quietly (8)
17 - Metric weight unit (5)
19 - Waterman (8)
20 - Torn apart (5)
21 - Bird has this (7)
22 - Cleans (5)

Down
1 - Providence (9)
2 - Irritated (7)
3 - Loners (7)
4 - Dairy product (6)
5 - Emblem of victory (6)
6 - Connections (5)
10 - Indications (9)
12 - Featured (7)
13 - Causes (7)
14 - Contaminate (6)
16 - Can ___ useful tool (6)
18 - Food oil producer (5)

No 30

Across
7 - Major blood vessel (6)
8 - Stores (6)
10 - Written additions (7)
11 - Parasitic insect (5)
12 - Unwrap (4)
13 - Choose (5)
17 - Bonelike structure for eating (5)
18 - Food choices (4)
22 - Prune (5)
23 - Greek goddess of retribution (7)
24 - Cup (6)
25 - Exploited (6)

Down
1 - Model (7)
2 - Examines (7)
3 - Blunt (5)
4 - Rides horse quickly (7)
5 - Evil spirit (5)
6 - Steer (anag) (5)
9 - Gymnastic exercise (9)
14 - Guards (7)
15 - Jumpers (7)
16 - Exterior (7)
19 - Custom (5)
20 - Aromatic plants (5)
21 - Clever (5)

No 31

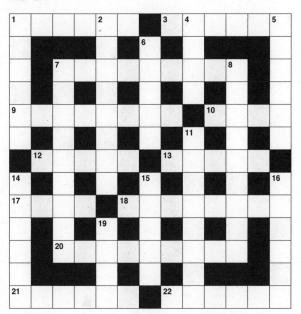

Across
1 - Educated (6)
3 - Books (6)
7 - Bringing together (9)
9 - Hesitated (8)
10 - Show tiredness (4)
12 - Annoys (5)
13 - Strict vegetarian (5)
17 - Floor covers (4)
18 - Forced fluid into (8)
20 - Administrator (9)
21 - Speaker (6)
22 - Models (6)

Down
1 - Exemplify (6)
2 - Beaten (8)
4 - Leave out (4)
5 - Season (6)
6 - Trickery (5)
7 - Fan of memorabilia (9)
8 - Person who pledges collateral (9)
11 - Put off (8)
14 - Charm (6)
15 - Anxiety (5)
16 - Mature people (6)
19 - Sickness (4)

No 32

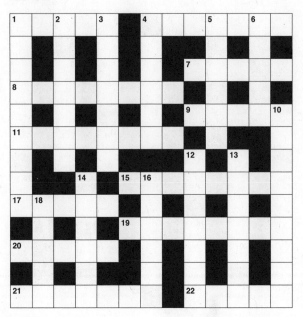

Across
1 - Deceives (5)
4 - Confine (7)
7 - Dirty (5)
8 - Sad (8)
9 - Bed cover (5)
11 - Add to (8)
15 - French bread stick (8)
17 - Cleans (5)
19 - Quarter of a circle (8)
20 - Weak cry (5)
21 - Object (7)
22 - Soft drinks (5)

Down
1 - Refused (9)
2 - Astronomical units (7)
3 - Protective covering (7)
4 - Expresses opinion (6)
5 - Trapped (6)
6 - Shack (5)
10 - Warns (9)
12 - Trounces (7)
13 - Moved off course (7)
14 - Thoroughfare (6)
16 - Good luck charm (6)
18 - Guide at a wedding (5)

No 33

Across
1 - Applauded (6)
4 - Be able to pay (6)
9 - Big shot (7)
10 - Inherent qualities (7)
11 - Dark black wood (5)
12 - Ranked (5)
14 - Innate worth (5)
15 - Domestic dog (5)
17 - Point (5)
18 - Temporary camp (7)
20 - Choose and follow (7)
21 - Tension (6)
22 - Doglike mammal (6)

Down
1 - Boos (6)
2 - Not appropriate (8)
3 - Adversary (5)
5 - Fitting (7)
6 - Complete (4)
7 - Extinguished (6)
8 - Expressions of sympathy (11)
13 - Value greatly (8)
14 - Infections (7)
15 - Compartments (6)
16 - Swiss capital (6)
17 - Young dog (5)
19 - Change course (4)

No 34

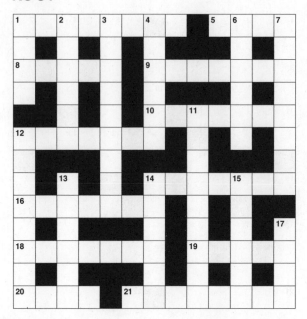

Across
1 - Shriveled or dried up (8)
5 - Woodwind instrument (4)
8 - Examine accounts (5)
9 - Labors (7)
10 - Understanding of another (7)
12 - Refrain from (7)
14 - Skunk (7)
16 - Fish tanks (7)
18 - Resistance to change (7)
19 - Authoritative proclamation (5)
20 - Inflammation of big toe (4)
21 - Manipulated (8)

Down
1 - Raised flesh (4)
2 - Makes spick and span (6)
3 - One who approximates (9)
4 - Number in soccer team (6)
6 - Breaks open (6)
7 - Writer of literary works (8)
11 - They damage the planet (9)
12 - Lessening (8)
13 - Desk with drawers (6)
14 - Paw paw (6)
15 - Eye watering (6)
17 - Horse breeding farm (4)

No 35

Across
1 - Affectionate (6)
4 - Shadows (6)
9 - Humorous drawing (7)
10 - Spiky weed (7)
11 - Timber frame (5)
12 - Closes (5)
14 - Defense (5)
15 - Executing (5)
17 - Move (5)
18 - Piece of furniture (7)
20 - Holdings (7)
21 - Soup spoons (6)
22 - Wears away (6)

Down
1 - Find (6)
2 - Brilliant performers (8)
3 - Sheltered places (5)
5 - Secret organizations (7)
6 - Crack (4)
7 - Shows contempt (6)
8 - Expects (11)
13 - Allowed in (8)
14 - Suffer anguish (7)
15 - A rhythmic foot (6)
16 - Inactivity (6)
17 - Stringed instrument (5)
19 - A lyric poet (4)

No 36

Across
1 - Irrational fear (6)
5 - Clumsy person (3)
7 - Reduces the shine (5)
8 - Princess Diana's surname (7)
9 - Large weasel (5)
10 - Monarch's quality (8)
12 - Basic atomic particle (6)
14 - Prayer book (6)
17 - Scaly anteater (8)
18 - Watched (5)
20 - Toxins (7)
21 - Gives off (5)
22 - Eg oxygen (3)
23 - Imposter (6)

Down
2 - More cheerful (7)
3 - Cut (8)
4 - Deciduous trees (4)
5 - Diffusion of fluids (7)
6 - Handful (7)
7 - Run through (5)
11 - Religious travelers (8)
12 - Opening up (7)
13 - Causes (7)
15 - Corresponded (7)
16 - Distorts (5)
19 - Platform (4)

No 37

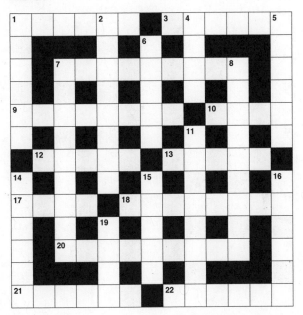

Across

1 - Bits of bread (6)
3 - Wall painting; mural (6)
7 - Turned off course (9)
9 - Lose (8)
10 - End of a prayer (4)
12 - Cherished (5)
13 - Between (5)
17 - Type of soil (4)
18 - Baked goods (8)
20 - Washing (9)
21 - Peril (6)
22 - Ice buildings (6)

Down

1 - Seizes ownership of (6)
2 - Happened; became of (8)
4 - Decays (4)
5 - Edible bulbs (6)
6 - Barrier (5)
7 - Getting rid of things (9)
8 - Difficult (9)
11 - Removing contents (8)
14 - Decreased speed (6)
15 - Tones down (5)
16 - Examines (6)
19 - House (4)

No 38

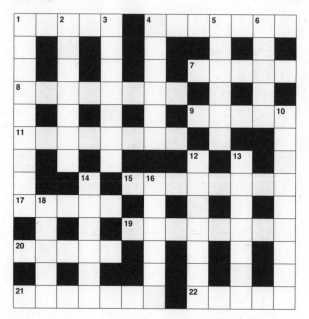

Across
1 - Regulations (5)
4 - A person (7)
7 - Heavenly bodies (5)
8 - Support (8)
9 - Announcer (5)
11 - Snakes (8)
15 - Mythical creature (8)
17 - Loop of rope (5)
19 - Devoted to a cause (8)
20 - Allow (5)
21 - Danced lightly (7)
22 - Loves excessively (5)

Down
1 - Disgust (9)
2 - Food pantries (7)
3 - Featured (7)
4 - Spray with water (6)
5 - Consumers (6)
6 - Courage (5)
10 - Fees (9)
12 - Overlooked (7)
13 - Carry on (7)
14 - Delegate a task (6)
16 - Lifted; elevated (6)
18 - Command (5)

No 39

Across
1 - Do-nothings (8)
6 - Cries (4)
8 - Fashioned (6)
9 - Firearms (6)
10 - Flightless bird (3)
11 - Entry devices (4)
12 - Chilled dessert (6)
13 - Judge (6)
15 - Appeared to be (6)
17 - Isolationists (6)
20 - Nest (anag) (4)
21 - Container (3)
22 - Bathing suit (6)
23 - Bronzed (6)
24 - Antelopes (4)
25 - Acquired (8)

Down
2 - Big screen star (7)
3 - Olympic medals (5)
4 - Gnawing mammals (7)
5 - Scrimmage (5)
6 - Become overspread (7)
7 - Makes beer (5)
14 - Mournful poems (7)
15 - Leisurely walk (7)
16 - Furthest point (7)
18 - Aromatic bulb (5)
19 - Hurt; smart (5)
20 - Nowadays (5)

No 40

Across
1 - Supplied by tube (5)
4 - Bubbled (7)
7 - Join together as one (5)
8 - German superhighway (8)
9 - Analyze (5)
11 - Receptiveness (8)
15 - Angel (8)
17 - Strainer (5)
19 - Relating to the coast (8)
20 - Deep breaths (5)
21 - Time off (7)
22 - Valleys (5)

Down
1 - Projectile paths (9)
2 - Delivery men (7)
3 - Coating (7)
4 - Angles (6)
5 - Felonies (6)
6 - Urged on (5)
10 - Skullcaps (9)
12 - Stage in whisky making (7)
13 - Anthem (7)
14 - Circumstances (6)
16 - Person who leaves country (6)
18 - Representation (5)

No 41

1	2		3		4		5		6		7	
8							9					
				10								
11						12						
13			14			15				16	
17	18			19			20				
			21								
22					23					
24				25						

Across
1 - Land measures (8)
6 - Reproduce (4)
8 - Covers little (6)
9 - Spread out (6)
10 - Paintings (3)
11 - Geological time (4)
12 - Place for afterlife (6)
13 - Fish eating hawk (6)
15 - Male parent (6)
17 - Structure or model (6)
20 - Cover (4)
21 - Pop music performance (3)
22 - Cloud of gas in space (6)
23 - Potion (6)
24 - Abrupt movement (4)
25 - Guaranteeing (8)

Down
2 - Surpasses (7)
3 - Mortise partner (5)
4 - Kings and queens (7)
5 - Cardinal point (5)
6 - Dried seedless grape (7)
7 - Edible lentil (5)
14 - European deer (7)
15 - Restless movements (7)
16 - Avoidance (7)
18 - Battercake (5)
19 - Unconditional love (5)
20 - Announcer (5)

No 42

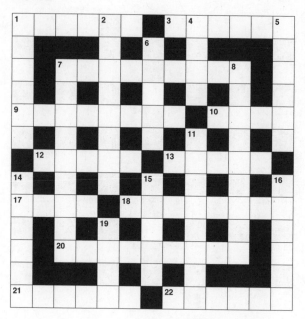

Across
1 - Chess piece (6)
3 - Stroll (6)
7 - Property; personality (9)
9 - Manipulator (8)
10 - Niche (4)
12 - Amusing (5)
13 - Dominant theme (5)
17 - Yearn for (4)
18 - Laboring; toiling (8)
20 - Going up (9)
21 - Senior members (6)
22 - Frightens; warns (6)

Down
1 - Martial art (6)
2 - Setting aside (8)
4 - Tiny social insects (4)
5 - Scholarly person (6)
6 - Charges for travel (5)
7 - Small dog (9)
8 - Improving; fixing (9)
11 - Bonhomie (8)
14 - Manage; hold (6)
15 - Hold on tight (5)
16 - Exit (6)
19 - Blemish (4)

No 43

Across
7 - Cancels (6)
8 - Imagined (6)
10 - Charismatic person (7)
11 - Variety (5)
12 - Smooth (4)
13 - Have fun (5)
17 - Manor (anag) (5)
18 - Strict (4)
22 - System of rules (5)
23 - Copy (7)
24 - Not singular (6)
25 - Hinge joints (6)

Down
1 - Observes (7)
2 - Attacked a country (7)
3 - Unpleasant substance (5)
4 - Compel by coercion (7)
5 - Young deer (5)
6 - Guide (5)
9 - Cuts off (9)
14 - Hide (7)
15 - Horseman in bullfight (7)
16 - Steep in (7)
19 - Garners (5)
20 - Evil spirit (5)
21 - Remorse (5)

No 44

Across
1 - Special offer (7)
4 - Burst of light (5)
7 - Is enamored with (5)
8 - Incredible (7)
9 - Nervy (4)
10 - Airplane (3)
11 - Idol (4)
15 - Rankings (9)
17 - Temporary provision (4)
19 - Consumed (3)
20 - Goad on (4)
24 - Hard teeth coverings (7)
25 - Aromatic edible bulb (5)
26 - Mournful poem (5)
27 - Safe places (7)

Down
1 - Lump or bump (5)
2 - Destroys (7)
3 - Niche (4)
4 - Accomplishment (4)
5 - Nimble (5)
6 - Deeply interest (7)
8 - Short accounts (9)
12 - Ash (anag) (3)
13 - Small insect (3)
14 - Alleviate (7)
16 - Young tree (7)
18 - Unconditional love (5)
21 - Sorts a list (5)
22 - Group of women (4)
23 - Predatory canine mammal (4)

No 45

Across
1 - Sailing swiftly (8)
6 - Bites (4)
8 - Hits (6)
9 - Extreme confusion (6)
10 - Golf peg (3)
11 - Change (4)
12 - Dances (6)
13 - Assault (6)
15 - Method (6)
17 - Spanish fleet (6)
20 - Personal animals (4)
21 - Headgear (3)
22 - First growth (6)
23 - Feathers (6)
24 - Associate (4)
25 - Fought back (8)

Down
2 - Navigational instrument (7)
3 - Decomposition (5)
4 - Fit in place (7)
5 - Taunted (5)
6 - Naturists (7)
7 - Keyed instrument (5)
14 - Study of the body (7)
15 - Large grassy plains (7)
16 - Furthest point (7)
18 - Push back (5)
19 - Stage performer (5)
20 - Seals the gap (5)

No 46

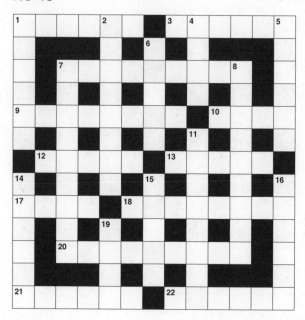

Across

1 - Assorted (6)
3 - More moist (6)
7 - Stealing (9)
9 - Unidentified people (8)
10 - Dance party (4)
12 - Utilizing (5)
13 - Big cat (5)
17 - Egg shaped (4)
18 - Environs (8)
20 - Adorned with plumes (9)
21 - Repositories (6)
22 - Taxes (6)

Down

1 - Appear or become visible (4,2)
2 - Omnivorous nocturnal mammals (8)
4 - Graph line (4)
5 - Increased (6)
6 - Deprives (5)
7 - Shaft of a weapon (9)
8 - Burial place (9)
11 - A lace-like ornamental work (8)
14 - Increased rapidly (6)
15 - Wash (5)
16 - Pieces of writing (6)
19 - A flat float (4)

No 47

Across
1 - Unit of time (abbrev) (3)
3 - Snow blade (3)
5 - Lights (5)
8 - One part (4)
9 - Religious deserter (8)
11 - Page numbering (10)
13 - From Denmark (6)
14 - Property (6)
17 - Piece of work (10)
21 - Coming out (8)
22 - Young male horse (4)
23 - Travels in water (5)
24 - How (anag) (3)
25 - Female parent (3)

Down
1 - Fall away (5)
2 - Touching (8)
4 - Starting data (6)
5 - Rope (5)
6 - Convey (4)
7 - Percolation of water (7)
10 - Antelopes (4)
12 - Undulation (8)
13 - Small water birds (7)
15 - Went below the surface (4)
16 - Tiny fish (6)
18 - Wise men (5)
19 - Emblem (5)
20 - Legendary creature (4)

No 48

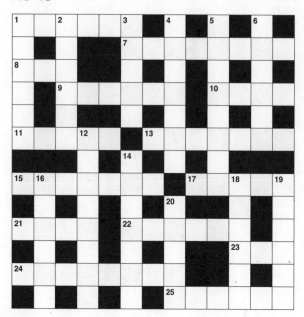

Across
1 - Used to slow a vehicle (6)
7 - Steering (8)
8 - Complain (3)
9 - Official (6)
10 - Leave out (4)
11 - Conceals (5)
13 - Taking out (7)
15 - Business venues (7)
17 - Verse form (5)
21 - Stagnant (4)
22 - Place of confinement (6)
23 - Two (3)
24 - Annoyance (8)
25 - End of daylight (6)

Down
1 - Throw out (6)
2 - Rowed (6)
3 - Ruin (5)
4 - Type of spy (7)
5 - Study of animal behavior (8)
6 - Heart pain (6)
12 - Outbreak (8)
14 - Paint again (7)
16 - Type of hat (6)
18 - Donors (anag) (6)
19 - Group of individuals (6)
20 - Leans (5)

No 49

Across
1 - Finish (3)
3 - Utter (3)
5 - Disgrace (5)
8 - Teeth holders (4)
9 - Old soldiers (8)
11 - Convincing (10)
13 - Fanciful idea (6)
14 - Personify (6)
17 - Reasons for opposition (10)
21 - Agreement (8)
22 - Prima donna (4)
23 - Shouts (5)
24 - One circuit of a track (3)
25 - Leg (anag) (3)

Down
1 - Keen (5)
2 - Relating to the home (8)
4 - Produces (6)
5 - Harsh (5)
6 - Unfortunately (4)
7 - Intense joy (7)
10 - Young lions (4)
12 - Driving a car (8)
13 - Small kangaroo (7)
15 - Ship's officer (4)
16 - Sell to the public (6)
18 - Printed publications (5)
19 - Growl with bare teeth (5)
20 - Gemstone (4)

No 50

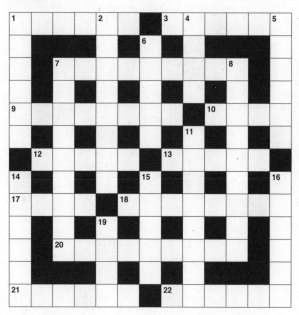

Across
1 - Exit; Bible book (6)
3 - Entwined (6)
7 - Economic process; losing air (9)
9 - Authorizes (8)
10 - Land surrounded by water (4)
12 - Geographical areas (5)
13 - Wide (5)
17 - Couple (4)
18 - Combat with weapons (8)
20 - Member of small force (9)
21 - Degree (6)
22 - Mete out (6)

Down
1 - Background actors (6)
2 - Thawed (8)
4 - Not an alkaline (4)
5 - Risk (6)
6 - Scraped at (5)
7 - Placing troops; spreading (9)
8 - Longing for something past (9)
11 - Expensive fungi (8)
14 - Embellish (6)
15 - Fluffy (5)
16 - Stress; pull a muscle (6)
19 - Observed (4)

No 51

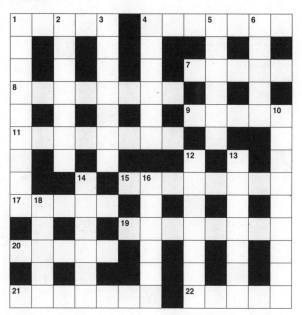

Across
1 - Relax on water (5)
4 - Mistake (7)
7 - Dwelling (5)
8 - Old World monkeys (8)
9 - Not rights (5)
11 - Comic opera (8)
15 - Classical music pieces (8)
17 - Discharge (5)
19 - Form of government (8)
20 - Take away operator (5)
21 - Manned (7)
22 - Blockade (5)

Down
1 - Residence in the country (9)
2 - Diviners (7)
3 - Turning forces (7)
4 - First born (6)
5 - Point furthest from Earth (6)
6 - Disturb (5)
10 - Series of steps (9)
12 - Releases (7)
13 - Priest (7)
14 - Loose skin on neck (6)
16 - Undid (6)
18 - Articulation (5)

No 52

Across
1 - Spoof (6)
3 - Examines (6)
7 - Width (9)
9 - Offers guidance (8)
10 - Sickness (4)
12 - Travel quickly (5)
13 - Shoes (5)
17 - Destroy (4)
18 - Leaned back (8)
20 - Three sided figures (9)
21 - Short trip (6)
22 - Larvae (6)

Down
1 - Light stone (6)
2 - Porch (8)
4 - Look for (4)
5 - Verse (6)
6 - Mature (5)
7 - Plan (9)
8 - Observations (9)
11 - Unfair behavior (4,4)
14 - Hidden or secret (6)
15 - Existing (5)
16 - Announcements (6)
19 - Bearing (4)

No 53

Across
1 - Provide (6)
4 - Reduces to shreds (6)
9 - Analyze (7)
10 - Bursting (7)
11 - Sweet desserts (5)
12 - Noticed (5)
14 - Hushed (5)
15 - Ballroom dance (5)
17 - Service color of the army (5)
18 - Pasta pockets (7)
20 - Large flightless bird (7)
21 - Emulated (6)
22 - Dairy product (6)

Down
1 - Spoken address (6)
2 - Minute floating organisms (8)
3 - Domains (5)
5 - Reply (7)
6 - Cab (4)
7 - Scorched (6)
8 - Forced removal; exile (11)
13 - Analysis of a subject (8)
14 - Eyeglass for one eye (7)
15 - Paving material (6)
16 - Chinese fruit (6)
17 - Sailing ship (5)
19 - Repeated part of music (4)

No 54

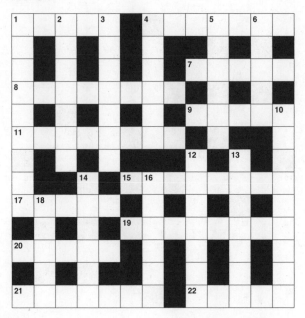

Across
1 - Charges (5)
4 - Poured (7)
7 - Dye (5)
8 - Concentrating (8)
9 - Faiths (5)
11 - Attacked (8)
15 - Indicator (8)
17 - Knocks into (5)
19 - French bread (8)
20 - Expel (5)
21 - Corrosive (7)
22 - Church council (5)

Down
1 - Light source (9)
2 - Reproduces (7)
3 - Fish; photographer (7)
4 - Absorbent material (6)
5 - Undoes (6)
6 - Turf out (5)
10 - Stammered (9)
12 - Lets in (7)
13 - Ship workers (7)
14 - Musical dramas (6)
16 - Cursive script (6)
18 - Shadow (5)

No 55

Across
1 - Alcove (6)
4 - Skiing race (6)
9 - Master of ceremonies (7)
10 - Merchants (7)
11 - Create; cause (5)
12 - Clock faces (5)
14 - Abodes (5)
15 - Mosquito (5)
17 - Join together (5)
18 - Percussion instrument (7)
20 - No uncle (anag) (7)
21 - Referencing (6)
22 - Wiped (6)

Down
1 - Material wealth (6)
2 - Enclosure (8)
3 - Type of fabric (5)
5 - Long-bodied reptiles (7)
6 - Body of water (4)
7 - Church services (6)
8 - Causing (11)
13 - Roominess (8)
14 - Six sided figure (7)
15 - A standard of measurement (6)
16 - Stopped (6)
17 - Lesion (5)
19 - Water filled ditch (4)

No 56

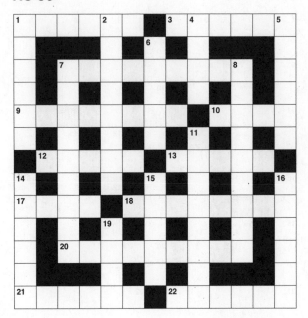

Across
1 - Exit (6)
3 - Hunting dogs (6)
7 - Makes fun of (9)
9 - Unrestrained expression of emotion (8)
10 - Region (4)
12 - Pointed projectile (5)
13 - Force of a blow (5)
17 - Repents (4)
18 - Went up (8)
20 - Unknown people (9)
21 - Foxes' lairs (6)
22 - Eg Australia (6)

Down
1 - Wanted; desired (6)
2 - Subordinate incident (8)
4 - Lipids (4)
5 - Sequential (6)
6 - Exclusive story (5)
7 - Modernizers (9)
8 - Seduces with music (9)
11 - Cooling devices (8)
14 - Mourn the loss of (6)
15 - Employing (5)
16 - Changed (6)
19 - Curved shape (4)

No 57

Across
1 - Gets brighter (8)
6 - Ivory horn (4)
8 - Respect (6)
9 - Short trip for another (6)
10 - Regret with sadness (3)
11 - Top playing cards (4)
12 - Surgical knife (6)
13 - Mixed up or confused (6)
15 - Small trees (6)
17 - Disgusts (6)
20 - Mail delivery (4)
21 - Unwell (3)
22 - Light skin color (6)
23 - Entice or attract (6)
24 - Proof-reader's symbol (4)
25 - Hangs (8)

Down
2 - Brought about (7)
3 - Shire (anag) (5)
4 - Brought forth (7)
5 - Iron alloy (5)
6 - Multitudes of people (7)
7 - Awareness (5)
14 - Printed advertising sheet (7)
15 - Stories in song (7)
16 - Guaranteed (7)
18 - Place in the ground (5)
19 - Rises (anag) (5)
20 - Effect of a heart beat (5)

No 58

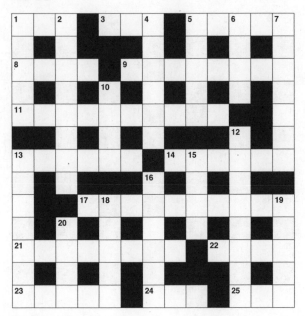

Across
1 - Removed from sight (3)
3 - Clumsy person (3)
5 - Provide (5)
8 - Travel by horse (4)
9 - Coaches (8)
11 - Harmonizes (10)
13 - Elder person (6)
14 - Weigh up (6)
17 - Swung back and forth (10)
21 - University scholar (8)
22 - Fastened; suspended (4)
23 - Water birds (5)
24 - Touch; small amount (3)
25 - Hole (3)

Down
1 - Employer (5)
2 - Reasoning (8)
4 - Disallow (6)
5 - Felony (5)
6 - Subsequently (4)
7 - Pieces of bacon (7)
10 - Reverse (4)
12 - Electric cooling system (4,4)
13 - Tore; caught clothes (7)
15 - Flatfish (4)
16 - Upraised (6)
18 - Liquid meals (5)
19 - Whole number (5)
20 - Bathroom mineral powder (4)

No 59

Across
7 - Soup flavor (6)
8 - Comedies (6)
10 - Cyclone (7)
11 - Acoustic measuring device (5)
12 - Units of energy (4)
13 - Bubbles up (5)
17 - Eg arms and legs (5)
18 - Nile (anag) (4)
22 - Sing like a bird (5)
23 - Falcon (7)
24 - Shows displeasure facially (6)
25 - Lines of poetry (6)

Down
1 - Military missions (7)
2 - Depository (7)
3 - Ultimate (5)
4 - Offers in exchange for money (7)
5 - Location (5)
6 - Ruses (anag) (5)
9 - Engine powered cycle (9)
14 - Biting (7)
15 - Deviate (7)
16 - Stringed instrument player (7)
19 - Roughen surface (5)
20 - Metric weight units (5)
21 - High priest (5)

No 60

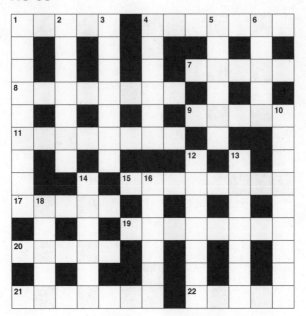

Across
1 - Star sign (5)
4 - Surgical knives (7)
7 - Look (5)
8 - Army officer (8)
9 - Precious stone (5)
11 - Ditches (8)
15 - Discovering (8)
17 - Expel (5)
19 - Discourtesy (8)
20 - Garden sprite (5)
21 - Ladies' tops (7)
22 - Large bird of prey (5)

Down
1 - Torpor (9)
2 - Obstruction (7)
3 - Lack (7)
4 - Living room (6)
5 - Soothed (6)
6 - Large saltwater fish (5)
10 - Distance East or West (9)
12 - Apprentice (7)
13 - Tightening (7)
14 - Prawns (6)
16 - Periods (6)
18 - Chauvinist (5)

No 61

Across
1 - Leaders (6)
5 - Very small child (3)
7 - Natural yellow resin (5)
8 - Hindered (7)
9 - Narrow openings (5)
10 - Exclamation of joy (8)
12 - Guarantee (6)
14 - Seat (6)
17 - Entrances (8)
18 - Regenerate (5)
20 - Tomato sauce (7)
21 - Acquires (5)
22 - Finish (3)
23 - Support (6)

Down
2 - Humiliates (7)
3 - Violin players (8)
4 - Recedes (4)
5 - Followed (7)
6 - Shaved head of a monk (7)
7 - Allow (5)
11 - Reads out (8)
12 - Authorize (7)
13 - Examined hastily (7)
15 - Page templates (7)
16 - Functions correctly (5)
19 - Distort (4)

No 62

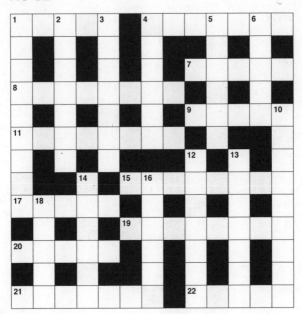

Across
1 - Lift up (5)
4 - Bedroom (7)
7 - Getting older (5)
8 - Withholds (8)
9 - Arrive (5)
11 - Pleasantness (8)
15 - Eg King David (8)
17 - Pig (5)
19 - Saving (8)
20 - Relating to a city (5)
21 - Fights (7)
22 - Extinct birds (5)

Down
1 - Disorder (9)
2 - Tool for the Arctic (7)
3 - Flags (7)
4 - Loses blood (6)
5 - Sharp knife (6)
6 - Greek building style (5)
10 - 7 sided polygons (9)
12 - Impeded (7)
13 - Toured (7)
14 - Heart condition (6)
16 - Pages of paper (6)
18 - Arm joint (5)

No 63

Across
1 - Beepers (6)
4 - Rhododendron (6)
9 - Harsh criticism (7)
10 - A self-governing body (7)
11 - Where we live (5)
12 - Push gently (5)
14 - Indicate indifference (5)
15 - Representative (5)
17 - Fish eggs (5)
18 - Light-hearted musical movements (7)
20 - Set of three (7)
21 - Fair-haired people (6)
22 - Swords (6)

Down
1 - Chose (6)
2 - Make (8)
3 - Rocky; harsh (5)
5 - Speeding around (7)
6 - In place of (4)
7 - Stick to (6)
8 - Mutual agreement (11)
13 - Elaborate (8)
14 - Very hungry (7)
15 - Soak up (6)
16 - Gets together (6)
17 - Spin around (5)
19 - Role model (4)

No 64

Across
1 - Costs (7)
4 - Prevent (5)
7 - Writes down (5)
8 - Decorative framework (7)
9 - Ridge of rock (4)
10 - Attempt to do (3)
11 - Shout out loud (4)
15 - Opposite of plurals (9)
17 - Canines (4)
19 - Eyelid infection (3)
20 - True information (4)
24 - Meaninglessness (7)
25 - One who accepts (5)
26 - Transparent solid (5)
27 - Spices (7)

Down
1 - Landlord (5)
2 - Laughs (7)
3 - Niche (4)
4 - Surrounding glow (4)
5 - Think that (5)
6 - Inhabitant (7)
8 - Electronic wiring (9)
12 - Single figure (3)
13 - Tap (anag) (3)
14 - Attempting again (7)
16 - Flash brightly (7)
18 - Sweet tropical fruit (5)
21 - Becomes weary (5)
22 - Lock lips (4)
23 - Proof-reader's mark (4)

No 65

Across
1 - Remember (6)
3 - Puzzle (6)
7 - Sellers (9)
9 - Lack of color (8)
10 - System of contemplation (4)
12 - Involuntarily muscle contraction (5)
13 - Brook (5)
17 - Arab ruler (4)
18 - Leave in a will (8)
20 - Highest award in athletics (4,5)
21 - Crush; indoor sport (6)
22 - Alter or adapt (6)

Down
1 - Cooking instructions (6)
2 - Tardiness (8)
4 - Decorated a cake (4)
5 - Snare (6)
6 - Initial item; beginning (5)
7 - Reverting back (9)
8 - Obstruct discussion (9)
11 - Focused and level-headed (8)
14 - Decomposes (6)
15 - Joints (5)
16 - Imminent danger (6)
19 - Bonus (4)

No 66

Across
1 - Blockades (6)
4 - Assertion (6)
9 - Tiredness (7)
10 - Glisten (7)
11 - Subject to (5)
12 - Effigies (5)
14 - Dye (5)
15 - Correct (5)
17 - Thin out (5)
18 - Highest female voice (7)
20 - Caring for (7)
21 - Funny TV show (6)
22 - Seek out (6)

Down
1 - Underside of a beam (6)
2 - Tempting (8)
3 - Keen (5)
5 - Organic nutrient (7)
6 - Labor (4)
7 - Individualists (6)
8 - Indecisions (11)
13 - Dweller (8)
14 - Wandered off track (7)
15 - Countrified; unsophisticated (6)
16 - Duration (6)
17 - Money container (5)
19 - Literary composition (4)

No 67

Across
1 - Residential district (6)
7 - Exalted (8)
8 - Fairy (3)
9 - Street (6)
10 - Small quantity (4)
11 - Fish dish (5)
13 - Adornment (7)
15 - Rotated (7)
17 - Stare (anag) (5)
21 - Expression of regret (4)
22 - Photographic device (6)
23 - Vase (3)
24 - Small bag (8)
25 - Holds up (6)

Down
1 - Passes by (6)
2 - Go around (6)
3 - Ownership mark (5)
4 - Cleaned (7)
5 - Policemen (8)
6 - Superior (6)
12 - Great difficulty (8)
14 - Sauce (7)
16 - Crumbled (6)
18 - Crisis (6)
19 - Circles (6)
20 - Implant (5)

No 68

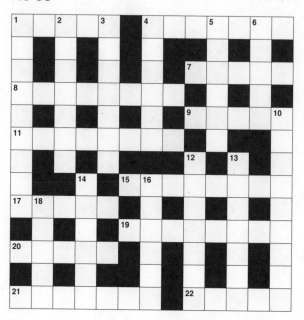

Across
1 - Cook joint of meat (5)
4 - Pheasant (7)
7 - Animal feet (5)
8 - Giving out (8)
9 - Burns (5)
11 - Quality of music (8)
15 - Amicable (8)
17 - Between eighth and tenth (5)
19 - Rotation (8)
20 - Gave (5)
21 - Ship workers (7)
22 - Levels (5)

Down
1 - Party (9)
2 - Allots (7)
3 - Fabric (7)
4 - Celestial body (6)
5 - Attractive plant (6)
6 - Thin biscuit (5)
10 - Gradient (9)
12 - Make inactive (7)
13 - Slanted (7)
14 - Bear witness (6)
16 - Gas we breathe (6)
18 - Inuit's home (5)

No 69

Across

1 - Colored rings around the sun (6)
7 - Fill with people (8)
8 - Signal agreement (3)
9 - Eg Australia (6)
10 - Written communication (4)
11 - Steer (anag) (5)
13 - Painters (7)
15 - Fleck (7)
17 - Unconditional love (5)
21 - Hauls (4)
22 - Prawns (6)
23 - Show discontent (3)
24 - Loss of intellectual functions (8)
25 - Strong drink (6)

Down

1 - Burnt wood fragment (6)
2 - Bone in forearm (6)
3 - Disgust (5)
4 - Arachnids (7)
5 - System of piping (8)
6 - Rigid; stern (6)
12 - Overabundances (8)
14 - Storage spaces (7)
16 - Push forward (6)
18 - Defense claims (6)
19 - Praise (6)
20 - Parrot (5)

No 70

Across
7 - Restore honor (6)
8 - Body shape (6)
10 - Fired clay object (7)
11 - Outcast (5)
12 - Rode (anag) (4)
13 - Flash of light (5)
17 - Bent (5)
18 - Soya bean curd (4)
22 - Regal (5)
23 - Relished (7)
24 - Not outside (6)
25 - Scratch (6)

Down
1 - Go before (7)
2 - Decorated (7)
3 - Axiom (5)
4 - Levers to control rudders (7)
5 - Small hills (5)
6 - Striped animal (5)
9 - Ruined (9)
14 - Run into (7)
15 - Imitator (7)
16 - Downbeat (7)
19 - Planetary path (5)
20 - Itinerant (5)
21 - Expel (5)

No 71

Across
1 - Inuit's home (5)
4 - Australian bush (7)
7 - Uses keyboard (5)
8 - Left over substance (8)
9 - Get together (5)
11 - Broke in two; split (8)
15 - Pasta (8)
17 - Dye (5)
19 - Sweet on a stick (8)
20 - Decrease (5)
21 - Earring goes here (7)
22 - Strain (5)

Down
1 - Affects positively (9)
2 - Failing (7)
3 - Vanquishes (7)
4 - Interruption of service (6)
5 - Barking (6)
6 - Moved slowly (5)
10 - Uproot (9)
12 - Liquid units (7)
13 - Contrast (7)
14 - Concentrate liquid (6)
16 - Enthuse (6)
18 - Leg bone (5)

No 72

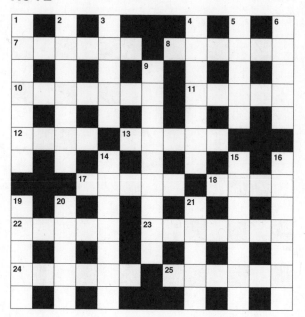

Across

7 - Loves dearly (6)
8 - Religious building (6)
10 - Unpleasant person (7)
11 - Sweetener (5)
12 - Repents (4)
13 - Cause (5)
17 - Woodland space (5)
18 - Heroic tale (4)
22 - Greek building style (5)
23 - Dallied; acted frivolously (7)
24 - Guardian (6)
25 - Consolation (6)

Down

1 - Bloodsucking creature (7)
2 - Water bird (7)
3 - Annoys (5)
4 - Interrupting (7)
5 - Evade (5)
6 - Transport (5)
9 - Firmness; rigidity (9)
14 - Voted in (7)
15 - Towage (7)
16 - Thieves (7)
19 - Dangers (5)
20 - Spiritual being (5)
21 - Passenger ship (5)

No 73

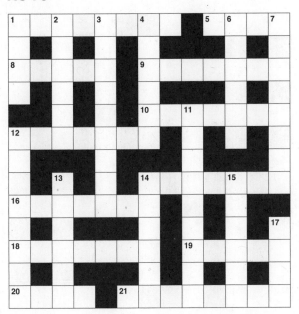

Across
1 - Raging conflagration (8)
5 - Eager; keen (4)
8 - Possessor (5)
9 - Clasps on a belt (7)
10 - Circus swing (7)
12 - Angular measure (7)
14 - Small storage rooms (7)
16 - High pitched cry (7)
18 - Treatment for diabetics (7)
19 - Long ___ owl (5)
20 - Meaning (4)
21 - Retirement payments (8)

Down
1 - Dense growth of trees (4)
2 - Arrived by plane (6)
3 - Advance sample (9)
4 - Automata (6)
6 - Cost appraiser (6)
7 - Sweet food courses (8)
11 - Detachment (9)
12 - Perching at night (8)
13 - Colored parts of the eyes (6)
14 - Alter (6)
15 - First stage of life (6)
17 - Not evens (4)

No 74

Across
1 - Mound (6)
5 - Condensation (3)
7 - Topic (5)
8 - An electrical fitting (7)
9 - Protective cover (5)
10 - Ability to read (8)
12 - Consented (6)
14 - Flat sheets (6)
17 - Round window (8)
18 - Conclude (5)
20 - Bees' home (7)
21 - Cuts (5)
22 - Carry (3)
23 - Isolated land (6)

Down
2 - Jumbling (7)
3 - Exclamations (8)
4 - Quantity of paper (4)
5 - Deform under weight (7)
6 - Lessens (7)
7 - Short written work (5)
11 - Squashes (8)
12 - Appearance (7)
13 - Covering a building (7)
15 - Stimulate (7)
16 - Burial chambers (5)
19 - Grain (4)

No 75

Across
1 - Get away from (6)
4 - Workplace (6)
9 - Rapid repetition of a tone (7)
10 - Centers (7)
11 - Ice hockey buildings (5)
12 - Dressed to the ___ (5)
14 - Dogma (5)
15 - Relinquish (5)
17 - Feature (5)
18 - Paper folding (7)
20 - Printed error (7)
21 - Solid food from milk (6)
22 - Soul; spirit (6)

Down
1 - Obtain through intimidation (6)
2 - Skin care product (8)
3 - Tactical maneuvers (5)
5 - Sweet icing (7)
6 - Effigy (4)
7 - Removes (6)
8 - Groups of people (11)
13 - Drug (8)
14 - Draws to (anag) (7)
15 - Play boisterously (6)
16 - Obstruct (6)
17 - Military constructions (5)
19 - Stagnant; lazy (4)

No 76

Across
1 - Feelings (5)
4 - Huge wave (7)
7 - Levels (5)
8 - Disentangles (8)
9 - Cognizance (5)
11 - Person not present (8)
15 - Microorganisms (8)
17 - Holy person (5)
19 - Opera scripts (8)
20 - Snoops (5)
21 - Caters for (7)
22 - Sea duck (5)

Down
1 - Varies the pitch (9)
2 - Torment (7)
3 - Hair removing (7)
4 - Number of Apostles (6)
5 - Groups of ships (6)
6 - Looks after (5)
10 - Leveling goal (9)
12 - Containers (7)
13 - Dissemble (7)
14 - Plan (6)
16 - Extra-terrestrials (6)
18 - Major artery (5)

No 77

Across
1 - Nursery (6)
5 - Viper (3)
7 - Top storey (5)
8 - Invade (7)
9 - Communications equipment (5)
10 - Rose (8)
12 - Shelter (6)
14 - Highest point (6)
17 - Nuance (8)
18 - Small body of land (5)
20 - Copse (7)
21 - Requires (5)
22 - Droop (3)
23 - Exit (6)

Down
2 - Rewrites (7)
3 - Address forcefully (8)
4 - Finish (4)
5 - Eg USA (7)
6 - Mythical bird (7)
7 - Supernatural being (5)
11 - Planning (8)
12 - Picture creators (7)
13 - Screaming (7)
15 - Religious songs (7)
16 - Estimate (5)
19 - Subsequently (4)

No 78

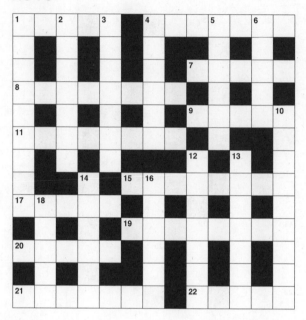

Across
1 - Prevent (5)
4 - Irritating sensation (7)
7 - Understands (5)
8 - Kept hold of (8)
9 - Triangular-shaped glass (5)
11 - Pain in the neck (8)
15 - Farm enclosure (8)
17 - Quench (5)
19 - Able to use numbers (8)
20 - Bone; shade of white (5)
21 - Mixed together (7)
22 - Shininess (5)

Down
1 - Judges the value of (9)
2 - Speakers (7)
3 - Turn aside (7)
4 - First year doctor (6)
5 - Desiring food (6)
6 - Pond dwelling amphibians (5)
10 - Intermediary (9)
12 - Momentum (7)
13 - Equilibrium (7)
14 - Piste (3,3)
16 - Entertained (6)
18 - Floor of a building (5)

No 79

Across
1 - Disregards (8)
5 - Horse breeding farm (4)
8 - Bore into (5)
9 - Persecute (7)
10 - A flash of light (7)
12 - Printing machines (7)
14 - Removed sand (7)
16 - Quarrel or haggle (7)
18 - Reluctance to change (7)
19 - Keels (anag) (5)
20 - A cut wound (4)
21 - Splaying (anag) (8)

Down
1 - Head gestures (4)
2 - Metal screen or grating (6)
3 - Overshadowing (9)
4 - Narrow leather strips (6)
6 - Heat energy units (6)
7 - Abandoned (8)
11 - Action between people (9)
12 - Predatory movement (8)
13 - Stroke fondly (6)
14 - Force off the track (6)
15 - Regulate (6)
17 - Cleopatra's snakes (4)

No 80

Across
1 - Sphere; territory (6)
4 - Altitude (6)
9 - Decrease (7)
10 - Written in ink (7)
11 - Board game (5)
12 - Remit (anag) (5)
14 - Where ships dock (5)
15 - Strong light wood (5)
17 - Groom (5)
18 - To insert something (7)
20 - Earring goes here (7)
21 - Carapaces (6)
22 - Tropical fly (6)

Down
1 - Conclude (6)
2 - Small Atlantic fish (8)
3 - Climbing plants (5)
5 - Procures (7)
6 - Present (4)
7 - Sensitive (6)
8 - Admitted back in (11)
13 - Distance marker (8)
14 - Sunshade (7)
15 - Living things (6)
16 - Symptom of a cold (6)
17 - Cat sounds (5)
19 - Ashen (4)

No 81

Across
1 - Foliage (6)
5 - Secret agent (3)
7 - Open up (5)
8 - Symbols of disgrace (7)
9 - Jumped into water (5)
10 - Very quickly (8)
12 - Holding of funds (6)
14 - Cloth covering arm (6)
17 - Injuring slightly (8)
18 - Enclosed (5)
20 - Help (7)
21 - Create (5)
22 - Nonstarter (3)
23 - Safe place (6)

Down
2 - Slows down (7)
3 - Control (8)
4 - Surround (4)
5 - Tune up (7)
6 - Distance (7)
7 - Religious writing (5)
11 - Coalition (8)
12 - Demanded (7)
13 - Decimated (7)
15 - Selling (7)
16 - Illegal payment (5)
19 - Twos (4)

No 82

Across
1 - Fixtures (8)
6 - Foot covering (4)
8 - Take a firm stand (6)
9 - Musical dramas (6)
10 - Kind or sort (3)
11 - Pattern of lines (4)
12 - Obtain by coercion (6)
13 - Sadder (anag) (6)
15 - Indian social divisions (6)
17 - Duty or tax (6)
20 - Pleasant (4)
21 - Solid water (3)
22 - Type of tire construction (6)
23 - Food instruction (6)
24 - Woes (4)
25 - Hangs down (8)

Down
2 - Secured policyholder (7)
3 - Thick woolen fabric (5)
4 - Indigenous people (7)
5 - Puff on cigarette (5)
6 - Protection coverings (7)
7 - Item to sit on (5)
14 - Obtains (7)
15 - Photographic devices (7)
16 - Fled (7)
18 - Use to one's advantage (5)
19 - Records (5)
20 - Nook (5)

No 83

Across
1 - Eaters (6)
3 - Large aquatic mammals (6)
7 - Misfortune (9)
9 - Telling; revealing (8)
10 - Employed (4)
12 - Car; machine (5)
13 - Writes a program (5)
17 - Component part (4)
18 - Crashes into (8)
20 - Earth science (9)
21 - Climbing tool (6)
22 - Declares (6)

Down
1 - Dunked; lowered (6)
2 - Alteration (8)
4 - Grows on your head (4)
5 - Army units (6)
6 - Allot; allocate money (5)
7 - Authorizing (9)
8 - Twenty-four hours ago (9)
11 - Sweet on a stick (8)
14 - Passageway through rock (6)
15 - Where tennis is played (5)
16 - Topics for debate (6)
19 - Memorization by repetition (4)

No 84

Across
1 - Electrical flows (8)
6 - Light wind (4)
8 - Thrown about (6)
9 - Declared (6)
10 - Grandmother (3)
11 - Foolish people (4)
12 - Directions (6)
13 - Reasoned explanation (6)
15 - Wooden shoe (6)
17 - Christmas calendar (6)
20 - Ship's complement (4)
21 - Raw (anag) (3)
22 - Long-legged rodent (6)
23 - Bow expert (6)
24 - Funeral pile (4)
25 - Has doubts (8)

Down
2 - Lie (7)
3 - Long grasses (5)
4 - Convent (7)
5 - Viewpoint (5)
6 - Defend (7)
7 - Cruel wicked person (5)
14 - Exploit (7)
15 - Not singulars (7)
16 - Fundamental substance (7)
18 - Childish term for a dog (5)
19 - Thin branches (5)
20 - Store (5)

No 85

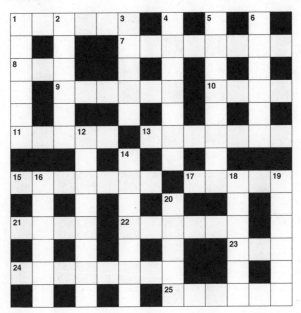

Across
1 - Moderate (6)
7 - Benign tumors (8)
8 - Extremity of foot (3)
9 - Adornments (6)
10 - Ripped (4)
11 - Smallest young (5)
13 - Concoctions (7)
15 - Tensing (7)
17 - Great suffering (5)
21 - American space agency (1,1,1,1)
22 - Elevation (6)
23 - Disallow (3)
24 - Fierce (8)
25 - Expressed (6)

Down
1 - Female parent (6)
2 - Increase (6)
3 - Hot rock (5)
4 - Retirement income (7)
5 - Hatred (8)
6 - Regular customer (6)
12 - Citizen liable for levies (8)
14 - Withstood (7)
16 - Jumped (6)
18 - Place a larger offer (6)
19 - Showed tiredness (6)
20 - Upper class (5)

No 86

Across
1 - Descends (6)
5 - Haul (3)
7 - Pain (5)
8 - Intoxicants (7)
9 - Large pebble (5)
10 - Validator (8)
12 - Insist (6)
14 - Rubbed out (6)
17 - Food portions (8)
18 - Fixed platform by water (5)
20 - Abrasive (7)
21 - Ellipses (5)
22 - Male teacher (3)
23 - African fly (6)

Down
2 - Restaurant attendants (7)
3 - Puts forward (8)
4 - Male offspring (4)
5 - Wealthy businessmen (7)
6 - Increased (7)
7 - Daisy like flower (5)
11 - Preconditions (8)
12 - Solutions (7)
13 - Dirtiness (7)
15 - Borders (7)
16 - Sneers (5)
19 - Worry (4)

No 87

Across

7 - Of the eye (6)
8 - Consumption (6)
10 - Negotiator; migrant (7)
11 - Approach shot in golf (3-2)
12 - Require (4)
13 - Units of heredity (5)
17 - Bottle (5)
18 - Be suspended (4)
22 - Tree anchors (5)
23 - Furniture (7)
24 - Party of people (6)
25 - Classify (6)

Down

1 - Finding water (7)
2 - Reptiles (7)
3 - Score (5)
4 - Stimulated (7)
5 - Lose consciousness (5)
6 - Looks (5)
9 - Resentment (9)
14 - Speak quietly (7)
15 - Arc of colored light (7)
16 - Disturb (7)
19 - Crushed malt (5)
20 - Reasoned judgment (5)
21 - Bottomless pit (5)

No 88

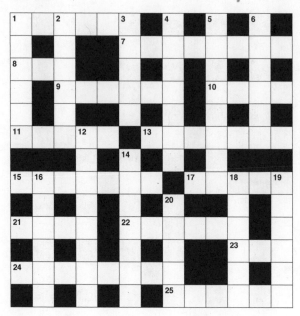

Across

1 - Hinged case (6)
7 - Watchmen (8)
8 - Dirt (3)
9 - Rubbish (6)
10 - Labels (4)
11 - Rocks beneath the water (5)
13 - Female lion (7)
15 - Nobleman (7)
17 - Protection (5)
21 - Dustup (4)
22 - Clean water (6)
23 - Hip (anag) (3)
24 - Response (8)
25 - Form-fitting garment (6)

Down

1 - Warm up (6)
2 - Pamper (6)
3 - Stars (anag) (5)
4 - Costing (anag) (7)
5 - Semblance (8)
6 - Swamp plants (6)
12 - Enthusiasts (8)
14 - Feel very down (7)
16 - Tore (6)
18 - Symbolic figures; shapes (6)
19 - Cross one's eyes (6)
20 - Old French currency (5)

No 89

Across
1 - Pouched mammal (8)
6 - Entry document (4)
8 - Fissures (6)
9 - Surface quality (6)
10 - Arab Emirates (abbrev) (3)
11 - Pollinating insects (4)
12 - Small people (6)
13 - Steady (anag) (6)
15 - Cylinder in an engine (6)
17 - Arch of foot (6)
20 - Volcanic rock (4)
21 - Sewn edge (3)
22 - Blue plant dye (6)
23 - Migrant (6)
24 - Sewing join (4)
25 - Compulsive concern (8)

Down
2 - Disorder (7)
3 - Presents (5)
4 - Restarted (7)
5 - Oldie (anag) (5)
6 - Humble servants (7)
7 - Bundle of wheat (5)
14 - Rare element symbol Y (7)
15 - Pre-paint preparations (7)
16 - Front of a coin (7)
18 - Present occasion (5)
19 - Camera image (5)
20 - Homes for animals (5)

No 90

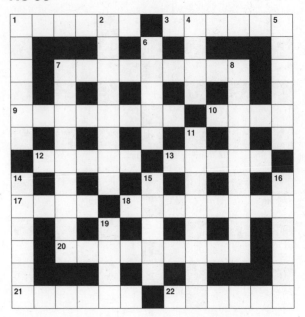

Across
1 - Promises solemnly (6)
3 - Supporting stick (6)
7 - Strongly disapproving of (9)
9 - Keeps going (8)
10 - Dance party (4)
12 - Intimate companion (5)
13 - Fights back (5)
17 - Den (4)
18 - Outfits (8)
20 - Dummy (9)
21 - Use up (6)
22 - Heavy food (6)

Down
1 - Anxiety (6)
2 - Substituted (8)
4 - Complain (4)
5 - Troublemaker (6)
6 - Climb onto (5)
7 - Absolutism (9)
8 - Soldiers (9)
11 - Destroy (8)
14 - Quick look (6)
15 - Fighter (5)
16 - Get away from (6)
19 - At another time (4)

92

No 91

Across
1 - Book leaves (5)
4 - Screaming (7)
7 - Parts of a door frame (5)
8 - Embankments (8)
9 - Genders (5)
11 - Native American game (8)
15 - Remaining alive (8)
17 - Hand warmers (5)
19 - Setting (8)
20 - Middle of the body (5)
21 - Comment (7)
22 - Warhorse (5)

Down
1 - Fossil fuel (9)
2 - Novelty (7)
3 - Uncleanness (7)
4 - Juveniles (6)
5 - Filled up (6)
6 - Male aristocrat (5)
10 - Ate (9)
12 - Streets (7)
13 - Greed (7)
14 - Compensate (6)
16 - Scruffy child (6)
18 - Customary practice (5)

No 92

Across
1 - Riders (8)
6 - Top quality (4)
8 - Disturbance (6)
9 - Outcome (6)
10 - Cooking utensil (3)
11 - Antelopes (4)
12 - Formal talk (6)
13 - End dispute (6)
15 - Small auk (6)
17 - Spanish speaking quarter (6)
20 - Closed hand (4)
21 - US Auto association (abbrev) (1,1,1)
22 - Habitual user (6)
23 - Belt fastening (6)
24 - Ewer (anag) (4)
25 - Roof covering (8)

Down
2 - Misdemeanor (7)
3 - Indian dresses (5)
4 - Mayday totem (7)
5 - Parts of speech (5)
6 - Express desire (7)
7 - Unemotional person (5)
14 - Wood-eating insect (7)
15 - Friendly (7)
16 - Fifth Greek letter (7)
18 - Mix up or confuse (5)
19 - Profanities (5)
20 - Surface of a diamond (5)

No 93

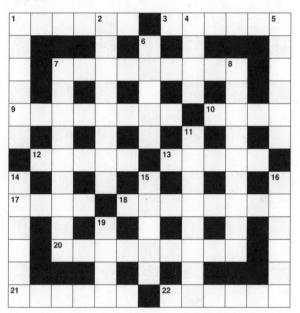

Across
1 - Judge (6)
3 - Remove weapons (6)
7 - List of wares (9)
9 - Commercial leasings (8)
10 - Con (4)
12 - Short and sweet (5)
13 - Eating plans (5)
17 - Extreme point (4)
18 - Contains or includes (8)
20 - Score in American football (9)
21 - Acquired (6)
22 - Obtain with difficulty (3,3)

Down
1 - Waterways (6)
2 - Financial statements (8)
4 - Image of a god (4)
5 - Sayings (6)
6 - Catches (5)
7 - Seize on its way (9)
8 - Sailor (9)
11 - Family (8)
14 - Ranking (6)
15 - Japanese fish dish (5)
16 - Classify (6)
19 - Source of inspiration (4)

No 94

Across
1 - Full measure (8)
6 - Highest level (4)
8 - Time periods (6)
9 - Propels a car (6)
10 - Nine plus one (3)
11 - Heat units (4)
12 - Bar room (6)
13 - Air travel (6)
15 - Fails to hit (6)
17 - Church platform (6)
20 - Dirt (4)
21 - Came first (3)
22 - Bathing suit (6)
23 - Distinct being (6)
24 - Matured (4)
25 - Uncertainty (8)

Down
2 - Exact meaning (7)
3 - Wise men (5)
4 - Abstaining (7)
5 - Lines (anag) (5)
6 - Prayer bell (7)
7 - Edible fruit (5)
14 - Hinted at (7)
15 - Iron attractors (7)
16 - Stimulates (7)
18 - Utilizing (5)
19 - Small branches (5)
20 - Copse on a prairie (5)

No 95

Across
1 - How old we are (3)
3 - Small legume (3)
5 - Used to stop a car (5)
8 - Surrounding glow (4)
9 - Early bead calculators (8)
11 - Cheerful joy (10)
13 - Heat units (6)
14 - Speaks (6)
17 - Clock timing device (10)
21 - Cooking measure (8)
22 - Right to hold property (4)
23 - Memoranda (abbrev) (5)
24 - Period of time (3)
25 - Dishonorable person (3)

Down
1 - Make less active (5)
2 - Improves quality (8)
4 - Collections of photos (6)
5 - Cut of pork (5)
6 - Aisle of a church (4)
7 - Military banners (7)
10 - Unit (4)
12 - Variety of celery (8)
13 - Window above a door (7)
15 - At that time (4)
16 - Military greeting (6)
18 - Musical words (5)
19 - Corrected pitch (5)
20 - Loud noise (4)

No 96

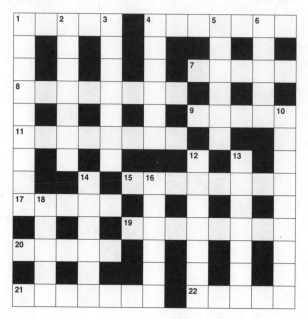

Across
1 - Work tables (5)
4 - Remolds (7)
7 - Cooking method (5)
8 - Oil-based flooring (8)
9 - Adventure (5)
11 - Cigars (8)
15 - Mathematical statements (8)
17 - Edward ___ : composer (5)
19 - Eg plaice (8)
20 - Tale (5)
21 - Representation (7)
22 - Baby foods (5)

Down
1 - Exact copy (9)
2 - Kicked out (7)
3 - Bivalve mollusk (7)
4 - Outcome (6)
5 - Entrance hall (6)
6 - Reduces (5)
10 - Farm machines (9)
12 - Non-professional (7)
13 - Soaks (7)
14 - Curved triangular bone (6)
16 - Compel (6)
18 - Water and rubber mix (5)

No 97

Across

1 - How audible a sound is (8)
5 - Agitate (4)
8 - Horses (5)
9 - Speech; where you live (7)
10 - Periods of ten years (7)
12 - Scare rigid (7)
14 - Bullfighter (7)
16 - Rotter; contemptible person (2-3-2)
18 - Steep in; engross (7)
19 - Coming together (5)
20 - Every (4)
21 - Vision (8)

Down

1 - Walk awkwardly (4)
2 - Turbulence (6)
3 - Dropped suddenly (9)
4 - Beer and lemonade drink (6)
6 - Footsteps (6)
7 - Electrical device (8)
11 - Literary analyses (9)
12 - Sweat heavily (8)
13 - Paved surface (6)
14 - Small portion or share (6)
15 - Coloring (6)
17 - Twisted rope (4)

No 98

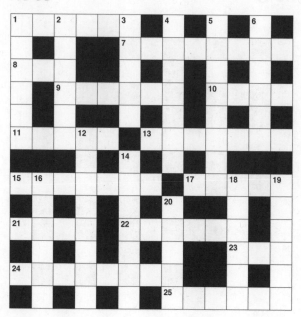

Across
1 - Workers' groups (6)
7 - Classification by types (8)
8 - Farewell remark (3)
9 - Mutter (6)
10 - Saw; observed (4)
11 - Basins (5)
13 - Time spells (7)
15 - Large organic molecule (7)
17 - Retrieve an object (5)
21 - High voice (4)
22 - Self interest (6)
23 - Friend (3)
24 - Holder of invention rights (8)
25 - Awakened (6)

Down
1 - Shadows (6)
2 - Comic book superhero (6)
3 - Pierces with knife (5)
4 - Orbs (7)
5 - Resembling a sticky substance (8)
6 - Accepted (6)
12 - Lock openings (8)
14 - Reminder (7)
16 - Petroleum seller (6)
18 - Entices (6)
19 - Applauded (6)
20 - Hang in the air (5)

No 99

Across
1 - Road surface material (6)
3 - Take out (6)
7 - Fatherhood (9)
9 - Cloistered (8)
10 - Access illegally (4)
12 - Fright (5)
13 - Arms and legs (5)
17 - Spindle (4)
18 - Work of a teacher (8)
20 - Horticulturists (9)
21 - Stinging plant (6)
22 - Eastern peoples (6)

Down
1 - Mental state (6)
2 - Finesse (8)
4 - Live (anag) (4)
5 - Archimedes' insight (6)
6 - Path to follow (5)
7 - Getting anxious (9)
8 - Annuals (9)
11 - Strongholds (8)
14 - Apportion (6)
15 - Insurgent (5)
16 - Sticky sugars (6)
19 - From the mouth (4)

No 100

Across
1 - Way of speaking (8)
5 - Live (anag) (4)
8 - Acer (5)
9 - Fastens (7)
10 - Arabic domain (7)
12 - Foothold (7)
14 - Rippled (7)
16 - Boxer (7)
18 - Ladies' ball game (7)
19 - Shadow (5)
20 - Fat used in stuffing (4)
21 - Picture of the coast (8)

Down
1 - Elegance (4)
2 - Hold in high esteem (6)
3 - Tales (9)
4 - Covered (6)
6 - Stringed instruments (6)
7 - Reduced (8)
11 - Interests (9)
12 - Rotary engines (8)
13 - Sea tortoise (6)
14 - Metal grating (6)
15 - Letter of Greek alphabet (6)
17 - Secure cabinet (4)

No 101

Across
7 - Compensate (6)
8 - Code (6)
10 - Large Israeli city (3,4)
11 - Ring the bell (5)
12 - Cut (4)
13 - Body of water (5)
17 - Tiny aquatic plants (5)
18 - Permit to enter (4)
22 - Cloak (5)
23 - Organization (7)
24 - Emanating from God (6)
25 - Falls in (6)

Down
1 - Transferring (7)
2 - Upset (7)
3 - Exit (5)
4 - Relishes (7)
5 - Bed cover (5)
6 - Tiny crustaceans (5)
9 - Evasion (9)
14 - Cutting up (7)
15 - Demilitarizes (7)
16 - Caribbean dance (7)
19 - Examine (5)
20 - Rogue; jack (5)
21 - Petite (5)

No 102

Across
1 - Remold (6)
3 - Inner part of seed (6)
7 - Tininess (9)
9 - Turtle (8)
10 - Created (4)
12 - Speak (5)
13 - Bore into (5)
17 - Laughing sound (2-2)
18 - Pampered (8)
20 - Quickest (9)
21 - Defence (6)
22 - Classify (6)

Down
1 - Mechanical devices (6)
2 - Ocean contents (8)
4 - Level (4)
5 - Optical devices (6)
6 - Talent (5)
7 - Reaches out (9)
8 - Radiation from the Sun (9)
11 - Item of clothing (8)
14 - Milk product (6)
15 - Dines (anag) (5)
16 - Arrival (6)
19 - Comes together; coheres (4)

No 103

Across
1 - Designated (8)
6 - Sneak look (4)
8 - Eg puff balls (6)
9 - Musical group (6)
10 - Variety (3)
11 - Most important element (4)
12 - Flies down rapidly (6)
13 - Carpet cleaner (6)
15 - Poor man (6)
17 - Environmental condition (6)
20 - What we eat (4)
21 - Louse egg (3)
22 - Allium clove (6)
23 - Steep or impregnate (6)
24 - Legal offspring (4)
25 - Calcium covering (8)

Down
2 - Teach (7)
3 - Church instrument (5)
4 - Guest or sightseer (7)
5 - Water birds (5)
6 - Lengthen in time (7)
7 - Furnish or supply (5)
14 - Frivolous time-waster (7)
15 - Luring wild animals (7)
16 - State of readiness (7)
18 - Visual representation (5)
19 - Mother's brother (5)
20 - NY shopping avenue (5)

No 104

Across
7 - Demands (6)
8 - Unit of time (6)
10 - Bison (7)
11 - Exceed (5)
12 - Court enclosure (4)
13 - Base part of tree (5)
17 - Nobleman (5)
18 - Indian dress (4)
22 - Cause to (5)
23 - Fluid discharge (7)
24 - Part of the throat (6)
25 - Modify (6)

Down
1 - Precludes (7)
2 - Building (7)
3 - Unusual incident (5)
4 - Distorts (7)
5 - Sulks (5)
6 - Expression (5)
9 - Puts off; delays (9)
14 - Liquid units (7)
15 - Dead body (7)
16 - Measuring device (7)
19 - Handle effectively (5)
20 - Fights (5)
21 - Grass clods (5)

No 105

Across
1 - Bidding (6)
5 - Wonder (3)
7 - Songs (5)
8 - Occupied (7)
9 - Journeys (5)
10 - Examine (8)
12 - Consented (6)
14 - Selected (6)
17 - Dispersion of people (8)
18 - Belief (5)
20 - Protects (7)
21 - Score (5)
22 - Use (anag) (3)
23 - Expect (6)

Down
2 - Desiring (7)
3 - Runner (8)
4 - Rhythmic quality (4)
5 - Aids (7)
6 - Wearing away (7)
7 - Anxiety (5)
11 - Strong drinks (8)
12 - Bundles (7)
13 - Emit (7)
15 - Peer's territory (7)
16 - Itinerant (5)
19 - Gap (4)

No 106

Across
1 - Able to read and write (8)
6 - Part of a hood (4)
8 - Respiratory disorder (6)
9 - Large bodies of water (6)
10 - Light brown color (3)
11 - Chickens (4)
12 - Young people (6)
13 - Fish hawk (6)
15 - Firearm (6)
17 - Largest quantities (6)
20 - Bend (4)
21 - Undergarment (3)
22 - What a spider makes (6)
23 - Accused (6)
24 - Resist (4)
25 - A formal exposition (8)

Down
2 - Dispensers (7)
3 - Work spirit (5)
4 - Physical structure (7)
5 - Dark wood (5)
6 - Infants; angels (7)
7 - Lifting device (5)
14 - Track (7)
15 - Fit to drink (7)
16 - Cooked beaten eggs (7)
18 - Got up (5)
19 - Monks' superior (5)
20 - Extravagant dinner (5)

No 107

Across
1 - Afternoon sleep (6)
7 - Fastening stationery devices (8)
8 - Sprite (3)
9 - Move back (6)
10 - Team (anag) (4)
11 - Pieces of land (5)
13 - Playwrights (7)
15 - Covering (7)
17 - Unpleasant people (5)
21 - Agitate (4)
22 - Repeated (6)
23 - What you hear with (3)
24 - Quivers (8)
25 - Locks lips with (6)

Down
1 - Moves (6)
2 - Sprightliness (6)
3 - Fools (5)
4 - Musical ending (7)
5 - Fattening (8)
6 - Bring into existence (6)
12 - Roman leaders (8)
14 - Imperfections (7)
16 - Keep hold of (6)
18 - Travelers on horseback (6)
19 - Pointed weapons (6)
20 - Beat ingredients together (5)

No 108

Across
1 - Goes before (8)
6 - Swear (4)
8 - One more than ten (6)
9 - Succumbs (6)
10 - Come together (3)
11 - Body covering (4)
12 - Speak solemnly (6)
13 - Mete out (6)
15 - Cleaned up (6)
17 - Customers (6)
20 - Pierce with sharp object (4)
21 - Small green vegetable (3)
22 - Pygmy chimpanzee (6)
23 - Shades of dark blue (6)
24 - Fix (4)
25 - Curiosity (8)

Down
2 - Recharges (7)
3 - Protective layer (5)
4 - Prison cell (7)
5 - Pen-like tools (5)
6 - Swindled (7)
7 - Type of car (5)
14 - Freezing (3-4)
15 - Disease; bacterial infection (7)
16 - Jobholders (7)
18 - Upward; higher (5)
19 - Piece of cutlery (5)
20 - Acknowledged; assumed (5)

No 109

Across
1 - Sticky sugars (6)
5 - Military action (3)
7 - Declare (5)
8 - Yearbook (7)
9 - Overhangs on a roof (5)
10 - Adherent (8)
12 - Periodicals (6)
14 - Elevated (6)
17 - Shined (8)
18 - Data received (5)
20 - Flightless seabird (7)
21 - Gives out (5)
22 - Knight (3)
23 - Quietness (6)

Down
2 - Autumn colors (7)
3 - Restrained (8)
4 - Frost (4)
5 - Beetles (7)
6 - Cooked (7)
7 - Musical group of eight (5)
11 - Ability to wait (8)
12 - Asks (7)
13 - Render useless (7)
15 - Verse forms (7)
16 - Cleansing agents (5)
19 - One of a matching pair (4)

No 110

Across
1 - Steered a car (5)
4 - Festivals (7)
7 - Estate (5)
8 - Living (8)
9 - Fights back (5)
11 - Offered (8)
15 - Commotion (8)
17 - Nick (5)
19 - Leave of absence (8)
20 - Joins in fabric (5)
21 - Graduated tables (7)
22 - Fashion (5)

Down
1 - Change of sides (9)
2 - Choices (7)
3 - Removed contents (7)
4 - Edge (6)
5 - Measuring tool (6)
6 - Preclude (5)
10 - Signal with flags (9)
12 - Projectiles (7)
13 - Defamation (7)
14 - Prawns (6)
16 - Ways (6)
18 - Large body of water (5)

No 111

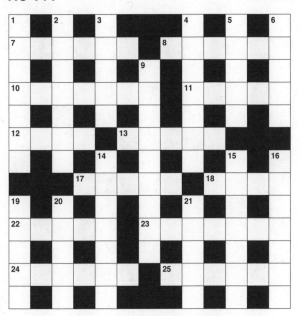

Across
7 - Open up (6)
8 - Not genuine (6)
10 - Cyclone (7)
11 - Religious song (5)
12 - Smooth (4)
13 - Nerve in the eye (5)
17 - Fear (5)
18 - Lazy (4)
22 - Radio receiver (5)
23 - Eliminate (7)
24 - Servants (6)
25 - Food accompaniments (6)

Down
1 - Crackled (7)
2 - Chatted playfully (7)
3 - Dispose (5)
4 - Supernormal (7)
5 - Rush (5)
6 - Australian animal (5)
9 - Dolphins (9)
14 - Orange vegetables (7)
15 - Joined (7)
16 - Perish (7)
19 - Oven (5)
20 - Foot joint (5)
21 - Large body of water (5)

No 112

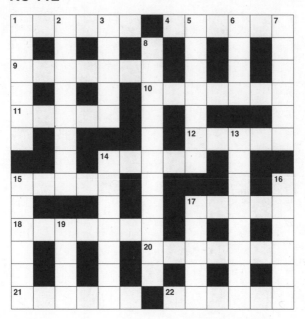

Across

1 - Material organisms (6)
4 - Takes the place of (6)
9 - Edible fruit (7)
10 - Type of pasta (7)
11 - Start of (5)
12 - Citrus fruit (5)
14 - Naming words (5)
15 - First Greek letter (5)
17 - Annoyed (5)
18 - Musical movement (7)
20 - Pestering (7)
21 - Carried with difficulty (6)
22 - Broils on a rack (6)

Down

1 - Tower with a light (6)
2 - Wedge to keep door open (8)
3 - Precise (5)
5 - Manuscripts (7)
6 - Move by rotating (4)
7 - Eg Summer (6)
8 - Astonishing (11)
13 - Structure of commemoration (8)
14 - Tell (7)
15 - Attack someone (6)
16 - A guess (anag) (6)
17 - A large smoke (5)
19 - Be suspended (4)

No 113

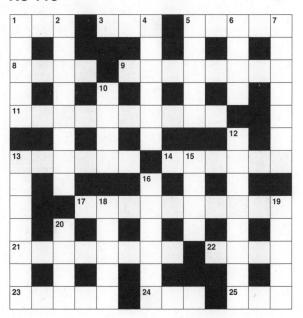

Across
1 - Marry (3)
3 - Tree resin (3)
5 - Exceed (5)
8 - Lazy (4)
9 - Chief officers (8)
11 - Requirements (10)
13 - Introduction to a work (6)
14 - Precludes (6)
17 - Notices of death (10)
21 - Decorative metal work (8)
22 - Female operatic star (4)
23 - Very serious (5)
24 - Male offspring (3)
25 - Mug (anag) (3)

Down
1 - During (5)
2 - Misconception (8)
4 - Legal document (6)
5 - Meat trimmings (5)
6 - Thoughtfulness (4)
7 - Shellfish (7)
10 - Reverse (4)
12 - Moderating (8)
13 - Trimming (7)
15 - Meat from the calf (4)
16 - Long legged waders (6)
18 - US pioneer (5)
19 - Collection of bees (5)
20 - Roster (4)

No 114

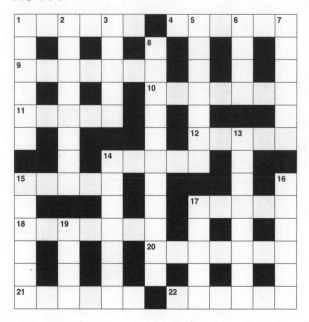

Across
1 - Communicate (6)
4 - Deposit knowledge (6)
9 - Rattling noise (7)
10 - Direct or control (7)
11 - Tries out (5)
12 - Modifies (5)
14 - Think moodily (5)
15 - Cause to (5)
17 - Boxing contests (5)
18 - Excessive freedom (7)
20 - Withhold (7)
21 - Stable (6)
22 - Smashes; fires (6)

Down
1 - Provoke (6)
2 - Top boat in fleet (8)
3 - Assesses performance (5)
5 - Wore clothes fashionably (7)
6 - Song (4)
7 - Used for drying (6)
8 - Hardware sellers (11)
13 - Questions (8)
14 - Devoid of sight (7)
15 - Ice buildings (6)
16 - Determine the value (6)
17 - Herb (5)
19 - Sweet dessert (4)

No 115

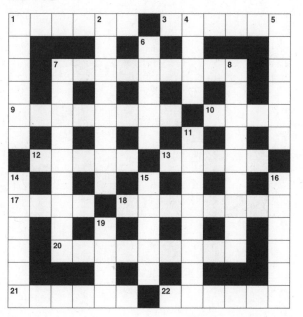

Across
1 - Sufficient (6)
3 - Hollow (6)
7 - Opposite of tailwinds (9)
9 - Square scarf (8)
10 - Woodworking tool (4)
12 - Converses (5)
13 - Stage (5)
17 - Deer (anag) (4)
18 - Pest in the roof (8)
20 - Computer close downs (9)
21 - Abodes (6)
22 - Promotional material (6)

Down
1 - Archimedes' insight (6)
2 - Form of carbon (8)
4 - Skin disorder (4)
5 - Shouted (6)
6 - Scottish material (5)
7 - Roughness (9)
8 - Minor productions (9)
11 - Overclouded (8)
14 - Opening (6)
15 - Creases (5)
16 - Effect (6)
19 - Set pitch (4)

No 116

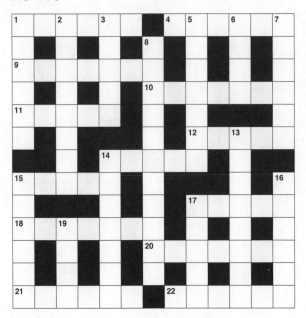

Across
1 - Small tucks in clothing (6)
4 - Precludes (6)
9 - Satisfy (7)
10 - Improperly employed (7)
11 - Leeks (anag) (5)
12 - Ridge (5)
14 - Cooks (5)
15 - Hand protector (5)
17 - Sharp blade (5)
18 - Hair cleaner (7)
20 - Originality (7)
21 - Cooks bread (6)
22 - Engineless plane (6)

Down
1 - Tricks (6)
2 - Strong coffee (8)
3 - Ensnares (5)
5 - Boats (7)
6 - Straight sticks (4)
7 - Seat (6)
8 - Destruction of buildings (11)
13 - Rained gently (8)
14 - Best pod (anag) (7)
15 - Device used to seal joints (6)
16 - Request made to God (6)
17 - Delight (5)
19 - Region (4)

No 117

Across

1 - Military supplies (8)
5 - Frozen desserts (4)
8 - Works hard (5)
9 - Used for fishing (7)
10 - Drive back (7)
12 - Weakened solution (7)
14 - Softens with age (7)
16 - Italian rice dish (7)
18 - Immunizing agent (7)
19 - Living abode (5)
20 - Sown by farmer (4)
21 - Strong coffee (8)

Down

1 - Oust (anag) (4)
2 - Worthless information (6)
3 - Auxiliary position (9)
4 - Misleading fabrication (6)
6 - Cools down (6)
7 - Parts of circle (8)
11 - Book producer (9)
12 - Withholds (8)
13 - The spirit or soul (6)
14 - Roadside lodgings (6)
15 - Happens (6)
17 - Short note or reminder (4)

No 118

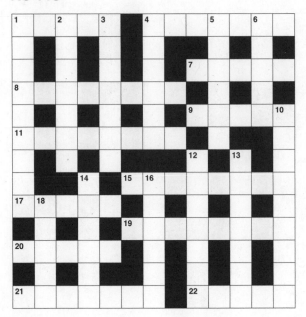

Across
1 - Brief appearance (5)
4 - Female innkeeper (7)
7 - Cooking method (5)
8 - Importance (8)
9 - Work of fiction (5)
11 - Desires (8)
15 - Merchandiser (8)
17 - Bottoms of shoes (5)
19 - Modern Spanish dance (8)
20 - Pledge (5)
21 - Water-based paint (7)
22 - Challenges (5)

Down
1 - Bedspreads (9)
2 - Soaking up (7)
3 - Relating to open waters (7)
4 - Employing (6)
5 - Attributes (6)
6 - Woodland god (5)
10 - Almanacs (9)
12 - Slipped (7)
13 - Smasher (7)
14 - Drinking vessel (6)
16 - Rhododendron like flower (6)
18 - Atmospheric layer (5)

No 119

1	2		3		4		5		6		7	
8							9					
				10								
11							12					
13			14				15				16	
17	18				19				20			
				21								
22							23					
24				25								

Across
1 - Areas of excess heat (8)
6 - Anger (4)
8 - Hits (6)
9 - Elongated rectangle (6)
10 - Female sheep (3)
11 - Employs (4)
12 - Sad vet (anag) (6)
13 - Property holding (6)
15 - Guardian (6)
17 - Split (6)
20 - Portion of medicine (4)
21 - Long narrow inlet (3)
22 - Eg flat-panel display (6)
23 - Lubricating (6)
24 - Slow (anag) (4)
25 - Raises up (8)

Down
2 - Diffusion of fluids (7)
3 - Bags for purchases (5)
4 - See (7)
5 - Footware (5)
6 - Let go (7)
7 - Spirit in a bottle (5)
14 - Person's other names (7)
15 - Impromptu public singing (7)
16 - Vital content (7)
18 - Ice dwelling (5)
19 - Rub out (5)
20 - River mouth formation (5)

No 120

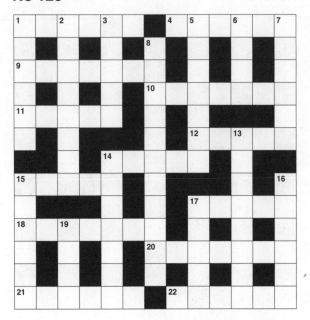

Across
1 - Strong (6)
4 - Mete out (6)
9 - Lopper (7)
10 - Wrongdoers (7)
11 - Transgressions (5)
12 - Blood sucking insects (5)
14 - Common edible fruit (5)
15 - Dye (5)
17 - Set or keep apart (5)
18 - Eight sided shape (7)
20 - Played out (7)
21 - Sausage meat (6)
22 - Officials (6)

Down
1 - Failed to perceive (6)
2 - Small armed force member (8)
3 - Grows weary (5)
5 - Position (7)
6 - Lies (anag) (4)
7 - Carers (6)
8 - Record players (11)
13 - Maneuverable warship (8)
14 - Rearranged word (7)
15 - Large pebbles (6)
16 - Wears away (6)
17 - Examines quickly (5)
19 - Implement (4)

No 121

Across

7 - Large quantity (6)
8 - Cause to become (6)
10 - Plant greenery (7)
11 - Applying (5)
12 - Told a mistruth (4)
13 - Hoarder (5)
17 - School of fish (5)
18 - Motivate to act (4)
22 - Part of small intestine (5)
23 - Uses (7)
24 - Sport Andy Roddick plays (6)
25 - Donors (6)

Down

1 - Mix deck of cards (7)
2 - Soothed (7)
3 - Dormant form of insects (5)
4 - Lessens (7)
5 - Allow (5)
6 - Boasts about (5)
9 - Focused upon (9)
14 - Soft suede leather (7)
15 - Enchantments (7)
16 - Carry on (7)
19 - Goes through carefully (5)
20 - Blood vessels (5)
21 - Small branch (5)

No 122

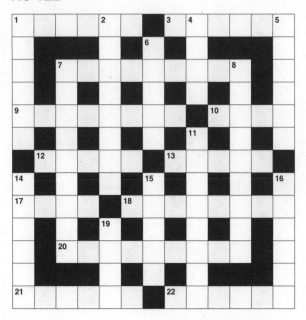

Across
1 - Uproar (6)
3 - Givers (6)
7 - Imaginary lines of longitude (9)
9 - Exposes (8)
10 - Spur on (4)
12 - Releases on payment (5)
13 - Assess (5)
17 - Join textiles (4)
18 - Precludes (8)
20 - Hardship (9)
21 - Boats (6)
22 - Loan shark (6)

Down
1 - Deception (6)
2 - Straightens out (8)
4 - Egg shaped (4)
5 - Searcher (6)
6 - Decorate (5)
7 - Make automatic or routine (9)
8 - Shrillness of tone (9)
11 - Labors (8)
14 - Slender (6)
15 - Color of grass (5)
16 - Horse groom (6)
19 - Ignore correction (4)

No 123

Across
1 - Feeling sick (6)
7 - Grilling (8)
8 - Eg oxygen (3)
9 - Cancels (6)
10 - Bearing (4)
11 - Dissatisfaction (5)
13 - Get back together (7)
15 - Receiver (7)
17 - Ciphers (5)
21 - Rank (4)
22 - Smoothed wood (6)
23 - Sticky substance (3)
24 - Mistaken idea (8)
25 - Entertained (6)

Down
1 - Small worry (6)
2 - Not noticed (6)
3 - Bottomless pit (5)
4 - Kitchen device (7)
5 - Ballroom dance (8)
6 - Consume (6)
12 - Sell at lower price (8)
14 - Abandon hope (7)
16 - Changed (6)
18 - Evades (6)
19 - Dishonored (6)
20 - Steam room (5)

No 124

Across
1 - Burst balloon (3)
3 - Divides tennis court (3)
5 - Silly people (5)
8 - Wild mountain goat (4)
9 - Giving out heat (8)
11 - Booming sound (10)
13 - Diving birds (6)
14 - Braided hair (6)
17 - Eg liquid soap cartons (10)
21 - Freed from doing (8)
22 - Platform above water (4)
23 - Sullen or moody (5)
24 - Add sound to a tape (3)
25 - Used to open a door (3)

Down
1 - Impress on paper (5)
2 - Taken for granted (8)
4 - Watches for example (6)
5 - Mattress used on frame (5)
6 - Leave out (4)
7 - Indicators (7)
10 - Lazy (4)
12 - Humorous verse (8)
13 - Red gems (7)
15 - Breathing organ (4)
16 - Supported (6)
18 - State indirectly (5)
19 - Homeless cat (5)
20 - Cut down tree (4)

No 125

Across
1 - Sweet fruits (6)
5 - Bitumen (3)
7 - Ire (5)
8 - Layers of plaster (7)
9 - Make a shrill sound (5)
10 - Separates out (8)
12 - Holding of funds (6)
14 - Approval (6)
17 - Type of ski race (8)
18 - Cleanse (5)
20 - Hurting (7)
21 - Amends (5)
22 - Don (anag) (3)
23 - Desire (6)

Down
2 - Blames (7)
3 - Trained user (8)
4 - Matures (4)
5 - Instructed (7)
6 - Mirror (7)
7 - Tears (anag) (5)
11 - Exhibit (8)
12 - Avoidance (7)
13 - Burnt (7)
15 - Lands surrounded by water (7)
16 - Brilliant successes (5)
19 - Penal institution on ship (4)

No 126

Across
1 - Sheepskin (6)
4 - Stage whispers (6)
9 - Quivering voice (7)
10 - Desist (7)
11 - Make void (5)
12 - Levels out (5)
14 - Contracted (5)
15 - Create by hammering (5)
17 - Long narrow estuary (5)
18 - Wound covering (7)
20 - Fishing item (7)
21 - Canopy (6)
22 - Stagnation (6)

Down
1 - Male parent (6)
2 - Ideal (8)
3 - Close friend (5)
5 - Dismissed; ate quickly (7)
6 - Opera star (4)
7 - Glows (6)
8 - Sadness (11)
13 - Novices (8)
14 - Six sided shape (7)
15 - Leg bone (6)
16 - Bird sounds (6)
17 - Lose consciousness (5)
19 - Midday (4)

No 127

Across
7 - Jewish spiritual leaders (6)
8 - Disliking intensely (6)
10 - Shaved crown of head (7)
11 - A strict vegetarian (5)
12 - Goes (anag) (4)
13 - Young females (5)
17 - Linear units (5)
18 - Tibetan priest (4)
22 - Select (5)
23 - Calm down (7)
24 - Disrespects (6)
25 - Change identity (6)

Down
1 - Male sibling (7)
2 - Give up (7)
3 - Passageway of the nose (5)
4 - Incredible events (7)
5 - Mosquito (5)
6 - Active cause (5)
9 - Huge monster or ship (9)
14 - Luck or chance (7)
15 - Curved fruits (7)
16 - Provided (7)
19 - Light wood (5)
20 - Extinct birds (5)
21 - Quality (5)

No 128

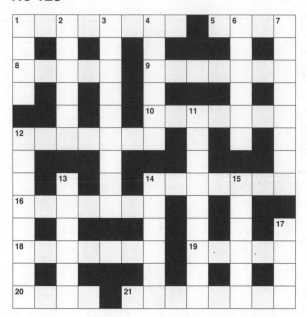

Across
1 - Time between events (8)
5 - Leave out (4)
8 - Call forth or cause (5)
9 - Examine against another (7)
10 - High pitched sound (7)
12 - Illness (7)
14 - Steaming (7)
16 - Cure all (7)
18 - Stimulate a person (7)
19 - Angry (5)
20 - Gnus (anag) (4)
21 - Cultivated tufted grass (8)

Down
1 - Single article (4)
2 - Mischievous dwarfs (6)
3 - Having inflamed joints (9)
4 - Level a charge (6)
6 - Complainer (6)
7 - Dental stage in babies (8)
11 - Transferring money (9)
12 - Marine mammals (8)
13 - Accord (6)
14 - Bread making place (6)
15 - African antelope (6)
17 - Writing instruments (4)

No 129

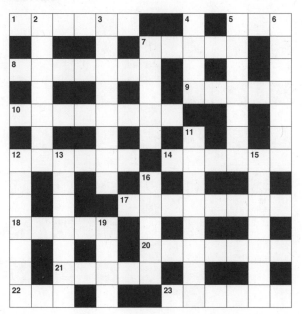

Across
1 - Division (6)
5 - Caress (3)
7 - Use (5)
8 - Provokes (7)
9 - Shaping machine (5)
10 - Returned to type (8)
12 - Bear witness (6)
14 - Extravagant meals (6)
17 - Divide (8)
18 - Wanderer (5)
20 - Cried plaintively (7)
21 - Opponent (5)
22 - Cease (3)
23 - Tropical fly (6)

Down
2 - Musical performance (7)
3 - Humorist (8)
4 - Pull (4)
5 - Typewriter rollers (7)
6 - Inns (7)
7 - Item of value (5)
11 - Beneficiaries (8)
12 - Suffer (7)
13 - Punched (7)
15 - Scraps of material (7)
16 - Horse race (5)
19 - Official document (4)

No 130

Across
1 - Surgery to look youthful (8)
6 - Head coverings (4)
8 - Group of whales (6)
9 - Stinging sensation (6)
10 - Zero (3)
11 - Repudiate (4)
12 - Guarantee (6)
13 - Female spirits (6)
15 - Place of refuge (6)
17 - Eg Hawaiian and T (6)
20 - Slight cut (4)
21 - Body's vital life force (3)
22 - Refuse to acknowledge (6)
23 - Open type of footwear (6)
24 - Egyptian goddess of fertility (4)
25 - Republican Party symbol (8)

Down
2 - Sport with arrows (7)
3 - Black wood (5)
4 - Sickness (7)
5 - Book heading (5)
6 - Veracity (7)
7 - Roof ceramics worker (5)
14 - Noisy colorful birds (7)
15 - A dancer or singer (7)
16 - Liberate (7)
18 - Opposite of lows (5)
19 - Part of a play (5)
20 - One divided by nine (5)

No 131

Across
1 - Living things (6)
5 - High ball (3)
7 - Shadow (5)
8 - Handbooks (7)
9 - Choose (5)
10 - Sculptured figures (8)
12 - Metal blocks (6)
14 - Brass instruments (6)
17 - Airplanes (8)
18 - Ready for further use (5)
20 - Yelled (7)
21 - Transgressions (5)
22 - Terminate (3)
23 - Support (6)

Down
2 - Elastic fibrous protein (7)
3 - Successful student (8)
4 - Woodwind instrument (4)
5 - Towards the side (7)
6 - Fights (7)
7 - Illegal interest (5)
11 - Mental attitudes (8)
12 - Make better (7)
13 - Joined (7)
15 - Small holes (7)
16 - Beliefs (5)
19 - Appendage (4)

No 132

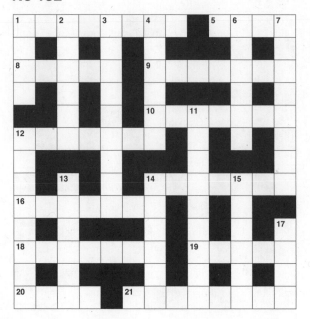

Across
1 - People who come often (8)
5 - Title of Russian ruler (4)
8 - Blacksmith's block (5)
9 - Sea trips (7)
10 - Take out (7)
12 - Archer's weapon (7)
14 - Acute food shortages (7)
16 - Retaliatory action (7)
18 - State of excitement (7)
19 - Operatic songs (5)
20 - Opposite of West (4)
21 - Small loudspeakers (8)

Down
1 - True and actual (4)
2 - Exercise authority (6)
3 - Songs for babies (9)
4 - Examine again (6)
6 - Short sharp turns (6)
7 - Ribbon or silk badges (8)
11 - Finish (9)
12 - Worthy of great honor (8)
13 - Hoaxes (6)
14 - College member (6)
15 - Observe (6)
17 - Requests (4)

No 133

Across

1 - Mouth secretion (6)
7 - Crush (8)
8 - Limb (3)
9 - Come up with (6)
10 - Edible fruit (4)
11 - Sticky sap (5)
13 - Found out (7)
15 - Smear (7)
17 - Verse form (5)
21 - Brag about (4)
22 - Style of slanting letters (6)
23 - Sewn edge (3)
24 - Musical scripts (8)
25 - Tally or count (6)

Down

1 - Murderer (6)
2 - Extremes (6)
3 - Thing of value (5)
4 - Spit out (7)
5 - Possessions (8)
6 - Affirm (6)
12 - Goods made of iron (8)
14 - Selfish people (7)
16 - Consent (6)
18 - Wealth (6)
19 - Clock sounds (6)
20 - Supernatural (5)

No 134

Across

1 - Strut about (7)
4 - Of definite shape (5)
7 - Precipitates (5)
8 - Frightening (7)
9 - Ring (4)
10 - Nourished (3)
11 - Sickness (4)
15 - Approximated (9)
17 - Fairies (4)
19 - Life energy (3)
20 - Shout (4)
24 - Lighter-than-air craft (7)
25 - Animal sound (5)
26 - Detected sound (5)
27 - Folds in material (7)

Down

1 - Put on pancakes (5)
2 - Excite (7)
3 - Wound (4)
4 - Bodies of water (4)
5 - Misrepresenting (5)
6 - Excavating machines (7)
8 - Boat powered by water (9)
12 - Consumed (3)
13 - Eyelid infection (3)
14 - Green vegetable (7)
16 - Digs further down (7)
18 - Heavy jacket (5)
21 - Stringed instruments (5)
22 - Dull sound (4)
23 - Woodwind instrument (4)

No 135

Across
1 - Fasten (3)
3 - Climbing plant (3)
5 - Holding device (5)
8 - Highest point (4)
9 - Quality of being domesticated (8)
11 - Cosmetic (10)
13 - Harasses; hems in (6)
14 - New plant growth (6)
17 - Pullover; jersey (10)
21 - Struggle; battle (8)
22 - Traveled by air (4)
23 - Rates (anag) (5)
24 - Quarrel (3)
25 - Military action (3)

Down
1 - Musical instrument (5)
2 - Lack of feeling (8)
4 - Hankers after (6)
5 - Greek letter (5)
6 - Require (4)
7 - Disbelieve (7)
10 - Release (4)
12 - Relation by marriage (3-2-3)
13 - Dinner party; feast (7)
15 - Time gone by (4)
16 - Earn; store grain (6)
18 - Stinging insects (5)
19 - High structure; building (5)
20 - Geographical region (4)

No 136

Across
1 - Bring in goods (6)
4 - Game participant (6)
9 - Scientist (7)
10 - Twisting (7)
11 - Vertical spars for sails (5)
12 - Made a mistake (5)
14 - Nosed (anag) (5)
15 - Weapon (5)
17 - Period of time (5)
18 - Living in water (7)
20 - Changes gradually (7)
21 - Quantity of medicine (6)
22 - Crossbred (6)

Down
1 - Financial gain (6)
2 - Journalists (8)
3 - Searches without warning (5)
5 - Trucks (7)
6 - Abominable snowman (4)
7 - Destroyed (6)
8 - Acts of being present (11)
13 - Gun (8)
14 - Money set aside (4,3)
15 - Hired out (6)
16 - Done in stages (6)
17 - Dark hardwood (5)
19 - Purposes (4)

No 137

Across
1 - Ties ship to pier (8)
5 - Dice (anag) (4)
8 - Giraffes have long ones (5)
9 - Investigation (7)
10 - Skeptic (7)
12 - Eg flies and beetles (7)
14 - Element with symbol Ga (7)
16 - Market places (7)
18 - Shackle or restraint (7)
19 - Angry (5)
20 - Fine debris (4)
21 - Monocle (8)

Down
1 - Food options (4)
2 - Happens (6)
3 - Official examiner (9)
4 - Wears down (6)
6 - Glazed printed cotton (6)
7 - Mind fantasy (8)
11 - Using (9)
12 - Set in from margin (8)
13 - Flower arrangements (6)
14 - Ship's kitchen (6)
15 - Leaping antelope (6)
17 - Gets married (4)

No 138

Across
7 - Food of love (6)
8 - Reconcile (6)
10 - Number of attendees (7)
11 - Abstract style of painting (2,3)
12 - Require (4)
13 - Fights back (5)
17 - Moves through water (5)
18 - Fate (4)
22 - Hill (5)
23 - Short story (7)
24 - Looted (anag) (6)
25 - Skilled jobs (6)

Down
1 - Disturbing (7)
2 - Took the place of (7)
3 - Under (5)
4 - Puts down (7)
5 - Water vapor (5)
6 - Annoying insects (5)
9 - Flowing (9)
14 - Slopped around (7)
15 - Pacify (7)
16 - Diplomatic building (7)
19 - Comedy performances (5)
20 - Chest (5)
21 - Declares (5)

No 139

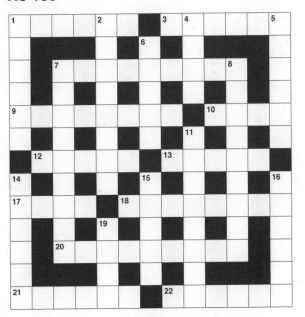

Across
1 - Not outside (6)
3 - Twisting (6)
7 - Offender (9)
9 - Small group (8)
10 - Woody plant (4)
12 - Computer memory units (5)
13 - Spore (anag) (5)
17 - Real estate (4)
18 - Applauding (8)
20 - Save; conserve (9)
21 - Ice shoes (6)
22 - Lizard (6)

Down
1 - Expressions (6)
2 - Notes (8)
4 - Good quality soil (4)
5 - Farmer (6)
6 - Song (5)
7 - Irritation (9)
8 - Entry gate (9)
11 - Clutching (8)
14 - Knocks down opponent (6)
15 - Semidarkness (5)
16 - Plan (6)
19 - Bird of peace (4)

No 140

Across
1 - Poor handwriting (6)
5 - Adam gave one to Eve (3)
7 - Join together (5)
8 - Tokens (7)
9 - Upper class (5)
10 - Beating (8)
12 - Suggestion (6)
14 - Worker who sets a clock (6)
17 - Belief in pleasure (8)
18 - Lines in circle (5)
20 - Apple garden (7)
21 - Animal sound (5)
22 - Drinker (3)
23 - Modify (6)

Down
2 - Held baby (7)
3 - Terrestrial crustaceans (8)
4 - Married woman (4)
5 - Improved (7)
6 - Stock farmer (7)
7 - Utilizing (5)
11 - Separated (8)
12 - Increases (7)
13 - Outcome (7)
15 - Guarantees (7)
16 - Jazz (5)
19 - Flag lily (4)

No 141

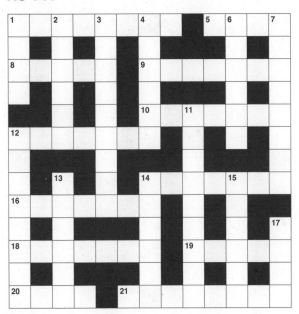

Across
1 - Relating to the home (8)
5 - Soap deposit left in bath (4)
8 - Revert to earlier fashion (5)
9 - Business lecture (7)
10 - Medieval jacket (7)
12 - Use again (7)
14 - Operating physician (7)
16 - Bastion or stronghold (7)
18 - Modern type of paint (7)
19 - Representation (5)
20 - Utters (4)
21 - Writhes like a worm (8)

Down
1 - Challenge (4)
2 - Standard of measurement (6)
3 - Tally card in golf (9)
4 - Within a space (6)
6 - Waterways (6)
7 - Long foot race (8)
11 - Moving to a higher class (9)
12 - British soldiers (8)
13 - A floor level (6)
14 - Cutting machine (6)
15 - Impose or require (6)
17 - Sleeping furniture (4)

No 142

Across
1 - Provoke (6)
4 - Lodgings (6)
9 - Associate (7)
10 - Food of love (7)
11 - Popular flowers (5)
12 - Made a mistake (5)
14 - Receded (5)
15 - Communication device (5)
17 - Major African river (5)
18 - Japanese warriors (7)
20 - Transfer (7)
21 - Neglect (6)
22 - Tropical fly (6)

Down
1 - Bring in from abroad (6)
2 - Bowed to royalty (8)
3 - Melodies (5)
5 - Exaggerated (7)
6 - Ten cent coin (4)
7 - Perceived (6)
8 - Denial of a right (11)
13 - Water-resistant jacket (8)
14 - Woman emperor (7)
15 - Concealed (6)
16 - Drawing (6)
17 - Faces (anag) (5)
19 - Cuts the grass (4)

No 143

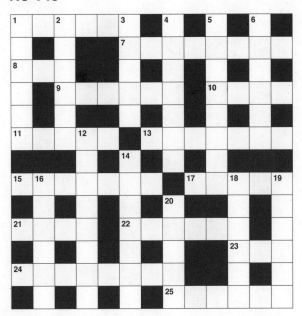

Across
1 - Curved triangular bone (6)
7 - Collection of objects (8)
8 - Used to steer a boat (3)
9 - Plane figure (6)
10 - Dandies (4)
11 - Blockade (5)
13 - Settle a dispute (7)
15 - Backtrack (7)
17 - Concur (5)
21 - Axelike tool (4)
22 - Insightfulness (6)
23 - Zero (3)
24 - Impartial parties (8)
25 - Barbed (6)

Down
1 - Animal noses (6)
2 - Plate with chromium (6)
3 - Lemon (anag) (5)
4 - Walk with difficulty (7)
5 - Oppressive (8)
6 - Tyrant (6)
12 - Pieces of clothing (8)
14 - Motor home (7)
16 - Currents (6)
18 - Jogger (6)
19 - Use (6)
20 - Invited person (5)

No 144

Across
1 - Apparel (8)
5 - Trash (4)
8 - Daisy like flower (5)
9 - Searched through (7)
10 - Tax imposed on ships (7)
12 - Hates (7)
14 - Term of endearment (7)
16 - A dimension (7)
18 - Perception of superiority (7)
19 - Saying (5)
20 - Window frame (4)
21 - Space rock (8)

Down
1 - Hit hands together (4)
2 - Attire (6)
3 - Brought under control (9)
4 - Periods of darkness (6)
6 - Shadows (6)
7 - Breakfast dish (8)
11 - Identification notice (9)
12 - Stupidity (8)
13 - Ordered list (6)
14 - Disgraces (6)
15 - Red salad fruit (6)
17 - Pay attention (4)

No 145

Across

1 - Incites (5)
4 - Fills with (7)
7 - Comedy performances (5)
8 - Acts of law (8)
9 - Inheritors (5)
11 - Principles (8)
15 - Altering (8)
17 - Sticks (5)
19 - Form of teaching (8)
20 - Rushes along (5)
21 - Explain (7)
22 - Audio recordings (5)

Down

1 - Chatting (9)
2 - Irritated (7)
3 - Poured water (7)
4 - Take in (6)
5 - Support (6)
6 - Consumer (5)
10 - One offs (9)
12 - Decked out (7)
13 - Swimming costumes (7)
14 - Offer (6)
16 - Every sixty minutes (6)
18 - In the area (5)

No 146

Across
1 - The first woman (3)
3 - Menagerie (3)
5 - Cut into regular lumps (5)
8 - Suffers (4)
9 - Opening mechanism (8)
11 - Choking (10)
13 - Cruel wicked people (6)
14 - Glacial inlets (6)
17 - Plans of action (10)
21 - Grown in size (8)
22 - Grain store (4)
23 - Young herring (5)
24 - Transgress moral law (3)
25 - Add together (3)

Down
1 - Completely correct (5)
2 - Increases (8)
4 - Supernatural forces (6)
5 - Stir milk (5)
6 - Large washing bowl (4)
7 - Type of windows (7)
10 - Type of poker game (4)
12 - Rolling grasslands (8)
13 - Removes unwanted parts (7)
15 - Cry of derision (4)
16 - Small thin crisp cookies (6)
18 - Religious doctrine (5)
19 - Violent weather (5)
20 - Boxer training (4)

No 147

Across
1 - Type of warships (8)
6 - Hops kiln (4)
8 - Religious writing (6)
9 - Place inside (6)
10 - Sensory organ (3)
11 - Resist (4)
12 - Micelike mammals (6)
13 - Courtroom officials (6)
15 - Circumstances (6)
17 - Programs or structure (6)
20 - Slew (4)
21 - Disapproving sound (3)
22 - Russian carriage (6)
23 - Enforced wishes (6)
24 - Sues (anag) (4)
25 - Pose a threat (8)

Down
2 - Violent troublemakers (7)
3 - Aquarium fish (5)
4 - Writing via telephones (7)
5 - Open spaces above (5)
6 - See (7)
7 - Animal bedding (5)
14 - Protective skins (7)
15 - Given (7)
16 - Phoenician galley (7)
18 - Dairy products (5)
19 - Lessen (5)
20 - Elegant sitting room (5)

No 148

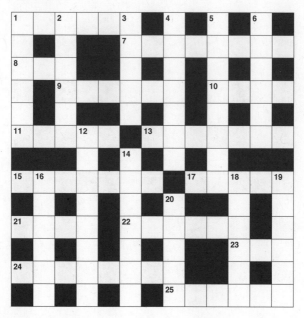

Across
1 - Administrative body (6)
7 - Animal herding canine (8)
8 - Spectral color (3)
9 - Migrant (6)
10 - Control (4)
11 - Slips (anag) (5)
13 - Fiction (7)
15 - Treasurers (7)
17 - Wedding assistant (5)
21 - Suggestion (4)
22 - Small carnivorous mammal (6)
23 - Compete (3)
24 - Love song (8)
25 - Last light (6)

Down
1 - Funeral (6)
2 - Travelers on horseback (6)
3 - Practice (5)
4 - National (7)
5 - Runs machinery (8)
6 - Suggests (6)
12 - Corridors (8)
14 - Ship worker (7)
16 - Reverses (6)
18 - Divides in two (6)
19 - Atone (6)
20 - Dislikes intensely (5)

No 149

Across
1 - Take away (6)
5 - Prevent (3)
7 - Male bee (5)
8 - Businessman (7)
9 - Disregard (5)
10 - Reduced (8)
12 - Feature (6)
14 - Sagacity (6)
17 - Consider carefully (8)
18 - Faiths (5)
20 - Sharp bend (7)
21 - Creases (5)
22 - Type of statistical chart (3)
23 - Entwines (6)

Down
2 - Rubbers (7)
3 - Unify (8)
4 - Outdoor game (4)
5 - Dear person (7)
6 - Platform (7)
7 - Discourage (5)
11 - Reduce to smallest point (8)
12 - Zeppelin (7)
13 - Supply (7)
15 - Very large (7)
16 - Insects like butterflies (5)
19 - Large bag (4)

No 150

Across
1 - Graphics (8)
6 - Nothing (4)
8 - Agreement (6)
9 - Blocks of metal (6)
10 - Tug (anag) (3)
11 - Suffers (4)
12 - Dealer in hats (6)
13 - Pressing keys (6)
15 - Ursine (anag) (6)
17 - Throws (6)
20 - Scottish lake (4)
21 - Hip (anag) (3)
22 - Graduates of a college (6)
23 - Unconsciousness state (6)
24 - Vipers (4)
25 - Person who hears (8)

Down
2 - Put right (7)
3 - Sounds of a dog (5)
4 - Pushing in a direction (7)
5 - Common US surname (5)
6 - Works against (7)
7 - Metal shaping machine (5)
14 - Financial earnings (7)
15 - Requests (7)
16 - Reuse (7)
18 - Supports (5)
19 - Drop liquid (5)
20 - Rental agreement (5)

No 151

Across
1 - Permits (8)
5 - Winning serves at tennis (4)
8 - Broadcast again (5)
9 - Chemical bond forming (7)
10 - Improve (7)
12 - Obesity (7)
14 - Small plums (7)
16 - Fruit flavored spirit (7)
18 - Not sudden (7)
19 - Warn (5)
20 - Fling (4)
21 - Investigates (8)

Down
1 - Old Italian currency (4)
2 - Orange vegetable (6)
3 - 3 x threepence (9)
4 - Resents (6)
6 - Written rules for church policy (6)
7 - Ohio's number 1 crop (8)
11 - House of a recluse (9)
12 - Small window (8)
13 - Crouches down (6)
14 - Trains (6)
15 - Large bodies of water (6)
17 - Flightless birds (4)

No 152

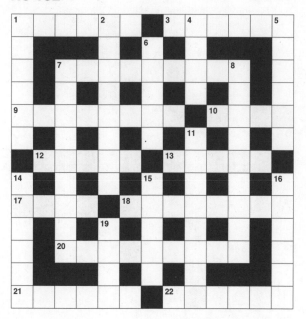

Across
1 - Accuse; run at (6)
3 - Spiny desert plant (6)
7 - Office (9)
9 - Religious residences (8)
10 - Tactical maneuver (4)
12 - Extent (5)
13 - Fellows (5)
17 - Release; give out (4)
18 - Envelops completely (8)
20 - Heavy Winter garment (9)
21 - Run fast (6)
22 - Sign up (6)

Down
1 - Possibility (6)
2 - Clothes (8)
4 - Unfortunately (4)
5 - Found the solution (6)
6 - Large indefinite amount (5)
7 - Pondering (9)
8 - Instrumentation (9)
11 - Turn off computer (8)
14 - Suspends; prevents (6)
15 - Opposite of full (5)
16 - Bodyguard; accompany (6)
19 - Noticed (4)

No 153

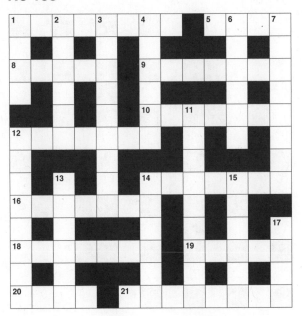

Across
1 - Social isolation (8)
5 - Chances of winning (4)
8 - Elevators (5)
9 - Strange (anag) (7)
10 - Failure to be present (7)
12 - Trading taxes (7)
14 - People in a club (7)
16 - Loss of memory (7)
18 - Dutch port (7)
19 - Form of sarcasm (5)
20 - Murder (4)
21 - Made heavier (8)

Down
1 - River mud (4)
2 - Trifle (anag) (6)
3 - Gives evidence in court (9)
4 - Doctrines or beliefs (6)
6 - Coloring cloth (6)
7 - Imagines to be the case (8)
11 - Gently boiling (9)
12 - Indian hatchet (8)
13 - Implant or introduce (6)
14 - Hoarding bird (6)
15 - Exertion (6)
17 - Two of the same kind (4)

No 154

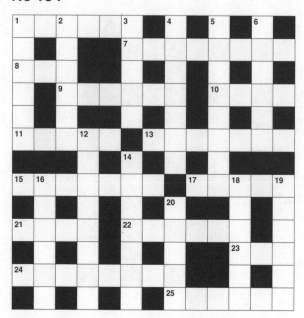

Across
1 - Unmoving (6)
7 - Radio signal receivers (8)
8 - Era (anag) (3)
9 - Nuance (6)
10 - Part of the eye (4)
11 - Horse-carts (5)
13 - Disturb (7)
15 - Blanked (7)
17 - Ice dwelling (5)
21 - Surrounding glow (4)
22 - Reference point (6)
23 - Nineteenth Greek letter (3)
24 - Install later (8)
25 - Fireplace (6)

Down
1 - Wagered (6)
2 - Programme (6)
3 - Eating places (5)
4 - Remaining (7)
5 - Provoking (8)
6 - Removal of unwanted hair (6)
12 - Class of small freeholders (8)
14 - Testify (7)
16 - Estimated (6)
18 - Second of two (6)
19 - Surge forwards (6)
20 - Soup; liquid meal (5)

No 155

Across
1 - Story (3)
3 - Propel a boat (3)
5 - Small woody plant (5)
8 - Animal horn (4)
9 - Hinder normal operations (8)
11 - Moves goods (10)
13 - Lacking strength (6)
14 - Leg exercises (6)
17 - Embellishes (10)
21 - Fine perfume sprayer (8)
22 - Luxurious car (abbrev) (4)
23 - Gives bad taste (5)
24 - Employ (3)
25 - Conciliatory gift (3)

Down
1 - Group of eight (5)
2 - Extremely happy (8)
4 - Fighting instrument (6)
5 - Sent to seek information (5)
6 - Hind part (4)
7 - Inhalations of air (7)
10 - Vipers (4)
12 - Happy ___ (card game) (8)
13 - Layouts (7)
15 - Popular type of TV show (4)
16 - The B in FBI (6)
18 - Arabian chiefs (5)
19 - Trample heavily (5)
20 - Bean curd (4)

No 156

Across
1 - Hereditary improvement (8)
6 - Fastened with cotton (4)
8 - Cinema guides (6)
9 - More than one nought (6)
10 - Ukulele (abbrev) (3)
11 - Dull color (4)
12 - Law officer (6)
13 - Rational thought (6)
15 - Hits (6)
17 - Small chicken (6)
20 - Apple seeds (4)
21 - Burnt wood (3)
22 - Layered cake (6)
23 - Spend money (6)
24 - Pass (anag) (4)
25 - Abiding (8)

Down
2 - Sudden increase (7)
3 - Military opponent (5)
4 - Pancreatic hormone (7)
5 - Measured or classified (5)
6 - Written movie stories (7)
7 - Food grain (5)
14 - Longhaired hunting dogs (7)
15 - Male childhood (7)
16 - Give reasons (7)
18 - Collect large quantities (5)
19 - Purple color (5)
20 - Male parent (5)

No 157

Across
7 - Redbreasted birds (6)
8 - Applauds (6)
10 - Accept as true (7)
11 - Wash hair (5)
12 - Temporary outside shelter (4)
13 - Sailing ship (5)
17 - Apathy (5)
18 - Skin eruption (4)
22 - Old object (5)
23 - Children's carers (7)
24 - Leftovers (6)
25 - User's environment (6)

Down
1 - Process of proving a will (7)
2 - Edible mollusk (7)
3 - River cove (5)
4 - Small round cigar (7)
5 - Existing (5)
6 - Tears (anag) (5)
9 - Releasing air (9)
14 - Grouped together (7)
15 - Docking facilities for boats (7)
16 - Speak very quietly (7)
19 - Recently made (5)
20 - Fastening device (5)
21 - Savor (5)

No 158

Across
1 - Flying machine (8)
6 - Vertical direction (4)
8 - Snow sport (6)
9 - Show (6)
10 - Flightless bird (3)
11 - Cavities (4)
12 - Mythical water men (6)
13 - Representatives (6)
15 - Removes outer skin (6)
17 - Previous (6)
20 - Tabs (anag) (4)
21 - Largest deer (3)
22 - Mid-day snooze (6)
23 - Demands penalty (6)
24 - Utilizes (4)
25 - Struggling (8)

Down
2 - Vague understanding (7)
3 - Babies' beds (5)
4 - Church bell (7)
5 - Monotonous hum (5)
6 - Separate (7)
7 - Large sea mammal (5)
14 - Goddess of retribution (7)
15 - Pouches (7)
16 - Connective fiber (7)
18 - Misses out (5)
19 - Respond (5)
20 - Petite (5)

No 159

Across
1 - Cooking utensil (3)
3 - Wild ox (3)
5 - Deep ravine (5)
8 - Close by (4)
9 - Watchful (8)
11 - Seasonings or relishes (10)
13 - Supposes (6)
14 - Stupidity (6)
17 - Accurate historical records (10)
21 - Farm vehicles (8)
22 - Gain possession of (4)
23 - Sink; sag (5)
24 - Tear (3)
25 - Protective cover (3)

Down
1 - Feeling of fear (5)
2 - Tidiness (8)
4 - Kitchen implements (6)
5 - Flicker (5)
6 - Derive the benefits (4)
7 - Body of water (7)
10 - Sort through (4)
12 - Register; formal vote (4,4)
13 - Written (7)
15 - Dribble (4)
16 - Repugnance (6)
18 - Heated; become intense (3,2)
19 - Use money (5)
20 - Aura (4)

No 160

Across
1 - Unpleasant flavor (8)
6 - Computer memory unit (4)
8 - Ship's compartments (6)
9 - Voice sound or dialect (6)
10 - Climbing plant (3)
11 - Web site visits (4)
12 - Pain in the side (6)
13 - Sandpipers (6)
15 - Shakings of the body (6)
17 - Rich sponge cake (6)
20 - In good order (4)
21 - Dry wine (3)
22 - Mineral used in fertilizer (6)
23 - Bank employee (6)
24 - Leg joint (4)
25 - Scarceness (8)

Down
2 - Formal speech or prayer (7)
3 - Precipitations (5)
4 - Flags of office (7)
5 - Rocks back and forth (5)
6 - ___ bronco (7)
7 - Uniform jacket (5)
14 - Get ready (7)
15 - Creator (anag) (7)
16 - Remedy (7)
18 - Decorate (5)
19 - Popular R&B performer (5)
20 - Bird claw (5)

No 161

Across

7 - Announcements (6)
8 - Urgent request (6)
10 - Form of hieroglyphic writing (7)
11 - Lever (5)
12 - Complain bitterly (4)
13 - Encounters (5)
17 - Ensnares (5)
18 - Wire (anag) (4)
22 - Dull sounds (5)
23 - Heading (7)
24 - Gone wrong (6)
25 - Take away (6)

Down

1 - Newspaper audience (7)
2 - Postal service (7)
3 - Utter (5)
4 - Data input devices (7)
5 - Lewd behavior (5)
6 - Mature human (5)
9 - Misadventures (9)
14 - Fights (7)
15 - Deer meat (7)
16 - Fishnet or trawl (7)
19 - Dismiss (5)
20 - Tall attractive flower (5)
21 - Spread by scattering (5)

No 162

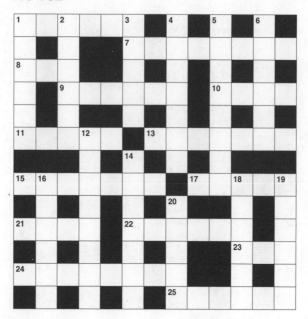

Across
1 - Small pit or cavity (6)
7 - Came off tracks (8)
8 - Coniferous tree (3)
9 - Changes (6)
10 - Precious metal (4)
11 - Soft drinks (5)
13 - Great courage (7)
15 - Folded up (7)
17 - Utilizing (5)
21 - Box (4)
22 - Loose skin (6)
23 - Clumsy person (3)
24 - Upsets (8)
25 - Vibration (6)

Down
1 - Levels (6)
2 - Timid person (6)
3 - Good at (5)
4 - Ran into (7)
5 - Royal countries (8)
6 - Domains (6)
12 - Sprightliness (8)
14 - Measuring devices (7)
16 - Gave back money (6)
18 - Tell (6)
19 - Eg Tiger Woods (6)
20 - Outer layer of bread (5)

No 163

Across

1 - Judgment (8)
6 - Smooth cloth (4)
8 - Educational institution (6)
9 - Food passage (6)
10 - Beer (3)
11 - Music composition (4)
12 - Drank in one go (6)
13 - Bushes as fencing (6)
15 - Roped together (6)
17 - Soak up (6)
20 - Crimp (4)
21 - Piece of wood (3)
22 - Unnail (anag) (6)
23 - Gives out (6)
24 - Lies (anag) (4)
25 - Pre Christian belief (8)

Down

2 - Fugitive (7)
3 - Effigies (5)
4 - Eg Bermuda and Skye (7)
5 - Written down (5)
6 - Scribbles (7)
7 - Rental agreement (5)
14 - Small ball shape (7)
15 - Pipe wrapping (7)
16 - Surpasses (7)
18 - Makes fast with ropes (5)
19 - Small airship (5)
20 - Violin bow lubricant (5)

No 164

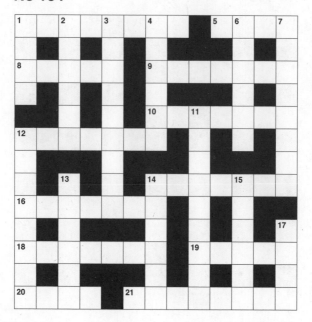

Across

1 - Reversed; changed order (8)
5 - Spheres (4)
8 - Repository (5)
9 - Frozen water spears (7)
10 - Deadlock (7)
12 - Most healthy (7)
14 - Undergarment (7)
16 - Start signal for hounds (5-2)
18 - Moving about non-stop (2,3,2)
19 - Defense (5)
20 - Lock lips (4)
21 - Restore confidence (8)

Down

1 - Soap foam (4)
2 - Bring into the country (6)
3 - The people of a country (9)
4 - Construe (6)
6 - Enjoy greatly (6)
7 - Anxious uncertainty (8)
11 - Supports or foundations (9)
12 - How a person moves (8)
13 - Rags (6)
14 - Small and slender wolf (6)
15 - In the original place (2,4)
17 - Bee colony (4)

No 165

Across
7 - Joins together (6)
8 - Case (6)
10 - End stations (7)
11 - Sailing vessel (5)
12 - Negatives (4)
13 - Vital organ (5)
17 - Woodwind instrument (5)
18 - Cat sound (4)
22 - Remove (5)
23 - Announcements (7)
24 - Musical times (6)
25 - Obligate (6)

Down
1 - Repeating words (7)
2 - Penetrates (7)
3 - Magical spirits; intellectuals (5)
4 - Performing artists (7)
5 - Barrier (5)
6 - Warms up (5)
9 - Sedimentary rock (9)
14 - Army squad (7)
15 - Exposure of bedrock (7)
16 - Decimated (7)
19 - Openings (5)
20 - Smiles radiantly (5)
21 - Walk heavily (5)

No 166

Across
1 - Giants (5)
4 - Fast moving reptiles (7)
7 - Search thoroughly for (5)
8 - Suggestions (8)
9 - Heated bread (5)
11 - Implication (8)
15 - Protective clothing (8)
17 - Lure (5)
19 - Boxer (8)
20 - Black (5)
21 - Responses (7)
22 - Smooth fabric (5)

Down
1 - Eye specialists (9)
2 - Putting in order (7)
3 - Figures of speech (7)
4 - Carried (6)
5 - Secure (6)
6 - Percussion instruments (5)
10 - Determination of acidity (9)
12 - Respects (7)
13 - Pleasure (7)
14 - Mustang (6)
16 - Makes apparent (6)
18 - Male aristocrat (5)

No 167

Across
1 - Portable computer (6)
7 - Printed sheets (8)
8 - Cooking utensil (3)
9 - Reddish brown (6)
10 - Group of three (4)
11 - Functions (5)
13 - Small crown (7)
15 - Feeling of indignation (7)
17 - Important topic (5)
21 - Smile (4)
22 - Lender (6)
23 - Creative activity (3)
24 - Changing (8)
25 - Use up (6)

Down
1 - Pruner (6)
2 - Conduct reconnaissance (6)
3 - Lavish (5)
4 - Wording (7)
5 - Army units (8)
6 - Seek (6)
12 - Guide carefully (8)
14 - Box of useful equipment (7)
16 - Unwind (6)
18 - Capers (anag) (6)
19 - Left (6)
20 - Big (5)

No 168

Across
1 - Leniency or compassion (8)
5 - Male emperor (4)
8 - Roof overhang (5)
9 - Family of man (7)
10 - Trophy made of ribbon (7)
12 - Deep sound musician (7)
14 - Turns upside down (7)
16 - Traditional example (7)
18 - Printed error (7)
19 - Sardonic humor (5)
20 - Position (4)
21 - Coziness (8)

Down
1 - Pool sticks (4)
2 - Strongly wants (6)
3 - Cherishes as sacred (9)
4 - Roman band of people (6)
6 - Celestial point above you (6)
7 - Auburn haired people (8)
11 - Saving from destruction (9)
12 - Burns slightly or chars (8)
13 - Orange root plant (6)
14 - Comic superhero (6)
15 - Void or annul (6)
17 - Cloth colorings (4)

No 169

Across
1 - Warming device (6)
4 - Rigid support (6)
9 - Stronghold (7)
10 - Holster (anag) (7)
11 - Duties (5)
12 - Period of darkness (5)
14 - Talons (5)
15 - Insect grub (5)
17 - Scale representation (5)
18 - Skilled artist; master (7)
20 - Titlings (7)
21 - Charge (6)
22 - Lover (6)

Down
1 - Traditions (6)
2 - Government official (8)
3 - Lives (anag) (5)
5 - Correctional institutions (7)
6 - Effigy (4)
7 - Desire for water (6)
8 - Breaths of air (11)
13 - Horticulturist (8)
14 - Boxes (7)
15 - 11th Greek letter (6)
16 - Nearer (6)
17 - Copied (5)
19 - Heroic poem (4)

No 170

Across
1 - Movement into an area (11)
9 - Measuring device (5)
10 - Sense organ (3)
11 - Airship (5)
12 - Moves in the wind (5)
13 - Assistant to head cook (4-4)
16 - Representation (8)
18 - Distributed (5)
21 - Stroll (5)
22 - Steal (3)
23 - Edible bulb (5)
24 - Improves (11)

Down
2 - Smallest amount (7)
3 - Examine (7)
4 - Go back on (6)
5 - Small lakes (5)
6 - Last Greek letter (5)
7 - Country representatives (11)
8 - TV presenters (11)
14 - Porch (7)
15 - Trash (7)
17 - Gambling house (6)
19 - Collection of songs (5)
20 - Mythical monster (5)

No 171

Across
1 - Indian tent (6)
5 - Resistance unit (3)
7 - Snails with no shells (5)
8 - Upset (7)
9 - Aromatic plants (5)
10 - Write notes (8)
12 - Holding of funds (6)
14 - Dangerous snake (6)
17 - Mixture to flavor food (8)
18 - Unable to see (5)
20 - Narrow minded intolerance (7)
21 - Soils (5)
22 - Sadness (3)
23 - Old Portuguese coin (6)

Down
2 - Kids (7)
3 - Flying industry (8)
4 - Opposite of pull (4)
5 - Flightless bird (7)
6 - Splash (7)
7 - Utter (5)
11 - Plungers in a tube (8)
12 - Facial hair (7)
13 - Alcove (7)
15 - Commanded (7)
16 - Young sheep (5)
19 - Read (anag) (4)

No 172

Across
1 - Checked (8)
5 - Male deer (4)
8 - Covered (5)
9 - Fortified buildings (7)
10 - Hair cleaner (7)
12 - Hunts (7)
14 - Mound or hill (7)
16 - Envisage (7)
18 - Optician (7)
19 - Entertain (5)
20 - Exchange (4)
21 - Glue (8)

Down
1 - Ales (anag) (4)
2 - Park keeper (6)
3 - Brings into harm's way (9)
4 - Superabundance (6)
6 - Dutch spring flowers (6)
7 - Fuel generating sites (8)
11 - Detest (9)
12 - Domains (8)
13 - Shocking experience (6)
14 - Examined (6)
15 - Blue semi precious gem (6)
17 - Celebration (4)

No 173

Across

7 - Airport take off strip (6)
8 - Very severe (6)
10 - Garden feature; passageway (7)
11 - To move slightly (5)
12 - Orient (4)
13 - Double reed instruments (5)
17 - Proclamation (5)
18 - Trademark (4)
22 - Greek building style (5)
23 - Withstood (7)
24 - Zealots (6)
25 - Deceive; cheat on (6)

Down

1 - Ambushed (7)
2 - Coat (7)
3 - Relay device (5)
4 - Dipped foot in water (7)
5 - Covers with gold (5)
6 - Urged (5)
9 - Cooks outdoors (9)
14 - Teach (7)
15 - Intense fears (7)
16 - Farewell (7)
19 - Oblivion (5)
20 - Catches (5)
21 - Increased (5)

No 174

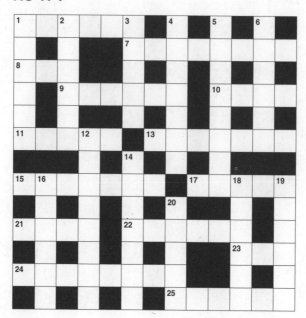

Across
1 - Wading birds (6)
7 - Gathers (8)
8 - Gear (3)
9 - Assertion (6)
10 - Shape (4)
11 - Council (5)
13 - Turned upside down (7)
15 - Warming devices (7)
17 - Test (5)
21 - The south of France (4)
22 - Wishing (6)
23 - Cut of pork (3)
24 - Cane sugar (8)
25 - Capital of England (6)

Down
1 - Foot travelers (6)
2 - Keep hold of (6)
3 - Illustrates (5)
4 - Almond sweet (7)
5 - Educators (8)
6 - Takes off (6)
12 - Gotten hold of (8)
14 - Grand entrance (7)
16 - Left (6)
18 - Let out breath (6)
19 - Ship's petty officer (6)
20 - Disgust (5)

No 175

Across
1 - Realize (3)
3 - Fall back (3)
5 - Female garment (5)
8 - Irritate (4)
9 - Night club guards (8)
11 - Contained (10)
13 - Parts of tendons (6)
14 - Morning prayer (6)
17 - Kidnappings (10)
21 - Truthfulness (8)
22 - Oven (4)
23 - Weak animals (5)
24 - Total (3)
25 - Fellow (3)

Down
1 - Makes dirty (5)
2 - Avoiding (8)
4 - Female shirt (6)
5 - General awareness (5)
6 - Thought (4)
7 - Samples (7)
10 - Group of sailors (4)
12 - Rotating (8)
13 - Russian tea urn (7)
15 - Lowest female voice (4)
16 - References (6)
18 - Dollars (5)
19 - As on the beach (5)
20 - Tiny bird (4)

No 176

Across
7 - Deliver goods (6)
8 - Screamed out loud (6)
10 - Bathing tub (7)
11 - Extent (5)
12 - Masticate (4)
13 - Announcement (5)
17 - Sound a duck makes (5)
18 - Hinge joint (4)
22 - Female parent (5)
23 - Laughs (7)
24 - Stroke (6)
25 - Insurrection (6)

Down
1 - Topic (7)
2 - Char or burn (7)
3 - Fine mesh (5)
4 - Solid stone under soil (7)
5 - Gleam (5)
6 - Farewell (5)
9 - Justify (9)
14 - First light (7)
15 - Relating to a disease (7)
16 - Jumpers (7)
19 - Hit hard (5)
20 - Set out (5)
21 - Play a guitar (5)

No 177

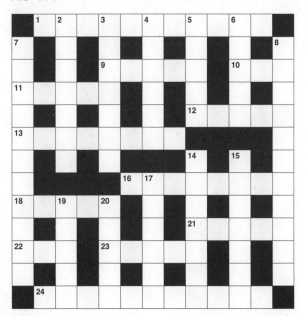

Across
1 - Large populated area (11)
9 - Irresistible belief (5)
10 - Variety (3)
11 - Jeweled headdress (5)
12 - ___ and lows (5)
13 - Timber defensive wall (8)
16 - Greek meat casserole (8)
18 - Nerve in the eye (5)
21 - Swiftness or speed (5)
22 - Garden tool (3)
23 - Eyelash or short hair (5)
24 - Annihilating (11)

Down
2 - Eight sided polygon (7)
3 - Uncovers (7)
4 - Strongly tied together (6)
5 - Household garbage (5)
6 - Due to someone (5)
7 - Calamity or great loss (11)
8 - Very tall buildings (11)
14 - Road or roofing material (7)
15 - Rowers (7)
17 - Dark spotted wildcat (6)
19 - Repeated idea or topic (5)
20 - Chocolate powder (5)

No 178

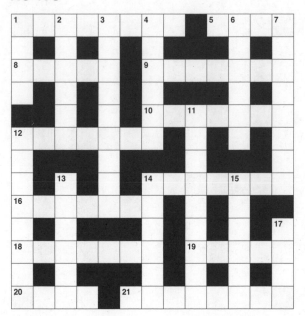

Across
1 - Emerges from below (8)
5 - Plant stalk (4)
8 - Change (5)
9 - Putting away items (7)
10 - Venetian boat (7)
12 - Pistol (7)
14 - Raise up (7)
16 - Contradiction (7)
18 - Interstellar gas clouds (7)
19 - Stadium (5)
20 - Cook slowly (4)
21 - Evaluator (8)

Down
1 - Sharp blow (4)
2 - Go back (6)
3 - Called before a court (9)
4 - Navy rank (6)
6 - Garment maker (6)
7 - Severe headache (8)
11 - Inscribed door plaque (9)
12 - Portions of food (8)
13 - Multiply by three (6)
14 - Forces out (6)
15 - Goodbyes (6)
17 - Head covering (4)

No 179

Across
1 - Root vegetable (6)
5 - Finish (3)
7 - Scale (5)
8 - Combusted (7)
9 - Piece of cloth (5)
10 - Introduction (8)
12 - Suggest (6)
14 - Insect (6)
17 - Company head (8)
18 - Insects related to butterfly (5)
20 - Used to build muscle (7)
21 - Abrasive material (5)
22 - Affirmative (3)
23 - Modify (6)

Down
2 - Indicated (7)
3 - Positive disposition (8)
4 - Probability (4)
5 - Obtain (7)
6 - Get rid of (7)
7 - Effigies (5)
11 - A giant (8)
12 - Support payment (7)
13 - Good qualities (7)
15 - Plundering (7)
16 - Teenage rebel (5)
19 - Vehicle for snow (4)

No 180

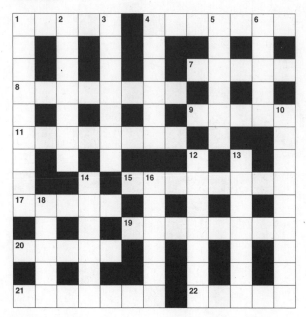

Across
1 - Eats (5)
4 - Scent; smell (7)
7 - Room openings (5)
8 - Model; master (8)
9 - Plastic (5)
11 - Loose type of fastening (4,4)
15 - Sample plant or animal (8)
17 - Quickly browns meat (5)
19 - Printed in one color (8)
20 - Roman cloaks (5)
21 - Check; acknowledgment (7)
22 - Tiny piece of material (5)

Down
1 - Political party (9)
2 - Observes (7)
3 - Gets smaller (7)
4 - Edible tuber (6)
5 - Play boisterously (6)
6 - Unite in matrimony (5)
10 - Made clean (9)
12 - Addresses; solicits (7)
13 - Give authority to (7)
14 - Make; come up with (6)
16 - Stimulate (6)
18 - Decay (5)

No 181

Across

1 - Spring month (3)
3 - Domestic animal (3)
5 - Creates (5)
8 - Converse (4)
9 - Greeting an officer (8)
11 - Bearing on (10)
13 - Criticizes (6)
14 - Concave shapes (6)
17 - Flat wood with rollers (10)
21 - Transport systems (8)
22 - Deadly sin (4)
23 - Honored ladies (5)
24 - Hiding place (3)
25 - Male offspring (3)

Down

1 - Badges of office (5)
2 - Annual (8)
4 - Expanses of land (6)
5 - Grieve (5)
6 - Conjoin (4)
7 - Communicates (7)
10 - Fix (4)
12 - Shouts of praise (8)
13 - Poured with rain (7)
15 - Compartments (4)
16 - Resided (6)
18 - Flightless birds (5)
19 - Elder (5)
20 - Injure (4)

No 182

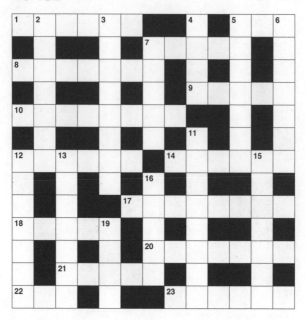

Across
1 - Protective covering (6)
5 - Horse; complain (3)
7 - Concur with (5)
8 - Granulated (7)
9 - Abrasion (5)
10 - Disgraced (8)
12 - From long ago (3-3)
14 - Invaded (6)
17 - Entertainer (8)
18 - Tiny piece of food (5)
20 - Boat launcher (7)
21 - Machine (5)
22 - Lacking moisture (3)
23 - Earnest opinion (6)

Down
2 - Throwing (7)
3 - Waste disposal site (8)
4 - Snob (4)
5 - Contradicted; neutralized (7)
6 - Welcomed (7)
7 - Increased (5)
11 - Gasify (8)
12 - Run away (7)
13 - Body of water (7)
15 - Capture (7)
16 - Adventure (5)
19 - Very young child (4)

No 183

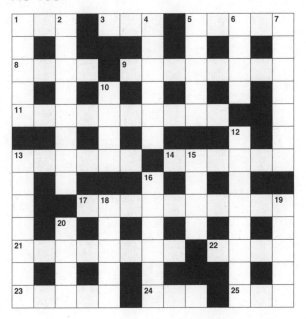

Across
1 - Limb (3)
3 - Opponent (3)
5 - Increase in size (5)
8 - Wooden pins (4)
9 - Achieved (8)
11 - Amuses (10)
13 - Gaps; cracks (6)
14 - Officials (6)
17 - Rarity (10)
21 - Enthusiasm (8)
22 - Coffin (4)
23 - Do again (5)
24 - Speak; state (3)
25 - Tree resin (3)

Down
1 - Oversight (5)
2 - High achiever (2-6)
4 - Background actors (6)
5 - Dye (5)
6 - Nose (anag) (4)
7 - Climbing steps (7)
10 - Worry about (4)
12 - Plus points (8)
13 - Dry bread (7)
15 - Cook slowly (4)
16 - Hand joints (6)
18 - Body of rules; priest (5)
19 - Take off (5)
20 - Successor (4)

No 184

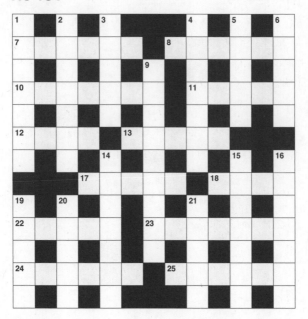

Across
7 - Respite (6)
8 - Dimension (6)
10 - Import barrier (7)
11 - A row or fight (3-2)
12 - Long grass (4)
13 - Proclamation (5)
17 - Follow stealthily (5)
18 - Folio (4)
22 - Exposed (5)
23 - Cost (7)
24 - Body organ (6)
25 - Pull back from (6)

Down
1 - Debts (7)
2 - Animal fat (7)
3 - Perceives audibly (5)
4 - Bend or change direction (7)
5 - Suffering (5)
6 - Parts of legs (5)
9 - Shortened (9)
14 - Lingered (7)
15 - Arc of colored light (7)
16 - Shows (7)
19 - Military vehicles (5)
20 - Newlywed (5)
21 - Watched secretly (5)

No 185

Across

1 - Nocturnal canine (6)
4 - Accepted (6)
9 - Lottery (7)
10 - Imaginary creature (7)
11 - Fill with high spirits (5)
12 - Extent (5)
14 - Abrasive material (5)
15 - Pore of the body (5)
17 - Preclude (5)
18 - Remove impurities (7)
20 - Blushes (7)
21 - Neglect (6)
22 - Inferior (6)

Down

1 - Notebook (6)
2 - Military unit (8)
3 - Home (5)
5 - Storehouse (7)
6 - The Orient (4)
7 - Decide with authority (6)
8 - Wildlife park custodians (11)
13 - Loss of feeling (8)
14 - Money makers (7)
15 - Unit of time (6)
16 - Rubber (6)
17 - Evade (5)
19 - Sell (anag) (4)

No 186

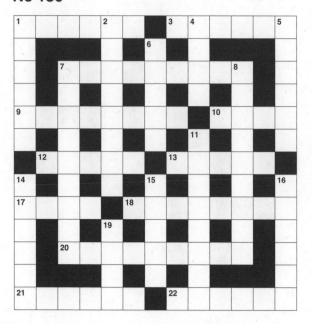

Across
1 - Decline to do something (6)
3 - Annul; cancel (6)
7 - Literary analyses (9)
9 - Supreme being (8)
10 - Nocturnal insect (4)
12 - Cagey (5)
13 - Summons (5)
17 - Bitter tasting substance (4)
18 - Youngsters (8)
20 - Leaked liquids (9)
21 - Paths (6)
22 - Suggestion (6)

Down
1 - Happen again (6)
2 - Moving from side to side (8)
4 - Flightless birds (4)
5 - Periods of time (6)
6 - Eating plans (5)
7 - Institutions (9)
8 - Burns with thick smoke (9)
11 - Secured with dressing (8)
14 - Light teasing repartee (6)
15 - Idiots (5)
16 - Anticipate (6)
19 - Snide comment (4)

No 187

Across
1 - Art displays (8)
5 - Thought (4)
8 - Musical drama (5)
9 - Hindered (7)
10 - Sincere (7)
12 - Holidays (7)
14 - Ending (7)
16 - Coarse beach gravel (7)
18 - Stands firm (7)
19 - Angry (5)
20 - Waist band (4)
21 - Bighead (8)

Down
1 - Stringed instrument (4)
2 - Small hole (6)
3 - Thinking (9)
4 - Steers (6)
6 - Deceiver (6)
7 - Financial checking (8)
11 - Recompensing (9)
12 - Waterproofs (8)
13 - Osculates (6)
14 - Moral guardian (6)
15 - Lizard (6)
17 - Liquefy (4)

No 188

Across
1 - Find (8)
6 - Spots (4)
8 - Lizard (6)
9 - Descend down rock face (6)
10 - Water barrier (3)
11 - Automobile (4)
12 - Waited on (6)
13 - Upward slope (6)
15 - Substitute (6)
17 - Panted (anag) (6)
20 - Prepare for holiday (4)
21 - Edge (3)
22 - Stick to (6)
23 - Picture elements (6)
24 - Pots (4)
25 - Hangs (8)

Down
2 - Entrance (7)
3 - Fasten (5)
4 - Multi-span structure (7)
5 - Large quantities of paper (5)
6 - Guarantees (7)
7 - Sound (5)
14 - Rubbers (7)
15 - Absolves (7)
16 - Touched lightly; thrilled (7)
18 - Senior member (5)
19 - Lock of hair (5)
20 - Fairy (5)

No 189

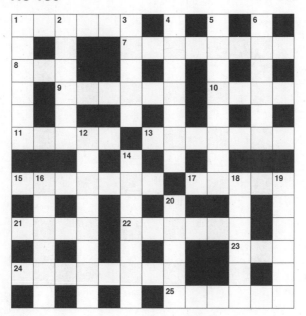

Across
1 - Lofts (6)
7 - Pinching (8)
8 - A negative (3)
9 - Jumbling up (6)
10 - Require (4)
11 - Registers (5)
13 - Reverses (7)
15 - Startles (7)
17 - Incremented (5)
21 - Proofreader's mark (4)
22 - Difficult (6)
23 - Deep anger (3)
24 - Very successful businessmen (8)
25 - Mocks (6)

Down
1 - Yearly (6)
2 - Endocrine gland (6)
3 - Philosophical (5)
4 - Joining together (7)
5 - Person with shaved hair (8)
6 - Add (6)
12 - Constricts (8)
14 - Explain again (7)
16 - Financial loss (6)
18 - Fingers (6)
19 - Puts off (6)
20 - To be (5)

No 190

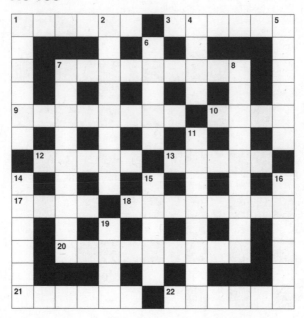

Across
1 - Hypotheses (6)
3 - Cause to become (6)
7 - Cud chewing animals (9)
9 - Took in (8)
10 - Swinging barrier (4)
12 - Starting point (5)
13 - Looking tired (5)
17 - Metallic element (4)
18 - Religious; cloistered (8)
20 - Tie height (anag) (9)
21 - Troublemaker (6)
22 - Mete out (6)

Down
1 - Textile (6)
2 - Parchment from sheep (8)
4 - Geological time periods (4)
5 - Dancers (6)
6 - Attendant upon God (5)
7 - Routine (9)
8 - Timer (9)
11 - Makes wider (8)
14 - Perceiver (6)
15 - Path or road (5)
16 - Astuteness (6)
19 - Sickness (4)

No 191

Across

1 - Repeat from memory (6)
4 - Walks slowly (6)
9 - 'V' shaped mark (7)
10 - Disperse (7)
11 - Written test (5)
12 - Ruses (anag) (5)
14 - Brass instrument (5)
15 - Move forward suddenly (5)
17 - Laps up with tongue (5)
18 - Hair cleanser (7)
20 - Notice (7)
21 - Development (6)
22 - Deceives (6)

Down

1 - Loud noise (6)
2 - 32 board game pieces (8)
3 - Late (5)
5 - Short-tailed monkey (7)
6 - Kick high in the air (4)
7 - Huffs (6)
8 - Troublemakers (11)
13 - Voting process (8)
14 - Best pod (anag) (7)
15 - Failing to win (6)
16 - Items of value (6)
17 - Exit (5)
19 - Singing voice (4)

No 192

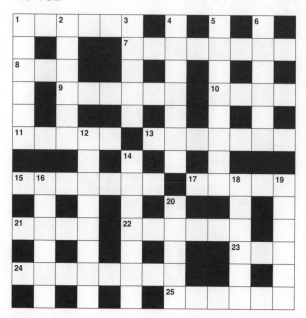

Across

1 - Type of hat (6)
7 - Linguist (8)
8 - Small truck (3)
9 - Recurs in sequences (6)
10 - Seeds (4)
11 - Sticky liquid (5)
13 - Prompts (7)
15 - Moving hastily (7)
17 - Small pieces of land (5)
21 - Volcanic rock (4)
22 - Move forward (6)
23 - Sheltered side (3)
24 - Excessively self-indulgent (8)
25 - Lodgings (6)

Down

1 - Illnesses (6)
2 - Stage performer (6)
3 - Put into service (5)
4 - Fluid-filled bump (7)
5 - Business organizations (8)
6 - Categorized (6)
12 - Commotion (8)
14 - Broke in two (7)
16 - A guess (anag) (6)
18 - Quietened (6)
19 - Bed linen (6)
20 - Plantain lily (5)

No 193

Across

7 - Use up (6)
8 - Helps protect your sight (6)
10 - Develop beyond (7)
11 - Be the same as (5)
12 - Story (4)
13 - Steps of a ladder (5)
17 - Change (5)
18 - Fuse together (4)
22 - Type of jacket (5)
23 - Hesitate on moral grounds (7)
24 - Desires (6)
25 - Repudiated (6)

Down

1 - Holiday places (7)
2 - Kitchen implement (7)
3 - Contort and twist (5)
4 - Working together (7)
5 - Punch hard (5)
6 - Mature person (5)
9 - Unpleasantness (9)
14 - Slandered (7)
15 - Ruin (7)
16 - Additions to document (7)
19 - Fish eggs (5)
20 - Stand up (5)
21 - System of beliefs (5)

No 194

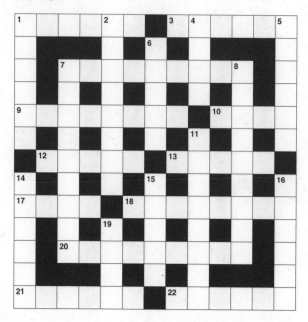

Across
1 - Fakes (6)
3 - Occupies temporarily (6)
7 - Used in soccer (9)
9 - Terminated (8)
10 - From the mouth (4)
12 - Overfamiliar through overuse (5)
13 - Flower of remembrance (5)
17 - Very keen (4)
18 - Height (8)
20 - Where waves meet sand (9)
21 - Veto; issue an injunction (6)
22 - Go up (6)

Down
1 - In the distance (3-3)
2 - Judgment Day; fate (8)
4 - Slippery fish (4)
5 - Manuscript (6)
6 - Receded (5)
7 - Fictions (9)
8 - Religious writing (9)
11 - Activities of government (8)
14 - Fuss; harass (6)
15 - Collection of ships (5)
16 - Removed a tree (6)
19 - Ursine cartoon character (4)

No 195

Across
1 - Twitch (5)
4 - Corrosive (7)
7 - Lazed (5)
8 - Military supplies (8)
9 - Anxiety (5)
11 - Rocked (8)
15 - Send down (8)
17 - Undersea swimmer (5)
19 - Hand woven fabric (8)
20 - Falsifying (5)
21 - Pulses of light (7)
22 - Committee (5)

Down
1 - Country house (9)
2 - Meaninglessness (7)
3 - Needleworker (7)
4 - American wolf (6)
5 - Plumping for (6)
6 - Thoughts (5)
10 - Occuring every 3 years (9)
12 - Bring to fruition (7)
13 - Caricature (7)
14 - Living things (6)
16 - Decays (6)
18 - Pastoral poem (5)

No 196

Across
1 - Substances (6)
5 - Beer (3)
7 - Restraints (5)
8 - Expansive movement (7)
9 - Discourage (5)
10 - Game of chance (8)
12 - Ice mover (6)
14 - Moved back and forth (6)
17 - Challenged (8)
18 - Foundation (5)
20 - Eg Tuesday (7)
21 - Links (5)
22 - Droop (3)
23 - Spirit (6)

Down
2 - Defensive structure (7)
3 - Fussed (8)
4 - Developed (4)
5 - Receptacle for smoke residue (7)
6 - Appeared (7)
7 - Waterslide (5)
11 - Street cleaners (8)
12 - Signs (7)
13 - Becoming (7)
15 - Nonsense (7)
16 - Coughs out (5)
19 - Clods of earth (4)

No 197

Across
1 - Measure of electrical current (6)
4 - Examines (6)
9 - Antelope (7)
10 - Male and female (7)
11 - Onion like vegetables (5)
12 - Underwater apparatus (5)
14 - Feels intense anger (5)
15 - Torment playfully (5)
17 - Cleaning implement (5)
18 - Percussion instrument (7)
20 - Paper folding (7)
21 - Surge (6)
22 - Expose (6)

Down
1 - Spiritual beings (6)
2 - Italian fast food store (8)
3 - Functions (5)
5 - Cunning (7)
6 - Sickness (4)
7 - Quick sleep (6)
8 - Separation of people (11)
13 - Wavelike motion (8)
14 - Keeps hold of (7)
15 - Stain skin with indelible color (6)
16 - Excite (6)
17 - Illegal payment (5)
19 - Secure in a berth (4)

No 198

Across
1 - Woody plants (6)
5 - Tree resin (3)
7 - Allow (5)
8 - Arming (7)
9 - Timber framework (5)
10 - Attractive appearances (8)
12 - Protection (6)
14 - Manservant (6)
17 - Commerce (8)
18 - Army cloth (5)
20 - Brown bear (7)
21 - Decay (5)
22 - State of matter (3)
23 - Edible bulbs (6)

Down
2 - Female inheritor (7)
3 - Skin water bubbles (8)
4 - Soot particle (4)
5 - Fruit pastry (7)
6 - Follower (7)
7 - Concur (5)
11 - Performing artist (8)
12 - Creating (7)
13 - Folds (7)
15 - Greek letter (7)
16 - Avoid (5)
19 - Hero (4)

No 199

Across
1 - Unit of length (5)
4 - Reducing intensity (7)
7 - Guitar motion (5)
8 - Exemption (8)
9 - Not tense (5)
11 - On hands and knees (3,5)
15 - Forgiven (8)
17 - Type of dance (5)
19 - Faith; belief (8)
20 - Announcement (5)
21 - Is present at (7)
22 - Hazardous (5)

Down
1 - Extenuates (9)
2 - Sewing aid (7)
3 - Arc of colored light (7)
4 - Physician (6)
5 - Shooting star (6)
6 - Naming words (5)
10 - Obviously (9)
12 - A suitor (7)
13 - Outcomes (7)
14 - Soul; spirit (6)
16 - Stadiums; spheres (6)
18 - Detailed assessment (5)

No 200

Across
1 - Summer month (6)
5 - Military action (3)
7 - Break loose (5)
8 - Covered with fine grain (7)
9 - Warm water fish (5)
10 - Distresses (8)
12 - Contents (6)
14 - Dessert (6)
17 - Fruit tree (8)
18 - Semidarkness (5)
20 - Enthusiast (7)
21 - Salamanders (5)
22 - Positive answer (3)
23 - Dole out (6)

Down
2 - Rising air currents (7)
3 - Infers (8)
4 - Compass point (4)
5 - Dampness (7)
6 - Reuse (7)
7 - Alters (5)
11 - Unites (8)
12 - Representational process (7)
13 - Taverns (7)
15 - Quantity of food (7)
16 - Collars (5)
19 - Grass that was cut (4)

No 201

Across
1 - Unit (3)
3 - Damage (3)
5 - Pierces (5)
8 - Rowing tools (4)
9 - Aerials (8)
11 - Dried out (10)
13 - End (6)
14 - Rely on (6)
17 - Computer programs (10)
21 - Raised (8)
22 - Rank (4)
23 - Washes (5)
24 - ___ Thumb (3)
25 - Check (3)

Down
1 - Egg shaped (5)
2 - Headphone (8)
4 - Platform (6)
5 - Church farm land (5)
6 - Graphic symbol (4)
7 - Hang up (7)
10 - Totals (4)
12 - Abandoned (8)
13 - Separates (7)
15 - Recedes (4)
16 - Turn down (6)
18 - Rises (5)
19 - Woody plant (5)
20 - Type of cheese (4)

No 202

Across
7 - Web site gateway (6)
8 - Flour and water mixes (6)
10 - Quick repetition of a note (7)
11 - Female relation (5)
12 - Case of film (4)
13 - American R&B singer (5)
17 - Massive person (5)
18 - Ursine cartoon character (4)
22 - Come to a point (5)
23 - Platform (7)
24 - Extraterrestrial objects (6)
25 - Set; ready (6)

Down
1 - Pompous person (7)
2 - Cleaned (7)
3 - Loans (anag) (5)
4 - Indicator (7)
5 - Accept (5)
6 - Anemic looking (5)
9 - Suppleness (9)
14 - Oscillate (7)
15 - Pompous talk (7)
16 - Carbon ___ : greenhouse gas (7)
19 - Broth (5)
20 - Foam (5)
21 - Civil dignitary (5)

No 203

Across
1 - Appreciates (8)
5 - Examine quickly (4)
8 - Sweeping implement (5)
9 - Part of ear (7)
10 - Remove (7)
12 - Soft item on settee (7)
14 - Quiet (7)
16 - Spike for spinning wool (7)
18 - Fits in place (7)
19 - Offspring (5)
20 - Bite or chew (4)
21 - Exercised authority (8)

Down
1 - Loose garment (4)
2 - Keeps away from (6)
3 - Vaccinated (9)
4 - Ten plus one (6)
6 - Breakfast foodstuff (6)
7 - Eg roundworm (8)
11 - Groups of three books (9)
12 - Sharply discordant (8)
13 - Afternoon sleep (6)
14 - Electrical detector (6)
15 - Gave medical care (6)
17 - At the top (4)

No 204

Across
1 - Female pig (3)
3 - Fish eggs (3)
5 - Covered (5)
8 - Helper (4)
9 - Bird's egg covering (8)
11 - Boat proprietors (10)
13 - Infuriates (6)
14 - Hides (6)
17 - Shaped rock (10)
21 - Behaving petulantly (8)
22 - Church song (4)
23 - Middles of the day (5)
24 - Dry (wine) (3)
25 - Edge (3)

Down
1 - Large white birds (5)
2 - Marriages (8)
4 - Motor (6)
5 - Focused light beam (5)
6 - Require (4)
7 - Widens (7)
10 - Not sweet (4)
12 - Informer (8)
13 - Skilled worker (7)
15 - Solemn promise (4)
16 - Sticks to (6)
18 - Clouds around a comet (5)
19 - Fabric for jeans (5)
20 - Extinct bird (4)

No 205

Across
1 - Control (6)
5 - Cat sound (3)
7 - Sleep noisily (5)
8 - Learner (7)
9 - Not heavy (5)
10 - Holiday (8)
12 - Tiny ear bone (6)
14 - Chain mail (6)
17 - Woodwind instrument (8)
18 - Juvenile (5)
20 - Bird found by water (7)
21 - Large crow (5)
22 - Adult male (3)
23 - Tropical fly (6)

Down
2 - Draw (7)
3 - Segregated quarters (8)
4 - Spirit (4)
5 - Integrations (7)
6 - Oddity (7)
7 - Leather sharpener (5)
11 - Disgusts (8)
12 - Moving back and forth (7)
13 - Insurance calculator (7)
15 - Antagonists (7)
16 - Fool (5)
19 - Hold (4)

No 206

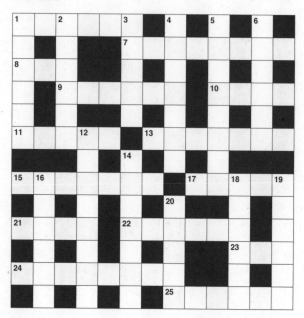

Across
1 - Knocks out (6)
7 - Spoilsports (8)
8 - Increase (3)
9 - Reasons (6)
10 - Center (4)
11 - Fashion (5)
13 - Relaxes (7)
15 - Fried minced beef cakes (7)
17 - Growing old (5)
21 - Scamp (4)
22 - Anxiety disorder (6)
23 - Antelope (3)
24 - Birdhouse (8)
25 - Set free (6)

Down
1 - Scale-like particles (6)
2 - Eccentricity (6)
3 - Traveled on snow runners (5)
4 - Ending (7)
5 - Releasing (8)
6 - Composite (6)
12 - Beneficiaries of will (8)
14 - An inert gas (7)
16 - Destroy (6)
18 - Pictures (6)
19 - The land (6)
20 - Absorbent cloth (5)

No 207

Across
1 - Lines (5)
4 - Short moral story (7)
7 - Itinerant (5)
8 - Fractions of a whole (8)
9 - Shadow (5)
11 - Color (8)
15 - Shackle (8)
17 - Black (5)
19 - Introduction (8)
20 - Boons (anag) (5)
21 - Working together (7)
22 - Rotating mechanisms (5)

Down
1 - Recover (9)
2 - Ideas (7)
3 - Position (7)
4 - Golf club (6)
5 - Self-evident truths (6)
6 - Not a winner (5)
10 - Landing places (9)
12 - Mixing up (7)
13 - Performing artist (7)
14 - Money coming in (6)
16 - Breathing passage (6)
18 - Stolen property (5)

No 208

Across

1 - Steal (3)
3 - Violate a law of God (3)
5 - Green citrus fruits (5)
8 - Meat from a calf (4)
9 - Device recording miles traveled (8)
11 - Legal proceeding (10)
13 - Church councils (6)
14 - Reflects (6)
17 - Ingesting (10)
21 - Sorting into classes (8)
22 - Tiny parasite (4)
23 - Keen (5)
24 - Fall back (3)
25 - Court (3)

Down

1 - Tangle; complicate (5)
2 - Blowing up (8)
4 - Untidy (anag) (6)
5 - Obscurity (5)
6 - Lepidopteran (4)
7 - Cries out loud (7)
10 - Matured (4)
12 - Relation by marriage (3-2-3)
13 - Nestle up against (7)
15 - Chef (4)
16 - Quick look (6)
18 - Car windshield cleaner (5)
19 - Bird droppings (5)
20 - Percussive instrument (4)

No 209

Across

1 - Drop from the eye (8)
5 - Accomplishment (4)
8 - Repeat (5)
9 - Stimulate (7)
10 - Cyclone (7)
12 - Flower like trophy (7)
14 - Promises (7)
16 - Round building (7)
18 - Baltic country (7)
19 - Bring on oneself (5)
20 - Level (4)
21 - Telegraph message (8)

Down

1 - Fruit pie (4)
2 - Displays (6)
3 - Teething (9)
4 - Narcotic (6)
6 - Announcements (6)
7 - Concepts (8)
11 - Concentrated (9)
12 - Fetch (8)
13 - Sculpture (6)
14 - Part of mouth (6)
15 - Food merchant (6)
17 - Slender (4)

No 210

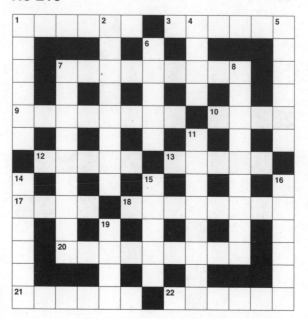

Across
1 - Small inflatable boat (6)
3 - Work chiefs (6)
7 - Foot soldier (9)
9 - Sound units (8)
10 - Spur on (4)
12 - Worry about (5)
13 - Primate (5)
17 - Small shelters (4)
18 - Set out on (8)
20 - Choices (9)
21 - Rubs (6)
22 - Practices (6)

Down
1 - Determine (6)
2 - Intellectual (8)
4 - Mineral gem (4)
5 - Kept hold of (6)
6 - Desires (5)
7 - Tore irregularly; slashed (9)
8 - Skullcaps (9)
11 - Ten sided shapes (8)
14 - Encourages (6)
15 - Bump into; break (5)
16 - Simpletons (6)
19 - Blemish (4)

No 211

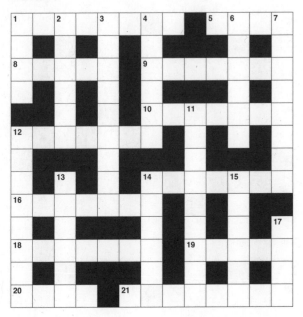

Across
1 - Keeps in existence (8)
5 - Three feet length (4)
8 - Baking appliances (5)
9 - Opens (7)
10 - Sheer dress fabric (7)
12 - Can for refuse (7)
14 - Decorative face panels (7)
16 - Domestic implement (7)
18 - Resistance to change (7)
19 - Give pleasure (5)
20 - Seat (anag) (4)
21 - Moved upwards (8)

Down
1 - Mark or blemish (4)
2 - Mollusk cases (6)
3 - Brings together (9)
4 - Nerve cell (6)
6 - Stress (6)
7 - Gives up any hope (8)
11 - Eg crystal goblets (9)
12 - Take someone's place (8)
13 - Pester (anag) (6)
14 - Doesn't sink (6)
15 - Given out (6)
17 - Pay attention to (4)

No 212

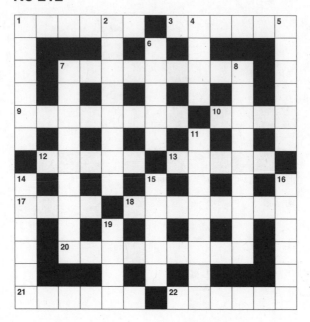

Across

1 - Bird with very long beak (6)
3 - Sags (6)
7 - Divergence from course (9)
9 - Capability (8)
10 - So be it (4)
12 - Severe (5)
13 - Overcooked (5)
17 - Leave out (4)
18 - Excited (8)
20 - Substances that promote growth (9)
21 - Acquired; advanced (6)
22 - Take as true (6)

Down

1 - Roofing material (6)
2 - Lawyer; recommend (8)
4 - Invade (4)
5 - Shops (6)
6 - Adhesive material (5)
7 - Description (9)
8 - Proposes (9)
11 - Increases (8)
14 - Fist fighting (6)
15 - Heavy iron block (5)
16 - Proposal (6)
19 - Inflammation of an eyelid (4)

No 213

Across
1 - Long walk (5)
4 - Requests to God (7)
7 - Ability (5)
8 - Written material (8)
9 - Smudges (5)
11 - Squeezes (8)
15 - Spacecraft (8)
17 - Legendary creatures (5)
19 - Remaining alive (8)
20 - Fixes (5)
21 - Said (7)
22 - Flinch (5)

Down
1 - Untruthfulness (9)
2 - Farms (7)
3 - Swinging bed (7)
4 - King's son (6)
5 - Rustic people (6)
6 - Measuring stick (5)
10 - Specify (9)
12 - Trailer (7)
13 - Heraldic bearing (7)
14 - Band round waist (6)
16 - Promoted (6)
18 - Circumstance (5)

No 214

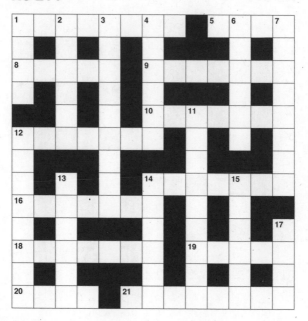

Across
1 - Reprimand (8)
5 - Arab ruler (4)
8 - Woodland god (5)
9 - Examined bags (7)
10 - Ask a question (7)
12 - Tufted (7)
14 - Small sea creatures (7)
16 - Part of telephone (7)
18 - Frequent visitor (7)
19 - Climbing plants (5)
20 - Read (anag) (4)
21 - Lens (8)

Down
1 - Wire lattice (4)
2 - See (6)
3 - Menaces (9)
4 - Supplanted (6)
6 - Praying ___ : insect (6)
7 - Auburn haired people (8)
11 - Extracting stone (9)
12 - Encoded (8)
13 - Complex problem (6)
14 - Level of a building (6)
15 - Smallest quantities (6)
17 - Vipers (4)

No 215

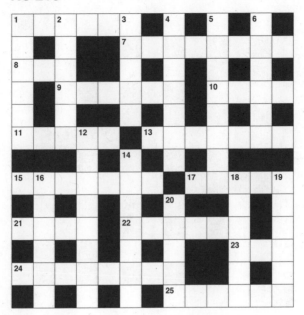

Across
1 - Poor district (6)
7 - School break (8)
8 - Female sheep (3)
9 - Subtle variation (6)
10 - Movement (4)
11 - Tripod for artist (5)
13 - Inverts (anag) (7)
15 - Applauded (7)
17 - Ice dwelling (5)
21 - Reverse (4)
22 - Garden flower (6)
23 - Hiding place (3)
24 - Defector (8)
25 - Removed unwanted plants (6)

Down
1 - Oil (6)
2 - Circumstances (6)
3 - Exposes (5)
4 - Skills (7)
5 - Suppressing (8)
6 - Official (6)
12 - Blew up (8)
14 - Progress; forward motion (7)
16 - Wildcats (6)
18 - Primed weapon (6)
19 - Thought; supposed (6)
20 - Hurled away (5)

No 216

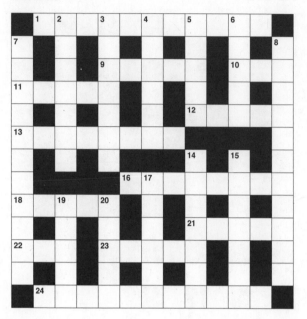

Across
1 - Holds in contempt (11)
9 - Rears (anag) (5)
10 - Legume (3)
11 - Word of farewell (5)
12 - Cruel (anag) (5)
13 - Light hearted opera (8)
16 - Clandestine and secret (4-4)
18 - Tempts (5)
21 - Yoga position (5)
22 - Finish (3)
23 - Blackboard stand (5)
24 - One of Moses' ten (11)

Down
2 - Asked to come along (7)
3 - Started again (7)
4 - Early plant growth (6)
5 - Web message (1-4)
6 - Subject matter (5)
7 - Large aquatic insects (11)
8 - In round brackets (11)
14 - Outer tissue or bark (7)
15 - Window furnishing (7)
17 - Do together (6)
19 - Wireless receiver (5)
20 - Water vapor (5)

No 217

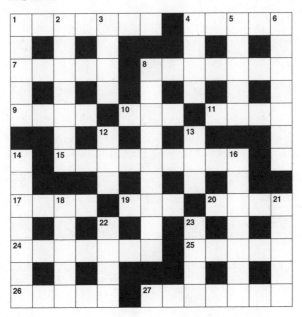

Across
1 - Maildrop (7)
4 - Brook; stream (5)
7 - Blades (5)
8 - Wealthy businessman (7)
9 - Lean (4)
10 - Personal pride (3)
11 - Isolated land (4)
15 - Intestinal parasites (9)
17 - Large stone (4)
19 - Where a pig lives (3)
20 - Connect (4)
24 - Exotic flowers (7)
25 - Take the opportunity (5)
26 - Hits swiftly (5)
27 - Arch enemy (7)

Down
1 - Axis (5)
2 - Sleeveless outfit (7)
3 - Work manager (4)
4 - Container (4)
5 - Tests (5)
6 - Guardians (7)
8 - Units of electrical power (9)
12 - Health resort (3)
13 - Era (anag) (3)
14 - Folds (7)
16 - Curved shapes (7)
18 - Chocolate drink (5)
21 - Murders (5)
22 - Unmarried woman (4)
23 - Cool and collected (4)

No 218

Across
1 - Toffees (8)
6 - Bird's home (4)
8 - Harmony (6)
9 - Force away (6)
10 - Unit of energy (3)
11 - Indebted (4)
12 - Flowing back (6)
13 - Believer in the occult (6)
15 - Church doctrines (6)
17 - Move out (6)
20 - Quieten down (4)
21 - Residue (3)
22 - Put right (6)
23 - Regime (anag) (6)
24 - Land surrounded by water (4)
25 - Not migratory (8)

Down
2 - Curved masonry entrance (7)
3 - Keep away from (5)
4 - Constantly present (7)
5 - Rushlike plant (5)
6 - Horse feeder (7)
7 - A coil of yarn (5)
14 - Circus swing (7)
15 - Hesitates (7)
16 - Aircraft control surface (7)
18 - Not odds (5)
19 - Repay (anag) (5)
20 - Scottish landholder (5)

No 219

Across
1 - Marked (5)
4 - Summer squashes (7)
7 - Russian monarchs (5)
8 - Organized activism (8)
9 - Rank (5)
11 - Greasiness (8)
15 - Watcher (8)
17 - Avocet like wader (5)
19 - Back of the tennis court (8)
20 - Electronic message (1-4)
21 - Refuse to acknowledge (7)
22 - Move sideways (5)

Down
1 - Worms used to control pests (9)
2 - Moves (7)
3 - Go down (7)
4 - Chops (6)
5 - Barber's tools (6)
6 - The Earth (5)
10 - Coming out (9)
12 - Old Spanish coins (7)
13 - Prevented (7)
14 - Having colorless skin (6)
16 - Flames (6)
18 - Musical times (5)

No 220

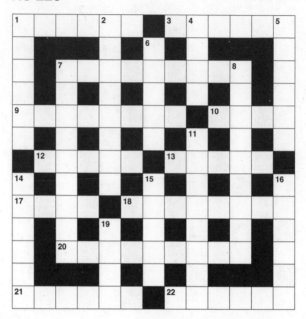

Across
1 - Dig a hole (6)
3 - Acquired (6)
7 - Existence (9)
9 - Breaks (8)
10 - Vigor (4)
12 - In the middle of (5)
13 - Wetland (5)
17 - Leave out (4)
18 - Gallant or courtly gentleman (8)
20 - Barrier; obstruction on path (9)
21 - Holds out against (6)
22 - Respiratory disorder (6)

Down
1 - Opposite of after (6)
2 - Effusion (8)
4 - Very keen (4)
5 - Fire breathing monster (6)
6 - Region (5)
7 - It makes sound louder (9)
8 - Criterion (9)
11 - Sunshades (8)
14 - Linked (6)
15 - Wounding remarks (5)
16 - Drama; psychological state (6)
19 - Speed; rate of moving (4)

No 221

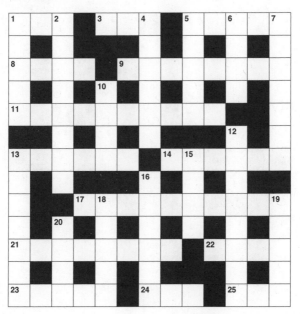

Across
1 - Marry (3)
3 - Spoil (3)
5 - Onion like vegetables (5)
8 - Egg (4)
9 - Physical force (8)
11 - Male led society (10)
13 - Terminate (6)
14 - Edible bulbs (6)
17 - Social science (10)
21 - Being everywhere (8)
22 - Greek cheese (4)
23 - Piece of writing (5)
24 - Recede (3)
25 - Transgress (3)

Down
1 - Yell (5)
2 - Disbelieving (8)
4 - Turning parts of generators (6)
5 - Draw blood (5)
6 - Units of work (4)
7 - Divisions (7)
10 - Offers (4)
12 - Military officers (8)
13 - Walking stick cap (7)
15 - Cranny (4)
16 - Hay cutting tool (6)
18 - Examine (5)
19 - Long for (5)
20 - Triumphs (4)

No 222

Across
1 - Extreme (6)
4 - Strong sticks (6)
9 - Small house (7)
10 - Plans (7)
11 - Repeat (5)
12 - Peers (5)
14 - Type of nut (5)
15 - Strong lightweight wood (5)
17 - Chest (5)
18 - Paper folding (7)
20 - Costumes (7)
21 - Definitely shaped objects (6)
22 - Practices (6)

Down
1 - Open wine bottle (6)
2 - Substance (8)
3 - Killed (5)
5 - Stiffen (7)
6 - Photographic material (4)
7 - Inactivity (6)
8 - Extraction of water (11)
13 - Avian slumber (8)
14 - Marched (7)
15 - Prohibits (6)
16 - Entertains (6)
17 - Grips with teeth (5)
19 - Image of a god (4)

No 223

Across
1 - Two winged aircraft (8)
5 - Sued (anag) (4)
8 - Rope with running noose (5)
9 - Remove clothes (7)
10 - Noise in the sky (7)
12 - False statement (7)
14 - Law officer (7)
16 - Layer or band of rock (7)
18 - Provoked or teased (7)
19 - Sandy wasteland (5)
20 - Garden outbuilding (4)
21 - Lengthy rebukes (8)

Down
1 - Bird beak (4)
2 - Small firearm (6)
3 - Compensation for a wrong (9)
4 - Fairness (6)
6 - Spirited horses (6)
7 - Evidence of refutal (8)
11 - Type of waterwheel (9)
12 - Agrees to (8)
13 - Turn to ice (6)
14 - Smear or blur (6)
15 - Damage (6)
17 - Resistance units (4)

No 224

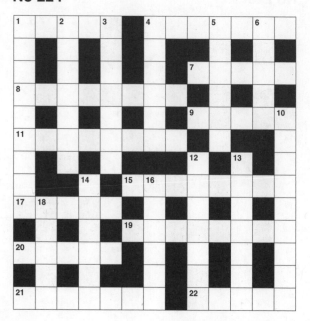

Across
1 - Lowest point (5)
4 - Tramp (7)
7 - Misrepresenting (5)
8 - Elation (8)
9 - Discourage (5)
11 - Deceivers (8)
15 - Steadfastness (8)
17 - Leavening for bread (5)
19 - Drink at bedtime (8)
20 - Ridge (5)
21 - Disdained (7)
22 - Tiny piece of material (5)

Down
1 - Overlooked person (9)
2 - Show (7)
3 - Italian rice dish (7)
4 - Eastern official (6)
5 - Tallied (6)
6 - Nowadays (5)
10 - Ticked off (9)
12 - Coded messages (7)
13 - Device attached to door (7)
14 - Stableman (6)
16 - Left (6)
18 - System of rules (5)

No 225

Across
1 - Small part (8)
6 - Vertical spar (4)
8 - Bargain (6)
9 - Desires (6)
10 - Mud channel (3)
11 - Hairpieces (4)
12 - Army guard (6)
13 - Taxonomic categories (6)
15 - Provider (6)
17 - Chooses (6)
20 - Perks of the job (4)
21 - Greek character (3)
22 - Sacred writing (6)
23 - Drums (6)
24 - Reasons (4)
25 - Soft part of bed (8)

Down
2 - Convert into cash (7)
3 - Enclosures (5)
4 - Lack of movement (7)
5 - Small salamanders (5)
6 - Contemplations (7)
7 - Give a solemn oath (5)
14 - Arouses (7)
15 - Restrain (7)
16 - Utilizes (7)
18 - Restraint for animal (5)
19 - Sudden contraction (5)
20 - Singing voice (5)

No 226

Across
1 - Harnesses for horses (7)
4 - Declared solemnly (5)
7 - Due (5)
8 - Armory (7)
9 - Small opening (4)
10 - Utilize (3)
11 - Notices (4)
15 - Fungi (9)
17 - Unravel (4)
19 - Gear (3)
20 - Precious red gem (4)
24 - Make sour (7)
25 - Alcoholic beverage (5)
26 - Type of car (5)
27 - Organized processions (7)

Down
1 - Amorphous shapes (5)
2 - Metal similar to platinum (7)
3 - Falls behind (4)
4 - Window frame (4)
5 - Unit of weight (5)
6 - Procures (7)
8 - Foolishness (9)
12 - Sap (anag) (3)
13 - Small spot (3)
14 - Utters high pitched noise (7)
16 - Sped along (7)
18 - Removed water (5)
21 - Threads or fibers (5)
22 - Big cat (4)
23 - Skin mark (4)

No 227

Across
1 - Hurls (6)
5 - Edge of cup (3)
7 - Moisten meat (5)
8 - Prototype; model (7)
9 - Sulks (5)
10 - Distance marker (8)
12 - Getting older (6)
14 - Irascibility; organ (6)
17 - Animals with large necks (8)
18 - Browns meat quickly (5)
20 - First (7)
21 - Raise up (5)
22 - Layer; provide (3)
23 - From times long ago (3-3)

Down
2 - Backsliding (7)
3 - Getting together (8)
4 - Applications (4)
5 - Official; umpire (7)
6 - Task (7)
7 - Animal; rapacious person (5)
11 - Sprinkling with water (8)
12 - Lighter-than-air craft (7)
13 - Feeling of sympathy (7)
15 - Look something over (7)
16 - Any finger or toe (5)
19 - Agitate (4)

No 228

Across
7 - Cabinet; small compartment (6)
8 - Dream up (6)
10 - Character (7)
11 - Exposed (5)
12 - Level (4)
13 - Hank of wool (5)
17 - Stiff legged walk (5)
18 - Hinge joint (4)
22 - All animal life (5)
23 - Vehicle towed by another (7)
24 - Calculating machine (6)
25 - Union (6)

Down
1 - Footgear worn at home (7)
2 - Neck garments (7)
3 - Evil spirit (5)
4 - Live in (7)
5 - Find out (5)
6 - Type of earrings (5)
9 - Financially ruined businesses (9)
14 - Layer (7)
15 - Comparison (7)
16 - Italian fast racing car (7)
19 - Waste meat (5)
20 - Sweet substance (5)
21 - Mallet (5)

No 229

Across
1 - Natural yellow resin (5)
4 - Groups within (7)
7 - Communicates (5)
8 - Shows (8)
9 - Blood vessels (5)
11 - Streams of rain (8)
15 - Military unit (8)
17 - Manners of walking (5)
19 - Religious (8)
20 - Nasal passageway (5)
21 - Laughs (7)
22 - Teams (5)

Down
1 - Emphasizing (9)
2 - Perturbs (7)
3 - Deep sounds (7)
4 - Group of 7 (6)
5 - Lasted (anag) (6)
6 - Claw (5)
10 - Daubs (9)
12 - Impinges (7)
13 - Tied (7)
14 - Grunts (anag) (6)
16 - Egg shaped solids (6)
18 - Reason for innocence (5)

No 230

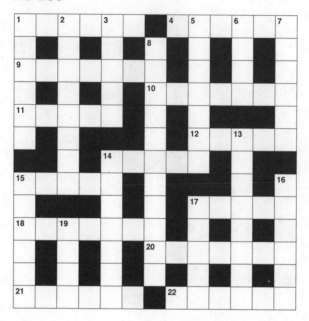

Across
1 - Concealed (6)
4 - Nasal sounds (6)
9 - Needleworker (7)
10 - Shellfish (7)
11 - Traveler on horseback (5)
12 - Circumstance (5)
14 - Clergyman (5)
15 - Asset (5)
17 - Touch lightly (5)
18 - By name (7)
20 - Labors (7)
21 - Opposite of winners (6)
22 - Fish hawk (6)

Down
1 - Where bread is made (6)
2 - Caribou (8)
3 - Come in (5)
5 - Soft speech (7)
6 - Area of church (4)
7 - Twilight (6)
8 - Missiles (11)
13 - Questioner (8)
14 - Scale; French mathematician (7)
15 - Aniseed flavor herb (6)
16 - Strong drink (6)
17 - Polishes (5)
19 - Church service (4)

No 231

Across
1 - Wet soil (3)
3 - John ___ average man (3)
5 - Ring someone (5)
8 - Engage in spirited fun (4)
9 - Throwing out (8)
11 - Pleasing (10)
13 - Thrusting weapons (6)
14 - Marmalade fruit (6)
17 - Amount of data sent (10)
21 - Female city governor (8)
22 - Where you are (4)
23 - Famous horserace (5)
24 - Writing instrument (3)
25 - Group of tennis games (3)

Down
1 - Shopping areas (5)
2 - Period of time (8)
4 - Relishes (6)
5 - Brown oval nut (5)
6 - Leave out (4)
7 - Carve into material (7)
10 - Consumed (4)
12 - Small pieces (8)
13 - Planned action (7)
15 - Floor coverings (4)
16 - Spread rumor (6)
18 - Rush (5)
19 - Bird sound (5)
20 - Person who colors cloth (4)

No 232

Across
1 - Analyzed (8)
5 - Lies (anag) (4)
8 - Travel to (5)
9 - Hair braid (7)
10 - Car with no roof (4-3)
12 - Decency (7)
14 - Laughs unpleasantly (7)
16 - Biennial cycle (3-4)
18 - Linked together (7)
19 - Underground enlarged stem (5)
20 - Bird house (4)
21 - Car light (8)

Down
1 - Rescue (4)
2 - Duster (anag) (6)
3 - Wide ranging (9)
4 - Use (6)
6 - Begins (6)
7 - Overshadows (8)
11 - Emptied (9)
12 - Done in error (8)
13 - Natural objects (6)
14 - Hold gently and carefully (6)
15 - Greek letter (6)
17 - Seize (4)

No 233

Across
7 - Property (6)
8 - Bodyguards (6)
10 - Still image; dramatic scene (7)
11 - Game of luck (5)
12 - Zero (4)
13 - Break up (5)
17 - Component parts (5)
18 - Saltwater fish (4)
22 - Join together (5)
23 - Ruin (7)
24 - Segregated district (6)
25 - Welcomes (6)

Down
1 - Fate (7)
2 - Light beard (7)
3 - Spirited horse (5)
4 - Get back (7)
5 - Leaves out (5)
6 - Gold block (5)
9 - Depravity (9)
14 - Slips in (7)
15 - Argument (7)
16 - Nymph; moon of Saturn (7)
19 - Move out the way (5)
20 - Sea duck (5)
21 - Take the place of (5)

No 234

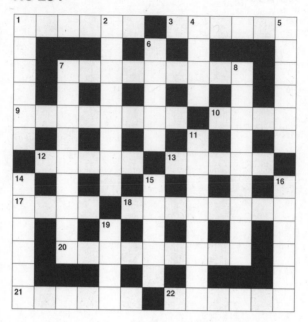

Across

1 - Solid food from milk (6)
3 - Utilize wrongly (6)
7 - Embroider; add details to (9)
9 - Replies (8)
10 - Blue-green color (4)
12 - Golf shots on green (5)
13 - Cut of pork (5)
17 - Falls back (4)
18 - Edge of ocean (8)
20 - Tooth medicine (9)
21 - The next day (6)
22 - Withdraw (6)

Down

1 - Bright yellow; bird (6)
2 - Where ships dock (8)
4 - Part of the eye (4)
5 - Motor (6)
6 - Overly colorful (5)
7 - Agitated (9)
8 - Origin of words (9)
11 - Recording device (8)
14 - Distort (6)
15 - Sticky tree sap (5)
16 - Tell off severely (6)
19 - Reverse (4)

No 235

Across
1 - Narrow openings in rock (8)
6 - Animal sound (4)
8 - Alter (6)
9 - Impart knowledge (6)
10 - Light brown color (3)
11 - From Scotland (abbrev) (4)
12 - Stringed instrument (6)
13 - Short articles (6)
15 - Democratic party symbol (6)
17 - White grape variety (6)
20 - Noticed (4)
21 - Gradation of color (3)
22 - Component of glass (6)
23 - Nut confectionery (6)
24 - Church song (4)
25 - Stops temporarily (8)

Down
2 - Lessens (7)
3 - Jump over (5)
4 - Small sailing vessels (7)
5 - Move back and forth (5)
6 - Brutal person (7)
7 - Main artery (5)
14 - Sell by bidding (7)
15 - Relies upon (7)
16 - Green gemstone (7)
18 - Bring together (5)
19 - Melts (5)
20 - Food relish (5)

No 236

Across
1 - Maid (6)
5 - Representation of area (3)
7 - Gambling game (5)
8 - Analyze (7)
9 - Decays (5)
10 - Plane (8)
12 - Rebate (6)
14 - Contracted lips (6)
17 - Supported with money (8)
18 - Italian food (5)
20 - Excite (7)
21 - Subject (5)
22 - Twenty four hours (3)
23 - Repeat performance (6)

Down
2 - Suffer (7)
3 - Avoidances (8)
4 - Stellar body (4)
5 - Chilled desserts (7)
6 - Hunted person (7)
7 - Even (5)
11 - Period (8)
12 - Wrinkled (7)
13 - State of being untrue (7)
15 - Jet fighter seat (7)
16 - Sweet scented shrub (5)
19 - Vipers (4)

No 237

Across
1 - People confined (8)
5 - Doing word (4)
8 - Female servants (5)
9 - Attaching identifier (7)
10 - Sanction (7)
12 - User's main screen (7)
14 - Swiss houses (7)
16 - Writhing motion (7)
18 - Not artificial (7)
19 - Sharp green fruits (5)
20 - Cloth belt (4)
21 - Sumo ___ (8)

Down
1 - Scam (anag) (4)
2 - Small skin punctures (6)
3 - Adding text for example (9)
4 - Deliberately catch out (6)
6 - American inventor (6)
7 - Conceited people (8)
11 - Introductions (9)
12 - Eg house plans (8)
13 - Interruption or gap (6)
14 - Underground store (6)
15 - Tooth covering (6)
17 - Ruse (anag) (4)

No 238

Across
1 - Decays (8)
6 - Near (anag) (4)
8 - Refund (6)
9 - Force (6)
10 - Decimal basis (3)
11 - Linear unit (4)
12 - Groups of animals (6)
13 - Hold position (6)
15 - Lots of (6)
17 - Sporting venues (6)
20 - Eg T S Eliot (4)
21 - Eg Oxygen (3)
22 - Archimedes' insight (6)
23 - Carve or engrave (6)
24 - Imitates (4)
25 - Evening prayer (8)

Down
2 - Relating to the ocean (7)
3 - Fresh water carp (5)
4 - Regulated food planning (7)
5 - Pay out money (5)
6 - Ugly building (7)
7 - Scoundrel (5)
14 - Remove garments (7)
15 - Peaceful resistance (7)
16 - Treachery (7)
18 - Solid blow (5)
19 - Pure love (5)
20 - Stepping distances (5)

No 239

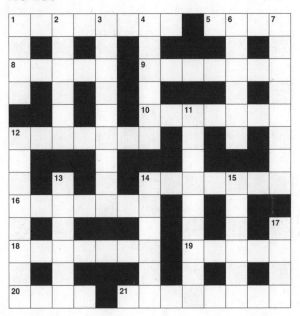

Across
1 - Marsh marigolds (8)
5 - Bad (4)
8 - Meat trimmings (5)
9 - Large shellfish (7)
10 - Thirty divided by two (7)
12 - Grassy treeless plains (7)
14 - Sticks to (7)
16 - Reading carefully (7)
18 - Ban or halt (7)
19 - Mars has two of these (5)
20 - Waistband (4)
21 - Giant ocean waves (8)

Down
1 - Lump of earth (4)
2 - Breakfast batter cake (6)
3 - Round sweets on sticks (9)
4 - Evidences (6)
6 - Beholder (6)
7 - Luxuriance (8)
11 - Anglers (9)
12 - People in charge of ships (8)
13 - Looks into (6)
14 - Permits (6)
15 - Implement change (6)
17 - Egyptian goddess (4)

No 240

Across
1 - Spilling clumsily (8)
6 - Domestic cattle (4)
8 - Kept hold of (6)
9 - Top; potential for gain (6)
10 - Finish (3)
11 - Fall to ground (4)
12 - Juveniles (6)
13 - Dried flower-buds (6)
15 - Recognition (6)
17 - Loud cry (6)
20 - Bird of peace (4)
21 - Possesses (3)
22 - Pup oil (anag) (6)
23 - Paths of celestial bodies (6)
24 - Old fashioned harp (4)
25 - 20th-century art movement (8)

Down
2 - Actual (7)
3 - Pancake sweetener (5)
4 - Records (7)
5 - Over colorful (5)
6 - Outfit (7)
7 - Dimension (5)
14 - Bird of prey (7)
15 - Royal partner (7)
16 - Requests the presence of (7)
18 - Dark wood (5)
19 - Smell (5)
20 - Prevent (5)

No 241

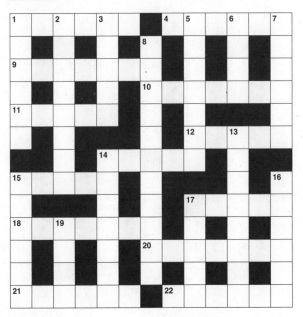

Across
1 - Fix (6)
4 - Fastens (6)
9 - Clothes presser (7)
10 - Aperture or hole (7)
11 - Onion-like vegetables (5)
12 - Winning medals (5)
14 - Moneys owed (5)
15 - Take place (5)
17 - In the middle of (5)
18 - Tidal wave (7)
20 - Trials (7)
21 - Guides (6)
22 - Shuts (6)

Down
1 - Waffle (6)
2 - Worldwide outbreak (8)
3 - Ticks over (5)
5 - Protective coverings (7)
6 - The south of France (4)
7 - Smiles contemptuously (6)
8 - Denial of a right (11)
13 - Large extent of land (8)
14 - Visionary (7)
15 - The science of light (6)
16 - Stagnation or inactivity (6)
17 - Accolade (5)
19 - Spur on (4)

No 242

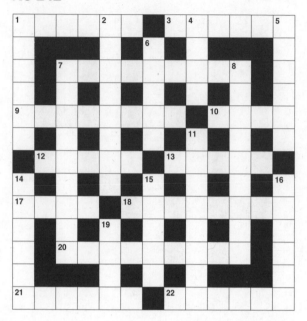

Across
1 - Recycle old material (6)
3 - Concave in shape (6)
7 - Difficulties (9)
9 - Citing as evidence (8)
10 - Lane (anag) (4)
12 - Leg joints (5)
13 - Special reward (5)
17 - Position; stake (4)
18 - Be overcome with laughter (8)
20 - Turning off systems (9)
21 - Tiny bag (6)
22 - Wealthy businessman (6)

Down
1 - Scoundrel (6)
2 - Cog; chain wheel (8)
4 - Undivided whole (4)
5 - Adoring (6)
6 - Utilizing (5)
7 - Those who live for pleasure (9)
8 - Units of spoken language (9)
11 - Where you park the car (8)
14 - Spurts (6)
15 - Forces of attraction (5)
16 - Explanation (6)
19 - Hollow conduit (4)

No 243

Across
1 - Ornament (6)
5 - Mineral deposit (3)
7 - Stick (5)
8 - Upset (7)
9 - Eastern rulers (5)
10 - Farm laborers (8)
12 - Sent out (6)
14 - Dutch monetary unit (6)
17 - Pushing (8)
18 - South American animal (5)
20 - Headlines (7)
21 - Climbing plants (5)
22 - State of matter (3)
23 - Support (6)

Down
2 - Roof beams (7)
3 - Weather conditions (8)
4 - Hold (4)
5 - Military man (7)
6 - Wearing away (7)
7 - Utter (5)
11 - Conclusions (8)
12 - Suggestion (7)
13 - Expeditions (7)
15 - Internal organs (7)
16 - Baby beds (5)
19 - Song (4)

No 244

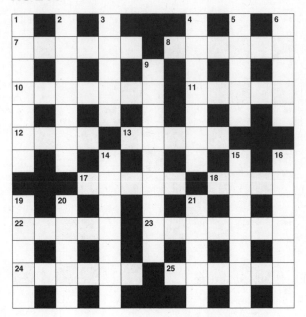

Across
7 - Decision (6)
8 - Water sport (6)
10 - ___ night: Shakespeare play (7)
11 - Financial incentive (5)
12 - Piece of ground (4)
13 - Small rounded cake (5)
17 - Preserve (5)
18 - Better (4)
22 - Quilt (5)
23 - Glow; shine (7)
24 - Clearing the garden (6)
25 - Tracks (6)

Down
1 - State of bliss (7)
2 - Woods (7)
3 - Scrape surface (5)
4 - Straightening hair (7)
5 - Green fruits (5)
6 - Giants (5)
9 - Schedule of actions (9)
14 - Tensing (anag) (7)
15 - Control center (7)
16 - Go backwards (7)
19 - Decorate (5)
20 - Cause; create (5)
21 - Chaplain (5)

No 245

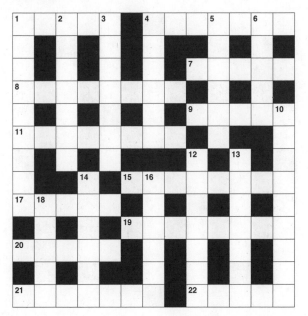

Across
1 - Weak cry (5)
4 - Women's tops (7)
7 - School of fish (5)
8 - Devoted to a cause (8)
9 - Gave (5)
11 - Denominated (8)
15 - Glove (8)
17 - Relating to birth (5)
19 - Person leaving country (8)
20 - Records on tape (5)
21 - Aerial rescue (7)
22 - Acquires (5)

Down
1 - Friend (9)
2 - Severe (7)
3 - Woven (7)
4 - Look out (6)
5 - Maintain (6)
6 - Break loose (5)
10 - Despots (9)
12 - Final stage (7)
13 - Large knife (7)
14 - Eg monkey or whale (6)
16 - Under the shoulder (6)
18 - Defense (5)

No 246

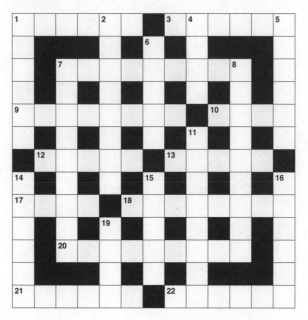

Across
1 - Injure (6)
3 - Be owned by (6)
7 - Inability to move (9)
9 - Coronation ceremony (8)
10 - Merriment (4)
12 - Not lower (5)
13 - President ___ Carter (5)
17 - Bad (4)
18 - Giving off (8)
20 - Collection of novelties (9)
21 - Oldest (6)
22 - Rhesus (anag) (6)

Down
1 - Wild horse (6)
2 - Unknown person (8)
4 - Opposite of West (4)
5 - Small fairies (6)
6 - The side of a horse (5)
7 - Stimulating (9)
8 - Seriousness (9)
11 - Errors (8)
14 - Work out (6)
15 - Extent (5)
16 - Inuit homes (6)
19 - Flightless birds (4)

No 247

Across
1 - Holding of funds (6)
4 - Fixed and absolute (6)
9 - Warning (7)
10 - Idealist (7)
11 - Marsh plant (5)
12 - Makes a mark (5)
14 - Lawsuits (5)
15 - Ballroom dance (5)
17 - Bleached (5)
18 - Hunter (7)
20 - Escaping (7)
21 - Natural depression (6)
22 - Customs (6)

Down
1 - Abundance (6)
2 - Boiling pot (8)
3 - Small fruit used for oil (5)
5 - Uses (7)
6 - Sports side (4)
7 - Trash (6)
8 - Gives extra weight to (11)
13 - Provoking (8)
14 - Preparing food (7)
15 - Treat; delicacy (6)
16 - Sayings (6)
17 - Smoke pipes (5)
19 - Singing voice (4)

No 248

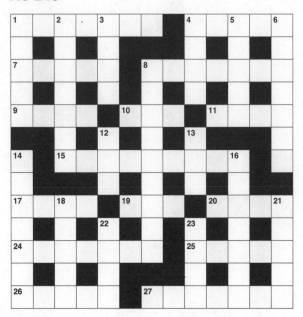

Across
1 - Bumped into (7)
4 - Cloth with crisscross pattern (5)
7 - Apply pressure (5)
8 - Eliminating; evacuating (7)
9 - Dispatched (4)
10 - Solid water (3)
11 - This place (4)
15 - Deciduous trees (9)
17 - Grind food (4)
19 - Piece of ground (3)
20 - Mar; smudge (4)
24 - Toiletries (7)
25 - Priest (5)
26 - Pointed; acute (5)
27 - Printed error (7)

Down
1 - Hinge joints (5)
2 - Of the great seas (7)
3 - Sports gear (4)
4 - Proper (4)
5 - Live by (5)
6 - Divert (7)
8 - Careers (9)
12 - Affirmative (3)
13 - Snip (3)
14 - Relishes (7)
16 - Request (7)
18 - Additional (5)
21 - Humming sound (5)
22 - Body cleanser (4)
23 - Complete (4)

No 249

Across
7 - Puma (6)
8 - Manuscript (6)
10 - Hot fire (7)
11 - Hardwood (5)
12 - Goes (anag) (4)
13 - Small opening; pore (5)
17 - Polite address for woman (5)
18 - Used to be (4)
22 - Outdo (5)
23 - Nectars (anag) (7)
24 - Speaks (6)
25 - Coveralls (6)

Down
1 - Ancient writers (7)
2 - Clown (7)
3 - Transport (5)
4 - Emits loud sound (7)
5 - Benefactor (5)
6 - Fine-grained soils (5)
9 - Compares with (9)
14 - Fiddles with (7)
15 - Beautiful bird (7)
16 - Continue (7)
19 - Play the guitar (5)
20 - Eg hearts and spades (5)
21 - Soothes (5)

No 250

Across
1 - Cut away (3)
3 - Steal (3)
5 - Eve gave one to Adam (5)
8 - Rome (anag) (4)
9 - People of olden times (8)
11 - Type of bridge (10)
13 - Absorb (6)
14 - Takes an oath (6)
17 - Legal documents (10)
21 - Old Dutch coins (8)
22 - Agitate (4)
23 - Stake (anag) (5)
24 - Snow blade (3)
25 - Depression (3)

Down
1 - Young sheep (5)
2 - Insect living on another (8)
4 - Send away (6)
5 - Spanish friend (5)
6 - Imperial unit (4)
7 - Guarantees (7)
10 - Office table (4)
12 - Fed to completeness (8)
13 - Standing erect (7)
15 - Deterioration (4)
16 - Eg orange or lemon (6)
18 - Loses color (5)
19 - Take off (5)
20 - Haystack (4)

No 251

Across
1 - In an optimistic mood (6)
3 - Mischievous child (6)
7 - Parenting (9)
9 - Sergeant (anag) (8)
10 - Advantage (4)
12 - Heavens (5)
13 - Group of singers (5)
17 - Case of film (4)
18 - Teach (8)
20 - Effect of too much sun (9)
21 - Sprinkles (6)
22 - Gets together (6)

Down
1 - Skin lesions (6)
2 - Respondent (8)
4 - Complain (4)
5 - Labeling (6)
6 - Warms up (5)
7 - Honesty (9)
8 - Thankfulness (9)
11 - Termination (8)
14 - Baked foods (6)
15 - Stang (anag) (5)
16 - Photos (6)
19 - Jealousy (4)

No 252

Across
1 - Allocations (6)
5 - Ovum (3)
7 - Endures (5)
8 - John ___ : tennis player (7)
9 - Perch (5)
10 - Soldiers (8)
12 - Reverses (6)
14 - Heats (6)
17 - Student of liberal arts (8)
18 - Discover (5)
20 - Reveal (7)
21 - Roof overhangs (5)
22 - Finish (3)
23 - Copyist (6)

Down
2 - Liberate (7)
3 - Flight carriers (8)
4 - Russian monarch (4)
5 - Guardians (7)
6 - Stringed instruments (7)
7 - Gain knowledge (5)
11 - Makes dairy products (8)
12 - Small guitar (7)
13 - Widened (7)
15 - Old Spanish coins (7)
16 - Sticky secretion (5)
19 - Flaring star (4)

No 253

Across
1 - Penetrate (8)
6 - Baby beds (4)
8 - Resembling a horse (6)
9 - Joined together (6)
10 - Grip with teeth (3)
11 - Conceal (4)
12 - Bi-directional communication (3-3)
13 - Complex; composite (6)
15 - Period of prosperity (6)
17 - Workplace (6)
20 - Fixing; make tight (4)
21 - Not near (3)
22 - Surround (6)
23 - Words of farewell (6)
24 - Modify (4)
25 - Cluttered (8)

Down
2 - Question (7)
3 - Cereal grass (5)
4 - Changed (7)
5 - Explode (5)
6 - Herb (7)
7 - Eighth Greek letter (5)
14 - Enclosed fortification (7)
15 - Plumbing fixture (7)
16 - Generally (2,1,4)
18 - Shaped up (5)
19 - Animal trimmings (5)
20 - Take hold of (5)

No 254

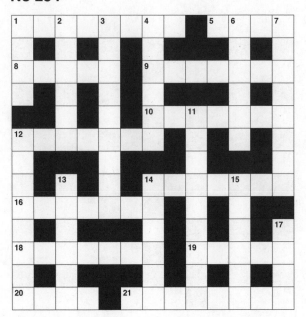

Across
1 - Exploratory oil wells (8)
5 - Courts (4)
8 - Vertical part of a step (5)
9 - Options (7)
10 - Approve or support (7)
12 - Needle-leaved tree (7)
14 - Bladed rotary engine (7)
16 - Rod holding a bobbin (7)
18 - First letter (7)
19 - Common brindled cat (5)
20 - Muzzles (4)
21 - Goods for sale (8)

Down
1 - Military conflicts (4)
2 - Class period (6)
3 - Endorsed as correct (9)
4 - Heart (slang) (6)
6 - Happens (6)
7 - Pleasurable anticipation (8)
11 - Thrown into confusion (9)
12 - Smashing a car (8)
13 - Discharging a gun (6)
14 - Bank employee (6)
15 - Verse pentameter (6)
17 - Fitness centers (4)

No 255

Across
1 - Pass the car in front (8)
6 - Coffin stand (4)
8 - Dog like carnivores (6)
9 - Eagles' nests (6)
10 - Ancient pot (3)
11 - Fever (4)
12 - Sailor's song (6)
13 - Eg Iceland (6)
15 - Air travel (6)
17 - Italian sausage (6)
20 - Donated (4)
21 - December (abbrev) (3)
22 - Whipped cream dessert (6)
23 - Ringer (anag) (6)
24 - No longer alive (4)
25 - Anxious apprehension (8)

Down
2 - Journeys by sea (7)
3 - Extent or limit (5)
4 - Taken as right (7)
5 - Seven (anag) (5)
6 - Financial award (7)
7 - Choose through voting (5)
14 - Built up (7)
15 - Grasping implement (7)
16 - Prayers for nine days (7)
18 - Came about (5)
19 - Thoughts (5)
20 - Spiny yellow plant (5)

No 256

Across
1 - Eaten greedily (8)
5 - Indirect suggestion (4)
8 - Feelings and emotions (5)
9 - Hot water spouts (7)
10 - Cyclone (7)
12 - Small ornate boxes (7)
14 - Compares (7)
16 - Lightning shockwave (7)
18 - Have impact (7)
19 - Use to one's advantage (5)
20 - Gyroscope (abbrev) (4)
21 - Liberties (8)

Down
1 - Concave roof (4)
2 - Bowed string instruments (6)
3 - Loosened by turning (9)
4 - Boat crews (6)
6 - Comic book superhero (6)
7 - Grassy clumps (8)
11 - Disown strongly (9)
12 - Chess move (8)
13 - Athlete (6)
14 - Pencil rubber (6)
15 - Red salad fruit (6)
17 - Mels (anag) (4)

No 257

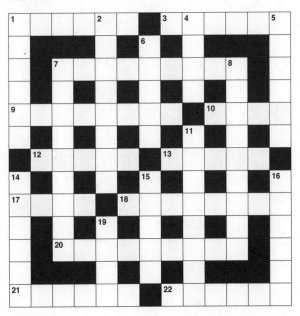

Across
1 - Fastenings (6)
3 - Nautical measure (6)
7 - Graphical symbols for words (9)
9 - Expands (8)
10 - Bucket (4)
12 - Finishes sleep (5)
13 - 60's free spirit (5)
17 - Flag lily (4)
18 - Servings of food (8)
20 - Footsoldier (9)
21 - Boundaries (6)
22 - Guides (6)

Down
1 - Channel (6)
2 - Systems of nobility (8)
4 - Unfortunately (4)
5 - Mix with (6)
6 - Encouraged (5)
7 - Worsening the situation (9)
8 - Cutting edge tool (9)
11 - Center (8)
14 - Horizontal beam (6)
15 - Give back (5)
16 - Steers (anag) (6)
19 - Greatest (4)

No 258

Across
1 - Sultry (8)
5 - Stellar body (4)
8 - Numerical scale (5)
9 - Reflects (7)
10 - Holds close (7)
12 - Naming; calling (7)
14 - Duty-bound (7)
16 - Cut the meat (5,2)
18 - Termite (anag) (7)
19 - Important question (5)
20 - Sweet potatoes (4)
21 - Large waves (8)

Down
1 - Earth; stain (4)
2 - Admit (6)
3 - Become extravagant (9)
4 - Christening (6)
6 - Mythical monsters (6)
7 - Held out against (8)
11 - Isolation (9)
12 - Deception (8)
13 - True statement (6)
14 - Musical dramas (6)
15 - Soft white mineral (6)
17 - Slippery fish (4)

No 259

Across
1 - Edible tuber (6)
4 - Declare (6)
9 - Singing with backing track (7)
10 - Gnawing mammals (7)
11 - Building remains (5)
12 - Gets less difficult (5)
14 - Gaped (anag) (5)
15 - Greeting (5)
17 - Boredom (5)
18 - Briefcase (7)
20 - Overlook (7)
21 - Funeral vehicle (6)
22 - Wiped out (6)

Down
1 - Fire irons (6)
2 - End point (8)
3 - Rides horseback (5)
5 - Burdened (7)
6 - Deserve (4)
7 - Throws away (6)
8 - Insanity (11)
13 - Airport checking devices (8)
14 - Building entrances (7)
15 - Well-being (6)
16 - Registered (6)
17 - Keen (5)
19 - Brass instrument (4)

No 260

Across
1 - System of communication (8)
5 - Goes (anag) (4)
8 - Happen (5)
9 - Exposure of bedrock (7)
10 - Suggesting military life (7)
12 - Addresses formally (7)
14 - Male chicken (7)
16 - Layered pasta dish (7)
18 - Ban on publication (7)
19 - Sound of any kind (5)
20 - Become weary (4)
21 - Apartment building (8)

Down
1 - A closed circuit (4)
2 - Five cent coin (6)
3 - Ripping up trees (9)
4 - They look after horses (6)
6 - Small pet rodent (6)
7 - Provider (8)
11 - Vocal quality (9)
12 - Littlest (8)
13 - Line of equal pressure (6)
14 - Take away (6)
15 - Flourish (6)
17 - Religious order (4)

No 261

Across
1 - Distributed (5)
4 - Endurance (7)
7 - Tiles (anag) (5)
8 - Defeated (8)
9 - Precious stone (5)
11 - Confined (8)
15 - Outcry (8)
17 - Message (5)
19 - Writers of Internet weblogs (8)
20 - Evil spirit (5)
21 - Disordering (7)
22 - Move to music (5)

Down
1 - Commitments (9)
2 - Alters (7)
3 - Ornamental decoration (7)
4 - Obstruct (6)
5 - Garner (6)
6 - Female relation (5)
10 - Long automobile (9)
12 - Brought into agreement (7)
13 - Four-wheeled carriage (7)
14 - Stamps (6)
16 - Suffering (6)
18 - Stomach lining of cow (5)

No 262

Across
1 - Run off the tracks (6)
4 - Eyeshades (6)
9 - Childbirth assistant (7)
10 - Hopes to achieve (7)
11 - Circumstance (5)
12 - Positions (5)
14 - Loosely-woven cloth (5)
15 - Lowest point (5)
17 - Trunk of body (5)
18 - Crash together (7)
20 - Legislator (7)
21 - Not outside (6)
22 - Remarks (6)

Down
1 - Inhibit (6)
2 - Blushed (8)
3 - Simpleton (5)
5 - Stimulate (7)
6 - Finished (4)
7 - Detects (6)
8 - Apprehension (11)
13 - Read out loud (8)
14 - Dig near (anag) (7)
15 - Cell centers (6)
16 - Grieves (6)
17 - Looks after (5)
19 - Mistruths (4)

No 263

Across
1 - Failure (3)
3 - Fishing stick (3)
5 - Green vegetables (5)
8 - Vex (4)
9 - Openers (8)
11 - Processes of food breakdown (10)
13 - Changes (6)
14 - Naples (anag) (6)
17 - Fabric furnishings (10)
21 - Letting a wine breathe (8)
22 - Storage medium (4)
23 - Seasons (5)
24 - Young newt (3)
25 - Rodent (3)

Down
1 - Emboldened (5)
2 - Pleasures (8)
4 - Keep hold of (6)
5 - Peer (5)
6 - Primates (4)
7 - Nuns (7)
10 - Russian sovereign (4)
12 - Lower quality (8)
13 - Adaptable garden plants (7)
15 - Endure (4)
16 - Small American wolf (6)
18 - Courses (5)
19 - Sailing vessels (5)
20 - From the mouth (4)

No 264

Across
1 - Shade of red (6)
4 - Plan of action (6)
9 - Coincide partially (7)
10 - Cell phone (7)
11 - Create (5)
12 - Disturbed (5)
14 - Toy bear (5)
15 - Butch; masculine (5)
17 - Beguile (5)
18 - Japanese warriors (7)
20 - A ripple (anag) (7)
21 - Shows contempt for (6)
22 - Shelves (6)

Down
1 - Kitchen stove (6)
2 - Grandiosity of language (8)
3 - Work out (5)
5 - Storehouse (7)
6 - Seeds (4)
7 - Diminished (6)
8 - Substance to arouse desire (11)
13 - Finding (8)
14 - Traveler (7)
15 - Portion of a mountain range (6)
16 - Hurts (6)
17 - Small woodland (5)
19 - Not stereo (4)

No 265

Across
1 - Hindquarters (8)
6 - Block a decision (4)
8 - Punctuation marks (6)
9 - Held in great esteem (6)
10 - Frozen water (3)
11 - Encircle or bind (4)
12 - Person who tolls bell (6)
13 - Serious crime (6)
15 - A maker of verse (6)
17 - Unhealthy looking (6)
20 - Reproduce (4)
21 - Inflated feeling of pride (3)
22 - Ball-shaped object (6)
23 - Stinging antiseptic (6)
24 - Couplet (4)
25 - Fortified wines (8)

Down
2 - Worry intently (7)
3 - Wanderer (5)
4 - Knitted leg covering (7)
5 - Rescuer (5)
6 - Bond forming by atoms (7)
7 - Recurrent topic (5)
14 - Plant derived fats (7)
15 - Express great joy (7)
16 - Scope or area (7)
18 - Put into use (5)
19 - Fifty two in a year (5)
20 - Credo (anag) (5)

No 266

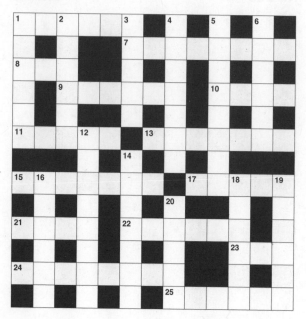

Across
1 - Feathers; preens (6)
7 - Flows of water (8)
8 - Form (3)
9 - Liveliness (6)
10 - Egg-shaped (4)
11 - Storage place (5)
13 - Surpass (7)
15 - Unite together (7)
17 - Small garden statue (5)
21 - Heroic poem (4)
22 - Breakfast food (6)
23 - Ameliorate (3)
24 - Austere people (8)
25 - Outdo (6)

Down
1 - Prepared (6)
2 - Support (6)
3 - Written form of music (5)
4 - Judges (7)
5 - Commitment (8)
6 - Cuts of meat (6)
12 - Disapproved (8)
14 - Postal service (7)
16 - Fight against (6)
18 - Drug derived from the poppy (6)
19 - Expressed (6)
20 - Web-footed water birds (5)

No 267

Across
1 - Sense of seeing (5)
4 - Tearing (7)
7 - Blemishes (5)
8 - Having the same status (8)
9 - Heated expectation (5)
11 - Leniency (8)
15 - Mexican pancake (8)
17 - Challenges (5)
19 - Selling agent (8)
20 - Blacksmith's block (5)
21 - Ending (7)
22 - Adores (5)

Down
1 - Made a shrill sound (9)
2 - Gathered together (7)
3 - Accounts (7)
4 - Country person (6)
5 - Filled a container (6)
6 - Boldness (5)
10 - Fees (9)
12 - Imbued (7)
13 - Substance (7)
14 - Accounting entries (6)
16 - Citrus fruit (6)
18 - Cancel (5)

No 268

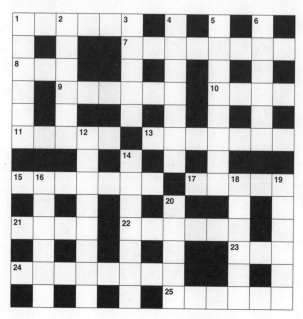

Across
1 - Material (6)
7 - Came back (8)
8 - Container (3)
9 - Cared for (6)
10 - Triggers (4)
11 - Fault (5)
13 - Experienced serviceman (7)
15 - Large complex molecule (7)
17 - Cinders (5)
21 - Sound reflection (4)
22 - Fixed (6)
23 - Vitality (3)
24 - Old crafted object (8)
25 - Spatial attributes (6)

Down
1 - Front of a building (6)
2 - Flag (6)
3 - Peak (5)
4 - Analyzed (7)
5 - Dry biscuits (8)
6 - Taxonomic categories (6)
12 - Conclusions (8)
14 - Parties (7)
16 - Put down on paper (6)
18 - Breathe spasmodically (6)
19 - Order of numbers (6)
20 - Vertical spars (5)

No 269

Across
7 - Written note (6)
8 - Shadows (6)
10 - Writing collections (7)
11 - Guide (5)
12 - Perceives (4)
13 - Ticked over (5)
17 - Shaping machine (5)
18 - Conceal (4)
22 - Snack food (5)
23 - Element; inert gas (7)
24 - Puts off (6)
25 - Start fire (6)

Down
1 - Simple sugar (7)
2 - Began (7)
3 - Small notes (5)
4 - Breaks (7)
5 - Liberates (5)
6 - Russian monarchs (5)
9 - Business greeting (9)
14 - Garage (7)
15 - Confinement (7)
16 - Prepared fish for cooking (7)
19 - Sour substances (5)
20 - Tips; clues (5)
21 - Verse form (5)

No 270

Across
1 - Sounded like a sheep (7)
4 - Fruit pies (5)
7 - Advised (5)
8 - Washes thoroughly (7)
9 - White soft mineral (4)
10 - Sprite (3)
11 - Lies (anag) (4)
15 - Ranking by longevity (9)
17 - Thin batons (4)
19 - Relation (3)
20 - Ship platform (4)
24 - Ennoble (7)
25 - Calculator (5)
26 - Set of tracks (5)
27 - Oblique stroke (7)

Down
1 - Make less sharp (5)
2 - Envelops (7)
3 - Clean up (4)
4 - Offer for sale (4)
5 - Moves back and forth (5)
6 - Female siblings (7)
8 - Represent (9)
12 - Single finger (3)
13 - Sail (3)
14 - Dismisses from mind (7)
16 - Rendered (7)
18 - Mark of repetition (5)
21 - Four-wheeled vehicles (5)
22 - Agitate (4)
23 - Entrance corridor (4)

No 271

Across
1 - User (8)
6 - Travel by horse (4)
8 - Created (6)
9 - Bring into country (6)
10 - Loud noise (3)
11 - Baby beds (4)
12 - Stable (6)
13 - Line of pressure (6)
15 - Sprints (6)
17 - Celestial body (6)
20 - Breaks; tears open (4)
21 - Knight (3)
22 - Lines of a poem (6)
23 - Degree (6)
24 - Test version (4)
25 - Move out the way of (8)

Down
2 - Trounces (7)
3 - Emits a breath (5)
4 - Person who interferes (7)
5 - Precipitates (5)
6 - Inhibit (7)
7 - Challenged; showed courage (5)
14 - A rich mine; big prize (7)
15 - Appointed; declared (7)
16 - Cost (7)
18 - Espresso and steamed milk (5)
19 - Russian monarchs (5)
20 - Tears (anag) (5)

No 272

Across
1 - Fingers (6)
4 - Vicious aggressors (6)
9 - Chatter (7)
10 - Fix (7)
11 - Sound (5)
12 - Senior person (5)
14 - Shaped up (5)
15 - First Pope (5)
17 - Greeting (5)
18 - End stations (7)
20 - Emblems (7)
21 - Fears greatly (6)
22 - Tropical fly (6)

Down
1 - Be contingent upon (6)
2 - Slope (8)
3 - Heading (5)
5 - Responded to (7)
6 - Cab (4)
7 - Laborer who cuts wood (6)
8 - Symbolizes (11)
13 - Between sunrise and sunset (8)
14 - Followed behind (7)
15 - Touched lightly (6)
16 - Chilled dessert (6)
17 - Party organizers (5)
19 - Commit to memory (4)

No 273

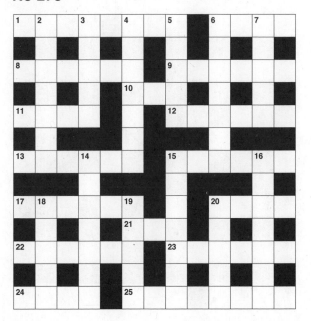

Across

1 - Bedrooms (8)
6 - Mission (4)
8 - Visionary (6)
9 - Musical dramas (6)
10 - Clumsy person (3)
11 - Primary color (4)
12 - Rigid; very cold (6)
13 - Strict vegetarians (6)
15 - Addle; confuse (6)
17 - Floors of a building (6)
20 - Droops (4)
21 - Used to be (3)
22 - Lizard (6)
23 - Expels (6)
24 - Celebration (4)
25 - Suggesting (8)

Down

2 - Positioned on top of (7)
3 - Evade (5)
4 - Intrusions (7)
5 - Dismiss (5)
6 - Tiny amount of progress (7)
7 - Satisfy (5)
14 - Mediocre (7)
15 - Tiny mouthfuls of food (7)
16 - Make more cheerful (7)
18 - Bird of prey (5)
19 - Wetland (5)
20 - Bed cover (5)

No 274

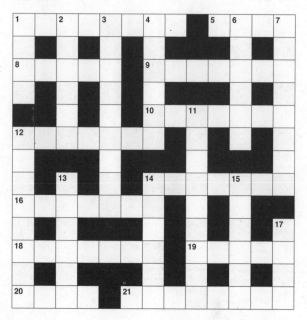

Across
1 - Introduction to a play (8)
5 - Strike (4)
8 - Join together (5)
9 - Add as a part (7)
10 - Obscurity (7)
12 - Old Spanish coins (7)
14 - Sheets of paper (7)
16 - Dead end (7)
18 - Provoked (7)
19 - Take place (5)
20 - Window frame (4)
21 - Form of government (8)

Down
1 - Pull a sulky face (4)
2 - Voiles (anag) (6)
3 - Light hearted opera (9)
4 - Workers' groups (6)
6 - Homes (6)
7 - Intensified (8)
11 - Tool sharpener (9)
12 - Removes contaminants (8)
13 - Empty locations (6)
14 - Sewing instrument (6)
15 - Mexican cloak (6)
17 - Donkey noise (4)

No 275

Across
1 - Broadening (8)
6 - Hollow in rock (4)
8 - Weigh up (6)
9 - Achieve through trickery (6)
10 - Pot (3)
11 - Tax (4)
12 - Decreased speed (6)
13 - Is more (anag) (6)
15 - Show-offs (6)
17 - Furnishes; creates (6)
20 - Pleasant (4)
21 - Drinks holder (3)
22 - Shed with a one-slope roof (4-2)
23 - Offer more at auction (6)
24 - Male parent (4)
25 - Very large animal (8)

Down
2 - Dispensers (7)
3 - All (5)
4 - Narrowly restricted in scope (7)
5 - Garments (5)
6 - Processions of vehicles (7)
7 - Regard highly (5)
14 - Purplish red (7)
15 - Suggest (7)
16 - Disturbance; commotion (7)
18 - Last Greek letter (5)
19 - Quick bread (5)
20 - Indentation (5)

No 276

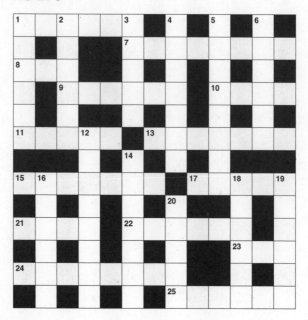

Across
1 - Gambles (6)
7 - Curling hair (8)
8 - Primary color (3)
9 - Illnesses (6)
10 - Destroy (4)
11 - Smooth textile fiber (5)
13 - Periodically (7)
15 - Large sum of money (7)
17 - Receiving device (5)
21 - Arouse (4)
22 - Loudspeaker (6)
23 - Period of time (3)
24 - Impediment (8)
25 - Group of seven (6)

Down
1 - Toiler (6)
2 - Annoying person; insect (6)
3 - Loose rock on a slope (5)
4 - Debacles (7)
5 - Romantic and comic play (8)
6 - Yearly (6)
12 - Stretch (8)
14 - Icy statue (7)
16 - Diviner (6)
18 - To the point (6)
19 - Navigational instrument (6)
20 - Misplaces (5)

No 277

Across
1 - Birds of prey (8)
6 - Surrounding glow (4)
8 - Wrasse (anag) (6)
9 - Musical interval (6)
10 - Metal container (3)
11 - Writing fluids (4)
12 - Gets away (6)
13 - Stage whispers (6)
15 - Old age (6)
17 - Small cakes (6)
20 - Similar articles (4)
21 - Pasture (3)
22 - Cell centers (6)
23 - Hidden (6)
24 - Metal fastener (4)
25 - Request (8)

Down
2 - Relaxes (7)
3 - Sports groups (5)
4 - Scoundrels (7)
5 - Rock (5)
6 - Pull towards (7)
7 - Variety show (5)
14 - Hung (7)
15 - Fail to appear (7)
16 - Article of clothing (7)
18 - Top layer (5)
19 - Sludge (5)
20 - Use inefficiently (5)

No 278

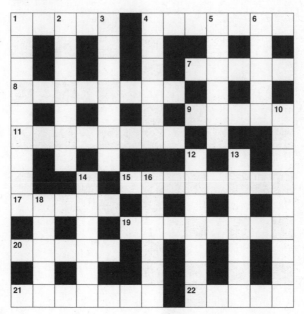

Across
1 - Standards (5)
4 - Scissors (7)
7 - Legendary creatures (5)
8 - Stressed (8)
9 - There (anag) (5)
11 - Opposite of westerly (8)
15 - Green vegetable (8)
17 - Graceful young woman (5)
19 - Diminished (8)
20 - A clearing in a wood (5)
21 - Flightless bird (7)
22 - Large bird of prey (5)

Down
1 - Short films (9)
2 - Compensation (7)
3 - Labored for (7)
4 - Breakfast food (6)
5 - Written agreement (6)
6 - Lift up (5)
10 - Explanation (9)
12 - Put into action (7)
13 - Baking (7)
14 - Arachnid (6)
16 - Reuse (6)
18 - Animal noises (5)

No 279

Across
1 - Population counts (8)
5 - Soup (anag) (4)
8 - Type of triangle (5)
9 - Self important (7)
10 - Crisp plain fabric (7)
12 - Large tracts of land (7)
14 - Navigation aids (abbrev) (3,4)
16 - Tedium (7)
18 - Tall tapered column (7)
19 - Worthy principle or aim (5)
20 - Sammy ___ (baseball) (4)
21 - Escort ships (8)

Down
1 - Kin (4)
2 - Nut and honey candy (6)
3 - Dug up (9)
4 - Rejoices (6)
6 - Religious act of petition (6)
7 - Problems (8)
11 - Removing particles (9)
12 - Ridges above the eyes (8)
13 - Welcomes (6)
14 - Tobacco user (6)
15 - Take into custody (6)
17 - Swiss mountains (4)

No 280

Across

1 - Motor lodge (5)
4 - Harborside workers (7)
7 - Arm joint (5)
8 - Canal tracks (8)
9 - Triangular river mouth (5)
11 - Felt (8)
15 - Deliberate destruction (8)
17 - Workers (5)
19 - Brought up (8)
20 - Prison compartments (5)
21 - Axe (7)
22 - Festivities (5)

Down

1 - Embarrassed (9)
2 - Melting (7)
3 - Found (7)
4 - Character in Frasier (6)
5 - Orderliness (6)
6 - Settle (5)
10 - Participants (9)
12 - The Pope (7)
13 - Writ for an arrest (7)
14 - Gambol (6)
16 - Good luck charm (6)
18 - Musical drama (5)

No 281

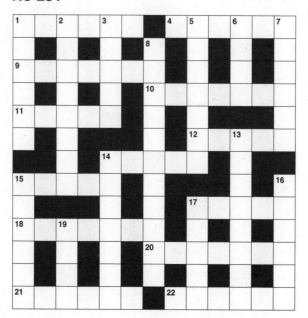

Across
1 - Prettify (6)
4 - Outcome (6)
9 - Grotesque monster (7)
10 - Multiplied threefold (7)
11 - Range (5)
12 - Strayed (5)
14 - Young sheep (5)
15 - Repeat an action (5)
17 - Moisture remover (5)
18 - Big shot; head honcho (7)
20 - Took small bites (7)
21 - Gives in (6)
22 - Outer layers (6)

Down
1 - Fruit juice (6)
2 - Beekeeper (8)
3 - Foe (5)
5 - Sheepskins (7)
6 - Real (anag) (4)
7 - Exchanged (6)
8 - Large fruits with red flesh (11)
13 - Uses again (8)
14 - Moved down (7)
15 - Disappointment (6)
16 - Rates (6)
17 - Prevent (5)
19 - Sheet of glass (4)

No 282

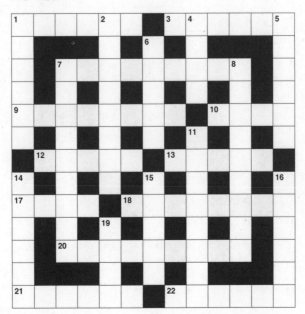

Across
1 - Facility for young children (6)
3 - Utter in unison; refrain (6)
7 - Rate of disease incidence (9)
9 - Illnesses (8)
10 - Made (anag) (4)
12 - Arrives (5)
13 - Hill (5)
17 - Arab ruler (4)
18 - Enclosed (8)
20 - Piety (9)
21 - Selfish person (6)
22 - Weigh up (6)

Down
1 - Breakfast food (6)
2 - Protected; toughened (8)
4 - Body covering (4)
5 - Season (6)
6 - Presents (5)
7 - Softening (9)
8 - Young racehorses (9)
11 - Exposes (8)
14 - Reconcile (6)
15 - Of definite shape (5)
16 - Takes up (6)
19 - Increases (4)

No 283

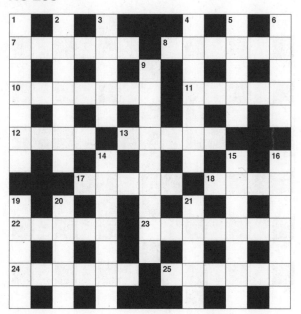

Across
7 - Develop (6)
8 - Plaster decoration (6)
10 - Motion; movement (7)
11 - Lubricated (5)
12 - Rodents (4)
13 - White water bird (5)
17 - Goes through in detail (5)
18 - In place of (4)
22 - Mistake (5)
23 - Biting with teeth (7)
24 - Stiles (anag) (6)
25 - Yellow citrus fruits (6)

Down
1 - Robbers (7)
2 - Compensates for (7)
3 - Collection of songs (5)
4 - Touches lightly (7)
5 - Skin on top of head (5)
6 - Music with recurrent theme (5)
9 - Biasing (9)
14 - Wavering vocal quality (7)
15 - Traveler (7)
16 - Imply (7)
19 - Evil spirit (5)
20 - Question intensely (5)
21 - Higher (5)

No 284

Across
1 - Church musician (8)
6 - Arrive (4)
8 - Prawns (6)
9 - Control (6)
10 - Seize with teeth (3)
11 - Legal document (4)
12 - Deep pit (6)
13 - Small islands (6)
15 - Muzzle loading gun (6)
17 - Dung beetle (6)
20 - Government tax (4)
21 - Flightless bird (3)
22 - Tennis player ___ Williams (6)
23 - Persons (6)
24 - Superlative of good (4)
25 - Captives (8)

Down
2 - Puts down (7)
3 - Allow (5)
4 - Coolness (7)
5 - Provoke (5)
6 - Admit to (7)
7 - Supernatural skill (5)
14 - Serious (7)
15 - Negative points (7)
16 - Furthest point (7)
18 - Pancake (5)
19 - Area of sand (5)
20 - Triangular river mouth (5)

No 285

Across
1 - Illnesses (6)
4 - Body of running water (6)
9 - Drinking vessel (7)
10 - French town (7)
11 - Choose (5)
12 - Colors (5)
14 - Exchanges (5)
15 - Musical instrument (5)
17 - Self-indulgence (5)
18 - Import barrier (7)
20 - Arch enemy (7)
21 - Self-centered person (6)
22 - Small oval plum (6)

Down
1 - Male parent (6)
2 - Feud (8)
3 - Respond (5)
5 - Short sleeved garments (1-6)
6 - Smooth (4)
7 - Piles (6)
8 - Evolutionary changes (11)
13 - Mental disturbance (8)
14 - Pities (7)
15 - Give satisfaction (6)
16 - Explanation (6)
17 - Brazilian dance (5)
19 - Vigor (4)

No 286

Across
1 - Directed (8)
6 - Window frame (4)
8 - For more time (6)
9 - Perspicacity (6)
10 - Night bird (3)
11 - Fill up (4)
12 - Looted (anag) (6)
13 - Ordered list (6)
15 - Ran quickly (6)
17 - Chatter (6)
20 - Back of neck (4)
21 - Make a mistake (3)
22 - Snooze during the day (6)
23 - Reprimand (6)
24 - State of confusion (4)
25 - Hangs (8)

Down
2 - Market a product (7)
3 - Grade (anag) (5)
4 - Gatherings (7)
5 - Gave out cards (5)
6 - Dazes (7)
7 - View; picture (5)
14 - Demands (7)
15 - University qualifications (7)
16 - Elaborate (7)
18 - Think that (5)
19 - Edible fruits (5)
20 - Look after (5)

No 287

Across
1 - Projectiles (6)
5 - Pull (3)
7 - Speed (5)
8 - Spanish beverage (7)
9 - Indian coin (5)
10 - Follower (8)
12 - Holiday area (6)
14 - Resounded (6)
17 - Intimidate (8)
18 - Polishes (5)
20 - Medical treatment (7)
21 - Wrongdoings (5)
22 - A knight (3)
23 - Held responsible (6)

Down
2 - Appreciate (7)
3 - Fighters (8)
4 - Russian monarch (4)
5 - Allurer (7)
6 - Mourned (7)
7 - Greets (5)
11 - Mechanical device (8)
12 - Bows (7)
13 - Faster (7)
15 - Model (7)
16 - Legal documents (5)
19 - Smart clothing (4)

No 288

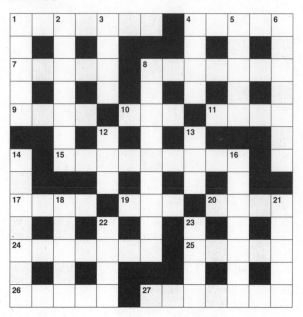

Across
1 - Ascended (7)
4 - Phantasm (5)
7 - Frighten (5)
8 - Codes (7)
9 - Lose footing temporarily (4)
10 - Finish (3)
11 - Salvage (4)
15 - This makes electricity (9)
17 - Melt (4)
19 - Not well (3)
20 - Drift in the air (4)
24 - Fear of heights (7)
25 - Superior class of people (5)
26 - Rigid plant structure (5)
27 - Vertically placed (7)

Down
1 - Body of students (5)
2 - Scanning (7)
3 - Explosive device (4)
4 - Spaces (4)
5 - Last Greek letter (5)
6 - Samplers (7)
8 - The lowest female voice (9)
12 - Small social insect (3)
13 - Eyelid infection (3)
14 - Reasons for action (7)
16 - Harvesting (7)
18 - Major artery (5)
21 - Bird sound (5)
22 - Select; choose (4)
23 - Rip up (4)

No 289

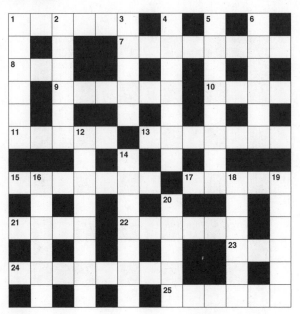

Across
1 - Teachers (6)
7 - Cooperation (8)
8 - Unwell (3)
9 - Bestow (6)
10 - Midday (4)
11 - Idiot (5)
13 - Surpass (7)
15 - Stamped (7)
17 - Encouraged (5)
21 - Aquatic vertebrate (4)
22 - Garden flower (6)
23 - Hip (anag) (3)
24 - Bring back (8)
25 - Scuffle (6)

Down
1 - Wound together (6)
2 - Dusting powder (6)
3 - Stick (5)
4 - Cloths (7)
5 - Associating towns (8)
6 - Dribbles (6)
12 - Chewers (8)
14 - Progress (7)
16 - Thwarted (6)
18 - Diagrams (6)
19 - Wish for (6)
20 - Piece of paper (5)

No 290

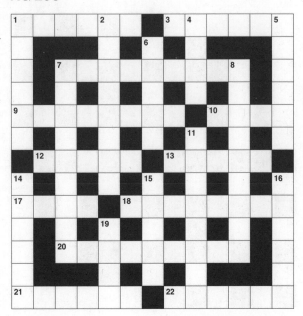

Across
1 - Smells (6)
3 - Business organization (6)
7 - Food shopping (9)
9 - Violent discharge (8)
10 - Without shine (4)
12 - Make available (5)
13 - Short computer sounds (5)
17 - Finished (4)
18 - Voltage changers (8)
20 - Idle slothful people (9)
21 - Main meal (6)
22 - Changes (6)

Down
1 - Awe; think about (6)
2 - Boundary (8)
4 - Seize (4)
5 - Sailing vessels (6)
6 - Wading bird (5)
7 - Rudeness; harshness (9)
8 - Intelligence (9)
11 - Relating to time (8)
14 - Moved up and down (6)
15 - Saying (5)
16 - Examines (6)
19 - Ill-mannered (4)

No 291

Across
1 - Close-fitting hat (3)
3 - Number of toes (3)
5 - Finely cut straw (5)
8 - Volcano in Sicily (4)
9 - Revising (8)
11 - Land projections into sea (10)
13 - Nocturnal wildcat (6)
14 - Improvement (6)
17 - Final demands (10)
21 - Brood eggs (8)
22 - Abstract Spanish artist (4)
23 - Adversary (5)
24 - Bun (anag) (3)
25 - Light brown color (3)

Down
1 - Faint bird cry (5)
2 - Self-punishments (8)
4 - Large dark cloud (6)
5 - Latin American dance (5)
6 - Eg Citric or Nitric (4)
7 - Visibility warning device (7)
10 - Unravel (4)
12 - Ahead of the times (8)
13 - Rust (7)
15 - Mountain top (4)
16 - Type of glove (6)
18 - Entrance hall (5)
19 - Open disrespect (5)
20 - Race (anag) (4)

No 292

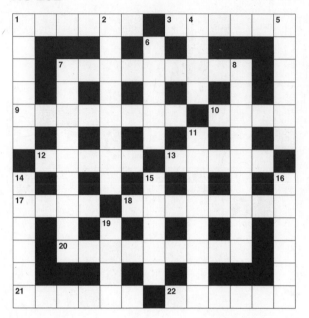

Across
1 - Give admiration (6)
3 - Small red fruit with hard stone (6)
7 - True statement (9)
9 - Conflagrate (8)
10 - Jar (4)
12 - Type of dance (5)
13 - Cigarette ends (5)
17 - Unfortunately (4)
18 - Final performance or effort (4,4)
20 - Cooking pots (9)
21 - Distribute overseas (6)
22 - Words of farewell (6)

Down
1 - Small bomb (6)
2 - Complacency (8)
4 - Basket in basketball (4)
5 - New Englander (6)
6 - Cloud (anag) (5)
7 - Convenience foods (9)
8 - Annual compendiums of facts (9)
11 - Reference point (8)
14 - Essential qualities (6)
15 - Tasting of sugar (5)
16 - Representatives (6)
19 - Seed vessel (4)

No 293

Across
1 - Place of education (6)
4 - Prawns (6)
9 - Let go of (7)
10 - Withstands (7)
11 - Villain (5)
12 - Overhangs of roofing (5)
14 - Pattern (5)
15 - Obscurity (5)
17 - Tone (5)
18 - Japanese warriors (7)
20 - Table linen (7)
21 - Erase (6)
22 - Use gas (anag) (6)

Down
1 - High-pressure water jet (6)
2 - Flat image that looks 3D (8)
3 - Egg-shaped (5)
5 - Held tight (7)
6 - Secure boat (4)
7 - Iridaceous plants (6)
8 - Watching over flock (11)
13 - Traveling to (8)
14 - Visitor (7)
15 - Itemized (6)
16 - Narrow-necked bottles (6)
17 - Enters on keyboard (5)
19 - Letters and packages (4)

No 294

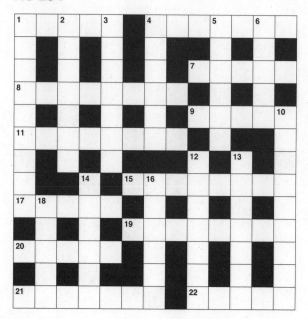

Across
1 - Evil spirit (5)
4 - Scruffy youngsters (7)
7 - Holy person (5)
8 - Missed (8)
9 - Increased (5)
11 - Ex-servicemen (8)
15 - Military man (8)
17 - Coats with gold (5)
19 - Room for dancing (8)
20 - Sheep's sound (5)
21 - Large molecule (7)
22 - Verse form (5)

Down
1 - Delegating (9)
2 - Instants (7)
3 - Child's room (7)
4 - Residential district (6)
5 - Stores (6)
6 - Nowadays (5)
10 - Affliction (9)
12 - Copy (7)
13 - Concern (7)
14 - Stabilize (6)
16 - Talker (6)
18 - Ice house (5)

No 295

Across

1 - Spoils (6)
3 - Forms of identification (6)
7 - Efforts (9)
9 - Increasing (8)
10 - Opaque gem (4)
12 - Radio receiver (5)
13 - Turns over (5)
17 - Sour (4)
18 - Antique (8)
20 - Negated (9)
21 - Natural elevations (6)
22 - Plan (6)

Down

1 - Thick innermost digits (6)
2 - Written agreements (8)
4 - Moat (anag) (4)
5 - Tremble (6)
6 - Smarted (5)
7 - Gradual change (9)
8 - Ran away en masse (9)
11 - System of piping (8)
14 - Tool; beat (6)
15 - Agreeable sound (5)
16 - Ukrainian port; Texan city (6)
19 - Smoke passage (4)

No 296

Across
1 - Snacking (8)
5 - Soviet Union (1,1,1,1)
8 - Secluded places (5)
9 - Assistant flyer (2-5)
10 - Flight hub (7)
12 - Guest or caller (7)
14 - Medieval cell (7)
16 - Volcanic crater (7)
18 - Release (7)
19 - Religious table (5)
20 - Pack down tightly (4)
21 - Fragrant toiletries (8)

Down
1 - Sisters (4)
2 - Obstructs way (6)
3 - Feeling of weariness (9)
4 - Flower secretion (6)
6 - Wild West drinking room (6)
7 - Turning (8)
11 - Restore to use (9)
12 - Noble title (8)
13 - Ski race (6)
14 - Parts of Morse code (6)
15 - Excitingly strange (6)
17 - Weapons (4)

No 297

Across
1 - Top; positive gain (6)
4 - Pay no attention to (6)
9 - Small green foliage (7)
10 - Most crinkled (7)
11 - Bores (anag) (5)
12 - Weary (5)
14 - Abrasive material (5)
15 - Adult female (5)
17 - Hoarded wealth (5)
18 - Follower (7)
20 - Ranks (7)
21 - Pedant (6)
22 - Bangs (6)

Down
1 - Rhesus (anag) (6)
2 - Washed thoroughly (8)
3 - Transactions (5)
5 - Seriousness (7)
6 - Musical instrument (4)
7 - Left (6)
8 - Newscasters (11)
13 - Gets back on (8)
14 - Drains (7)
15 - Eccentric (6)
16 - Notices (6)
17 - Sum (5)
19 - Swerve (4)

No 298

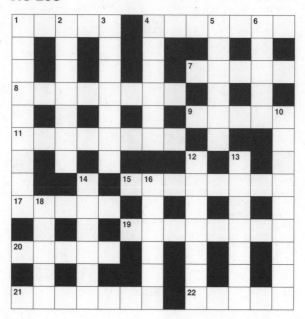

Across
1 - Speck of food (5)
4 - Linguistics (7)
7 - Disagreeable persons (5)
8 - Merchant (8)
9 - Conquers (5)
11 - Three-hulled sailing boat (8)
15 - Relating to me (8)
17 - Verse (5)
19 - Parrot (8)
20 - Start of (5)
21 - Ate (7)
22 - Decays (5)

Down
1 - Godparent (9)
2 - Human like automaton (7)
3 - Horse's food container (7)
4 - Swiss city (6)
5 - Small ape (6)
6 - Monks' superior (5)
10 - Bones (9)
12 - Analyst (7)
13 - Meanings (7)
14 - Urges to act (6)
16 - Avoided (6)
18 - Door hanger (5)

No 299

Across
1 - Cut skin irregularly (8)
6 - Rescue (4)
8 - Married partner (6)
9 - Workers' groups (6)
10 - Short sleep (3)
11 - Honored lady (4)
12 - Serving dish (6)
13 - Personal principles (6)
15 - Steering mechanism (6)
17 - Clergyman (6)
20 - ___ cola (4)
21 - Spiritual head (3)
22 - Hurting (6)
23 - Fairness (6)
24 - Group of players (4)
25 - Scatter (8)

Down
2 - Clap hands (7)
3 - Escape (5)
4 - Business meeting lists (7)
5 - Break out with force (5)
6 - Set in circular motion (7)
7 - Scene (5)
14 - Reversion to type (7)
15 - Blushes (7)
16 - Arouses (7)
18 - Father's brother (5)
19 - Encouraged (5)
20 - Coarse (5)

No 300

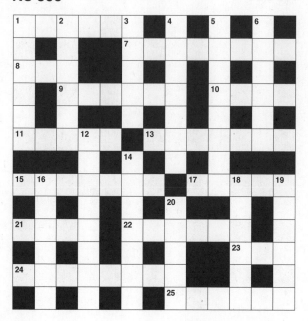

Across
1 - Consumers (6)
7 - Manipulating (8)
8 - Come together (3)
9 - Yearn for (6)
10 - Fit of shivering (4)
11 - Mountain cry (5)
13 - Hit hard (7)
15 - Get rid of (7)
17 - Allow (5)
21 - High singing voice (4)
22 - Weave (6)
23 - Mother (3)
24 - Whole numbers (8)
25 - Puts in soil (6)

Down
1 - Nervously (6)
2 - Bent (6)
3 - Garment (5)
4 - Hour of going to sleep (7)
5 - Proposed (8)
6 - Bring forth (6)
12 - Surrounds (8)
14 - Pig foot (7)
16 - Eg Great Britain (6)
18 - Dangerous person (6)
19 - Topics (6)
20 - Understand (5)

No 301

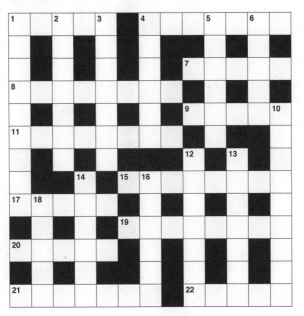

Across
1 - In the middle of (5)
4 - Sleep (7)
7 - Lazes (5)
8 - Uplifting (8)
9 - Ballroom dance (5)
11 - Slender coiling leaves (8)
15 - Tack with a large head (8)
17 - Break up (5)
19 - Hiking (8)
20 - Buffalo (5)
21 - Enhance (7)
22 - Replace (5)

Down
1 - Reminders (9)
2 - Regions (7)
3 - Pieces of cloth (7)
4 - Communicate (6)
5 - Noon (6)
6 - Choose (5)
10 - Biologist (9)
12 - First performance (7)
13 - Filled tortillas (7)
14 - Japanese dress (6)
16 - Surge (6)
18 - Prepare (5)

No 302

Across

1 - Stimulate (6)
4 - Effect (6)
9 - Underwater projectile (7)
10 - Nonconformist (7)
11 - Send money (5)
12 - Adversary (5)
14 - Tortilla wraps (5)
15 - Entrance hallway (5)
17 - Avoid (5)
18 - Huge wave (7)
20 - Confine (7)
21 - Currencies (6)
22 - Ruler (6)

Down

1 - Overcharge (6)
2 - Ritual (8)
3 - Special reward (5)
5 - Threatens (7)
6 - At another time (4)
7 - Bird eaten at Christmas (6)
8 - Shop selling cigars (11)
13 - Set out (8)
14 - Nonattendance (7)
15 - Come to understand (6)
16 - Coating (6)
17 - Delete (5)
19 - On top of (4)

No 303

Across
1 - Caught (8)
5 - Harsh sound (4)
8 - Unpleasant giants (5)
9 - Pledged to marry (7)
10 - Green plant fuel (7)
12 - Operating doctor (7)
14 - Distorting or twisting (7)
16 - Width (7)
18 - Mercury alloy (7)
19 - Astonish (5)
20 - Sodium Chloride (4)
21 - Always in similar role (8)

Down
1 - Large black bird (4)
2 - Luggage carrier (6)
3 - Loosened by turning (9)
4 - Ten plus one (6)
6 - Garnet (anag) (6)
7 - Selling wares (8)
11 - Storm force wind (9)
12 - Rays of light (8)
13 - Remember (6)
14 - Fanciful idea (6)
15 - Large spiny lizard (6)
17 - Home for a bird (4)

No 304

Across
7 - Fish hawk (6)
8 - Gives off light (6)
10 - Flat highland (7)
11 - Period of time (5)
12 - Require (4)
13 - Relative magnitude (5)
17 - Female fox (5)
18 - Boyfriend (4)
22 - Put seeds in soil (5)
23 - Surpasses (7)
24 - Test; experiment with (3,3)
25 - Judge (6)

Down
1 - Thinning out (7)
2 - Acoustic device (7)
3 - Gave way (5)
4 - Places of worship (7)
5 - Manipulate dough (5)
6 - Tiles (anag) (5)
9 - Won (9)
14 - Small amount (7)
15 - Begrudges (7)
16 - Tuft of grass (7)
19 - Malice (5)
20 - Woodland god (5)
21 - Neck warmer (5)

No 305

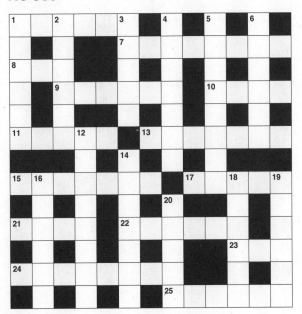

Across
1 - Early stage of animal (6)
7 - Impelling force or strength (8)
8 - Fasten together (3)
9 - Fire breather (6)
10 - Smell (4)
11 - This date (5)
13 - Course (7)
15 - Arguer (7)
17 - Ice home (5)
21 - Lubricants (4)
22 - Tried and tested (6)
23 - Life energy (3)
24 - High status (8)
25 - Pronouncement (6)

Down
1 - Anticipate (6)
2 - United (6)
3 - Last Greek letter (5)
4 - Modified (7)
5 - Encrypting (8)
6 - First light of day (6)
12 - Building up (8)
14 - Collecting (7)
16 - Mystery; riddle (6)
18 - Surgical knife (6)
19 - Hard brittle metallic element (6)
20 - Bent; bandy (5)

No 306

Across
1 - Great circle via poles (8)
6 - Badger's home (4)
8 - Instruction (6)
9 - Treatise (6)
10 - Wonder (3)
11 - Bottom position (4)
12 - Revolves (6)
13 - First occasions (6)
15 - Advertizements (6)
17 - Bright color (6)
20 - Flour pudding (4)
21 - Tree (3)
22 - Reorient (6)
23 - Lovers (anag) (6)
24 - Curves (4)
25 - Pain (8)

Down
2 - Move up (7)
3 - Image within another (5)
4 - Internal organs (7)
5 - Musical information (5)
6 - Define (7)
7 - Rotate (5)
14 - Diacritical marks (7)
15 - Bush shrub (7)
16 - Renew (7)
18 - Older adult (5)
19 - Timepiece (5)
20 - River formation (5)

No 307

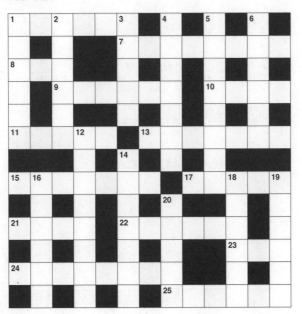

Across
1 - Assessment (6)
7 - Someone who commits capital (8)
8 - Owed and payable (3)
9 - Disorders (6)
10 - Tuna (anag) (4)
11 - Ground (5)
13 - Clipping shrubs decoratively (7)
15 - Assaulted (7)
17 - Change (5)
21 - Skin irritation (4)
22 - Crude (6)
23 - Hard seed (3)
24 - Rhetoric (8)
25 - Flew high (6)

Down
1 - Perplexing puzzle (6)
2 - Earthquake (6)
3 - Itinerant (5)
4 - Avoidance (7)
5 - Desire to retreat (8)
6 - Woodworker (6)
12 - Eating places (8)
14 - Departers (7)
16 - Stinging weed (6)
18 - Nearer (anag) (6)
19 - Cleaned; removed dirt (6)
20 - Applauds (5)

No 308

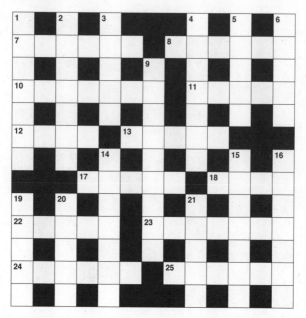

Across

7 - Diacritical mark of two dots (6)
8 - Confused (6)
10 - Country house (7)
11 - Greek building style (5)
12 - Level (4)
13 - Go stealthily or furtively (5)
17 - Sweet tropical fruit (5)
18 - Where you are (4)
22 - Pierced by bull (5)
23 - Large waves (7)
24 - After seventh (6)
25 - Support; help (6)

Down

1 - Moved suddenly (7)
2 - Large knife (7)
3 - Southern US cocktail (5)
4 - Supreme fleet commander (7)
5 - Throw away (5)
6 - Declaration (5)
9 - Fruit-filled pastries (9)
14 - Highly knowledgeable people (7)
15 - Book of the Bible (7)
16 - Concentration of matter (7)
19 - Concur (5)
20 - Boasts (5)
21 - Bang; sudden loud noise (5)

No 309

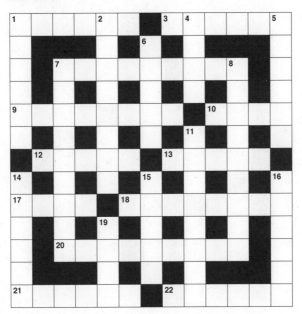

Across

1 - Copyist; note taker (6)
3 - Educational institution (6)
7 - Fried cakes (9)
9 - Certificates of education (8)
10 - Song by two people (4)
12 - Message; tale (5)
13 - Swift (5)
17 - Confuse (4)
18 - Whole (8)
20 - Leaking liquids (9)
21 - Remains of fire (6)
22 - Analyze; weigh up (6)

Down

1 - Noises (6)
2 - Bedrooms (8)
4 - Sports group (4)
5 - Devices that illuminate (6)
6 - School of fish (5)
7 - Stands in for (9)
8 - Playfulness (9)
11 - Violent acts (8)
14 - Suggestion (6)
15 - Tree with spiked leaves (5)
16 - Periods of rule (6)
19 - Rail (anag) (4)

No 310

Across
1 - Insist (7)
4 - Triangular river mouth (5)
7 - Sinister groups (5)
8 - Athletics field event (7)
9 - Rave (4)
10 - What you see with (3)
11 - Church song (4)
15 - Accuracy (9)
17 - Has to (4)
19 - High value card (3)
20 - Fast (4)
24 - Teachings (7)
25 - Water and rubber mix (5)
26 - Wander aimlessly (5)
27 - Curved fruits (7)

Down
1 - Keen (5)
2 - Provide money for (7)
3 - Deceptive maneuver (4)
4 - Bird of peace (4)
5 - Popsicle (5)
6 - Canopies (7)
8 - Video game controllers (9)
12 - Part of mouth (3)
13 - Annoy (3)
14 - Placed a bet (7)
16 - Crazy about (7)
18 - Japanese fish dish (5)
21 - Written passages (5)
22 - Plunder; take illegally (4)
23 - Strategy (4)

No 311

Across
1 - Brandy (6)
7 - Procedures (8)
8 - Light brown color (3)
9 - Line of equal pressure (6)
10 - Tiny aquatic plant (4)
11 - Exams (5)
13 - Prompts (7)
15 - Decisions (7)
17 - Church council (5)
21 - Component part (4)
22 - Place of trade (6)
23 - Residue (3)
24 - Boundary of tennis court (8)
25 - Slumbers (6)

Down
1 - Thin slice of meat (6)
2 - Intellectual giant (6)
3 - Baby beds (5)
4 - Indian dishes (7)
5 - Quality of being settled (8)
6 - Anchored (6)
12 - Bakers dozen (8)
14 - Mythical sea creature (7)
16 - Aircraft housing (6)
18 - Not tea (anag) (6)
19 - Rushes (6)
20 - Enquires (5)

No 312

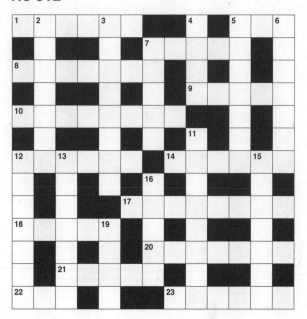

Across
1 - Gallic (6)
5 - Not high (3)
7 - Practice (5)
8 - Contends (7)
9 - Operatic stars (5)
10 - Group cooperation (8)
12 - Accompany (6)
14 - Cleanses (6)
17 - Warship (8)
18 - Chasm (5)
20 - Bridge over road (7)
21 - Bucks (5)
22 - Spot (3)
23 - Operator (6)

Down
2 - Crush (7)
3 - Sociological study (8)
4 - Real estate (4)
5 - Going away (7)
6 - Fierce small animals (7)
7 - Supplant (5)
11 - Building examiner (8)
12 - Breathed out (7)
13 - Imitator (7)
15 - Outer point (7)
16 - Animal feet (5)
19 - Mop up (4)

No 313

Across
1 - Throw away (5)
4 - Branch of math (7)
7 - Protective atmospheric layer (5)
8 - Get togethers (8)
9 - Last light of fire (5)
11 - A foregone conclusion (2,3,3)
15 - Garden flower (8)
17 - Amphibians (5)
19 - Distance marker (8)
20 - Join together (5)
21 - Removed dirt from river (7)
22 - Horse race (5)

Down
1 - Rays from the Sun (9)
2 - Outcomes (7)
3 - Commends (7)
4 - Plan of action (6)
5 - Skin disorder (6)
6 - Wash (5)
10 - Index; range of works (9)
12 - Hindered (7)
13 - A lost cause (2-5)
14 - Changed (6)
16 - Destroyed (6)
18 - Possessor (5)

No 314

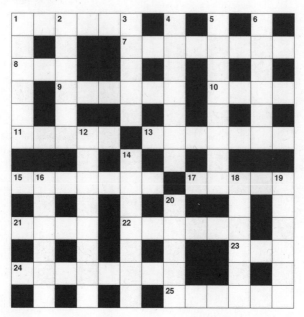

Across
1 - Soak up (6)
7 - Single horned creatures (8)
8 - Male person (3)
9 - Charm (6)
10 - Thug (4)
11 - Avarice (5)
13 - Elongated circle (7)
15 - Evidence of disease (7)
17 - Custom (5)
21 - Ice crystals (4)
22 - Tradition (6)
23 - Possess (3)
24 - Seller (8)
25 - Talented (6)

Down
1 - Intending (6)
2 - Legislature (6)
3 - Brass instrument (5)
4 - Small guns (7)
5 - Particles suspended in liquids (8)
6 - Invalidates (6)
12 - Sender of goods overseas (8)
14 - Conceited dandy (7)
16 - Bodyguard (6)
18 - Nearly (6)
19 - Flattened out (6)
20 - Employing (5)

No 315

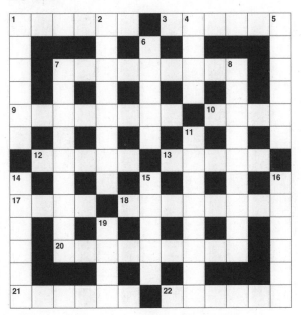

Across
1 - Size or style (6)
3 - Provide (6)
7 - Fixing (9)
9 - Road you cannot stop on (8)
10 - Smudge (4)
12 - Smarted (5)
13 - Staple food (5)
17 - Smell (4)
18 - Lifts up (8)
20 - Having little emotion (9)
21 - Bar (6)
22 - Agreement (6)

Down
1 - Wince (6)
2 - Looking up to (8)
4 - Component part (4)
5 - Dairy product (6)
6 - Decorative filling (5)
7 - Original products (9)
8 - Heroism (9)
11 - Labors (8)
14 - Shades; racing silks (6)
15 - Apparent (5)
16 - Liveliness (6)
19 - Extinct bird (4)

No 316

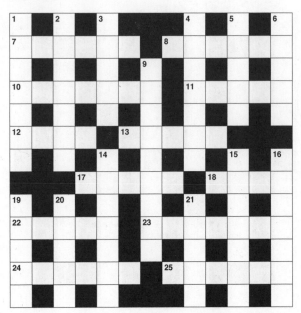

Across

7 - Destroy (6)
8 - Neckwear (6)
10 - Satisfy (7)
11 - House plant (5)
12 - Pointed missile (4)
13 - Serious (5)
17 - Question (5)
18 - ___ Berra: baseball player (4)
22 - Small replica version (5)
23 - Newsworthy (7)
24 - Path (6)
25 - Educate about (6)

Down

1 - Fall away (7)
2 - Steep-sided depressions (7)
3 - Nearby (5)
4 - Petitions to God (7)
5 - Kick out (5)
6 - Water vapor (5)
9 - Placing in the middle (9)
14 - Print (7)
15 - Captain's record (7)
16 - State of uncertainty (7)
19 - Coverall (5)
20 - State of disgrace (5)
21 - Surprises (5)

No 317

Across
1 - Square measure (7)
4 - Simpleton (5)
7 - Cereal grass (5)
8 - Permission (7)
9 - Fly high (4)
10 - Flightless bird (3)
11 - Isolated land (4)
15 - Advocate (9)
17 - Move at speed (4)
19 - Bench (3)
20 - Traveled by horse (4)
24 - Point in time (7)
25 - Receive the ball (5)
26 - Egg centers (5)
27 - Makes certain (7)

Down
1 - Small hills (5)
2 - Medieval body armor (7)
3 - Imitated (4)
4 - Hotels (4)
5 - Thoughts (5)
6 - Laughs (7)
8 - Part (9)
12 - Secret agent (3)
13 - Greek letter (3)
14 - Dishonesty (7)
16 - Male chicken (7)
18 - Plant fiber (5)
21 - Work spirit (5)
22 - Floor covers (4)
23 - Unreturnable tennis serves (4)

No 318

Across
1 - Sprite (3)
3 - Bun (anag) (3)
5 - Cloaked (5)
8 - Not hot (4)
9 - Fugitives (8)
11 - Recorded (10)
13 - Table linen (6)
14 - ___ Tanner (tennis) (6)
17 - Line of work (10)
21 - Hard work (8)
22 - Computer virus (4)
23 - Linear units (5)
24 - Cry (3)
25 - Ease into chair (3)

Down
1 - Bring on oneself (5)
2 - Having many spouses (8)
4 - Entertainer (6)
5 - Stop (5)
6 - Eg T S Eliot (4)
7 - Sickness (7)
10 - Queries (4)
12 - Military groups (8)
13 - Group of parishes (7)
15 - Semi-precious quartz (4)
16 - States of darkness (6)
18 - Dust particles (5)
19 - Invite (5)
20 - Ale (4)

No 319

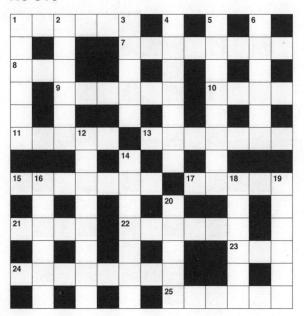

Across
1 - National flower of Mexico (6)
7 - Impeding (8)
8 - Large vessel (3)
9 - Teachers (6)
10 - Hunted animal (4)
11 - Gets weary (5)
13 - Flags (7)
15 - Ball receiver (7)
17 - Encouraged (5)
21 - Halt (4)
22 - Coiffure (6)
23 - Suffering (3)
24 - Disintegrate (8)
25 - Magnitude (6)

Down
1 - Take off (6)
2 - Warmer (6)
3 - Monks' superior (5)
4 - Turning over (7)
5 - Leaping (8)
6 - Medical student (6)
12 - Daydreaming (8)
14 - Type of precision surgery (7)
16 - Reach (6)
18 - Farmer (6)
19 - Erase (6)
20 - Discharged (5)

No 320

Across
1 - Large monkeys (7)
4 - Singing group (5)
7 - Calls out loud (5)
8 - Primness (7)
9 - Dirt (4)
10 - Level golf score (3)
11 - Commitment (4)
15 - Pieces of music (9)
17 - Counterfeit (4)
19 - Observe (3)
20 - Costs; charges (4)
24 - Fibrous parts of fruits (7)
25 - Heading (5)
26 - Wines made from rice (5)
27 - Actual (7)

Down
1 - Shouts orders (5)
2 - Small hound dogs (7)
3 - Remove (4)
4 - Group of people (4)
5 - Musical drama (5)
6 - Musical times (7)
8 - Perspicuity; clarity (9)
12 - Cook in oil (3)
13 - Commotion (3)
14 - Tops up drink (7)
16 - Protective covering (7)
18 - Small sales stand (5)
21 - Animal protection (5)
22 - Labels (4)
23 - Test (anag) (4)

No 321

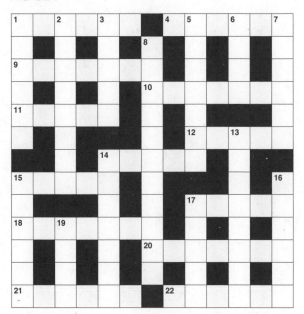

Across
1 - Millionth of a meter (6)
4 - Calculating machine (6)
9 - Person in general (7)
10 - More slender (7)
11 - Escape (5)
12 - Units of heredity (5)
14 - Closed car (5)
15 - Empty reel (5)
17 - Foot traveler (5)
18 - Opening (7)
20 - Winding shapes (7)
21 - Greek letter (6)
22 - Speaks (6)

Down
1 - Type of mollusk (6)
2 - Member of a military unit (8)
3 - Protective atmospheric layer (5)
5 - Attack (7)
6 - Soothe (4)
7 - Frightens (6)
8 - Uneasiness (11)
13 - A familiar description (8)
14 - Took ownership of (7)
15 - Hand tool (6)
16 - Flexible human joints (6)
17 - Raise up (5)
19 - A distinct part (4)

No 322

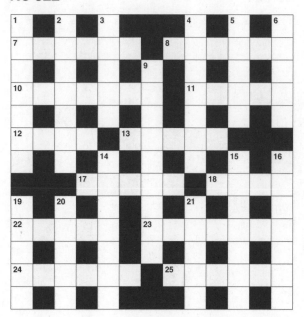

Across
7 - Encrypt (6)
8 - Jewels (6)
10 - Furthest point (7)
11 - Brushed leather (5)
12 - Thought (4)
13 - Heavenly bodies (5)
17 - Large mast (5)
18 - Control (4)
22 - Stringed instrument (5)
23 - Earring goes here (7)
24 - Shipyard worker (6)
25 - Supplies (6)

Down
1 - Arch villain or enemy (7)
2 - Spread widely (7)
3 - Summed together (5)
4 - Sweet course (7)
5 - Strongly advised (5)
6 - Quality (5)
9 - Ruined (9)
14 - Past events (7)
15 - Confided in (7)
16 - Opposite (7)
19 - Stop mission suddenly (5)
20 - Catches (5)
21 - Vital body part (5)

No 323

Across
1 - Morally admirable (6)
5 - Current unit (3)
7 - Tests (5)
8 - Photographing machines (7)
9 - Escape (5)
10 - Tree of the birch family (8)
12 - Characteristic (6)
14 - Attached (6)
17 - Object shaped like a plane wing (8)
18 - Sailing vessel (5)
20 - Ascendancy (7)
21 - Linkage (5)
22 - Toothed wheel (3)
23 - Respiratory disorder (6)

Down
2 - Speakers (7)
3 - Type of book cover (8)
4 - Male (anag) (4)
5 - Expected (7)
6 - Covered (7)
7 - Piece of writing (5)
11 - Musicians (8)
12 - Man-made fiber (7)
13 - Positioning (7)
15 - Witty saying (7)
16 - Smear (anag) (5)
19 - Cab (4)

No 324

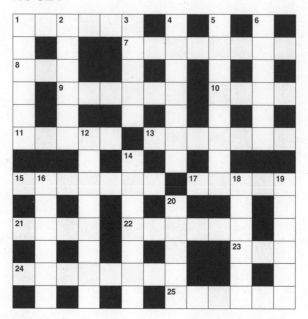

Across
1 - Container (6)
7 - Old age (8)
8 - Haul (3)
9 - Hankers after (6)
10 - Expel (4)
11 - Repeat (5)
13 - Go backwards (7)
15 - Pour out (7)
17 - Children's entertainer (5)
21 - Recedes (4)
22 - As the agent of (6)
23 - Snow blade (3)
24 - Radio signal receivers (8)
25 - Spend wastefully (6)

Down
1 - Acrimonious (6)
2 - Wood cutter (6)
3 - Russian sovereigns (5)
4 - Licorice flavor (7)
5 - Wild flower (8)
6 - Lofts (6)
12 - Undo (8)
14 - Up-and-down movement (7)
16 - Straighten out (6)
18 - Compensate for (6)
19 - Concept (6)
20 - Mouselike mammal (5)

No 325

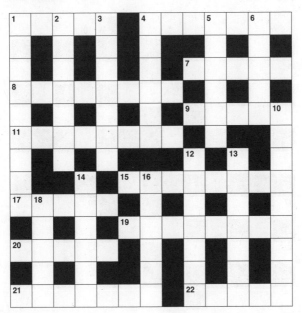

Across
1 - Summoned (5)
4 - Sideways looks (7)
7 - Utilize (5)
8 - Diminutive name (8)
9 - Number of deadly sins (5)
11 - Sees (8)
15 - Musical interval (8)
17 - Piece of pottery (5)
19 - Pipe repairers (8)
20 - Besmirch (5)
21 - Used by asthma sufferers (7)
22 - Flatterer (5)

Down
1 - Hard copies (9)
2 - Simple sugar (7)
3 - Residence of a cleric (7)
4 - Metric weight unit (6)
5 - Deep blues (6)
6 - Upper crust (5)
10 - Mandatory (9)
12 - Furniture (7)
13 - Garden flower (7)
14 - Fleet (6)
16 - Cream puff (6)
18 - Homo sapiens (5)

No 326

Across
1 - Hesitating (8)
6 - Desire (4)
8 - Compensate (6)
9 - Squeeze (6)
10 - English tree (3)
11 - Spirit (4)
12 - Wrongdoer (6)
13 - Arranged (6)
15 - Plowed field is this (6)
17 - Measuring (6)
20 - Stringed instrument (4)
21 - Point of pen (3)
22 - Part of the eye (6)
23 - Escapes (6)
24 - Air pollution (4)
25 - Hearer (8)

Down
2 - Offence (7)
3 - Tripod for artist (5)
4 - Mouthed (7)
5 - Lizard (5)
6 - Tried hard (7)
7 - Empty spaces (5)
14 - Obtaining (7)
15 - Erasers (7)
16 - Furthest point (7)
18 - Small intestine (5)
19 - Knot (5)
20 - Ousel (anag) (5)

No 327

Across
1 - Gain (6)
3 - Aide (6)
7 - Contributions (9)
9 - Forebodings (8)
10 - Thin flat slab (4)
12 - Ring shaped roll (5)
13 - Intimidate (5)
17 - Form of precipitation (4)
18 - Food storerooms (8)
20 - Excluding (9)
21 - Horn (6)
22 - Topics for debate (6)

Down
1 - On time (6)
2 - Increased (8)
4 - Nose (anag) (4)
5 - Elevated (6)
6 - Porridge (5)
7 - Agent (9)
8 - Hiding (9)
11 - Soft furnishings (8)
14 - Decrease (6)
15 - Sources of light (5)
16 - Stage whispers (6)
19 - Brave person (4)

No 328

Across

7 - Acquired (6)
8 - Creators (6)
10 - Strengthen (7)
11 - Provide (5)
12 - Regrets (4)
13 - Emotional feelings (5)
17 - Ranked (5)
18 - Region in South of France (4)
22 - Heart (anag) (5)
23 - Conjuring up feelings (7)
24 - Cause resentment (6)
25 - Repositories (6)

Down

1 - Tempters (7)
2 - Speaks highly of (7)
3 - Submerged ridges of rock (5)
4 - Waterfall (7)
5 - Pennies (5)
6 - Rulers with total authority (5)
9 - Exposed (9)
14 - Making a harsh sound (7)
15 - Secret affair (7)
16 - Repulsion (7)
19 - Fire a weapon (5)
20 - Personnel at work (5)
21 - Apple centers (5)

No 329

Across
1 - Two wheeled vehicles (8)
5 - Piece of cotton wool (4)
8 - Short letters (5)
9 - Called upon (7)
10 - New recruit (7)
12 - Gambling houses (7)
14 - Removed animal coat (7)
16 - Loss of memory (7)
18 - Japanese flower arranging (7)
19 - Imitating (5)
20 - Mud grooves (4)
21 - Giant ocean waves (8)

Down
1 - Musical group (4)
2 - Supplies (6)
3 - Percussion instruments (9)
4 - Removes from property (6)
6 - Becomes conscious (6)
7 - Persuaded constantly (8)
11 - Find out (9)
12 - Offhand; gallant gentleman (8)
13 - Contaminate body (6)
14 - Dish of raw leafy greens (6)
15 - Form of discrimination (6)
17 - Sage (anag) (4)

No 330

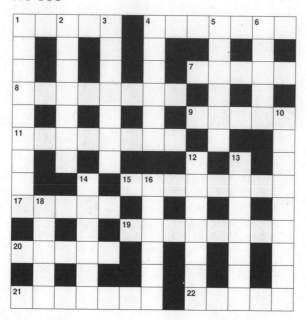

Across
1 - Garden bird (5)
4 - Mail container (7)
7 - Alcoholic grape juice drinks (5)
8 - Tearing (8)
9 - Animal skins (5)
11 - Well establish (8)
15 - Expression of gratitude (5,3)
17 - Showered with love (5)
19 - Error; mistake (8)
20 - Cut of meat (5)
21 - Bedroom (7)
22 - Pass a rope through (5)

Down
1 - Flashed momentarily (9)
2 - Originality (7)
3 - More dense (7)
4 - Meal eaten outside (6)
5 - Worker (6)
6 - Preclude (5)
10 - Building; construction (9)
12 - Saltwater fish (7)
13 - Cleanliness (7)
14 - Diaper (anag) (6)
16 - Young cow (6)
18 - Exceed (5)

No 331

Across
1 - Deer (3)
3 - Barrier (3)
5 - One of 7 fairies (5)
8 - Soothing remedy (4)
9 - Hatreds (8)
11 - Lowers expectations (10)
13 - Shackle (6)
14 - Objects (6)
17 - Disbelief (10)
21 - Slope (8)
22 - Oven (4)
23 - Attempts (5)
24 - Edge (3)
25 - Affirmative (3)

Down
1 - Implant (5)
2 - Power unit (8)
4 - First weekday (6)
5 - Propel (5)
6 - Vocal solo (4)
7 - Remains of living things (7)
10 - Giant (4)
12 - Eternity (8)
13 - Transport (7)
15 - Person who will inherit (4)
16 - Starter (6)
18 - Links together (5)
19 - Fixes (5)
20 - Cab (4)

No 332

Across

1 - Aircraft detection system (5)
4 - Yodel (7)
7 - Giants (5)
8 - Changing a title (8)
9 - Break (5)
11 - Tranquility (8)
15 - Clock timing device (8)
17 - Removes moisture (5)
19 - Venture (8)
20 - Local politician (5)
21 - Damaged (7)
22 - Fruits of the palm (5)

Down

1 - Saved (9)
2 - Dullness (7)
3 - Tallying (7)
4 - Activities (6)
5 - Brandy (6)
6 - Requires (5)
10 - Questioners (9)
12 - Chose (7)
13 - Adroitness (7)
14 - Get back (6)
16 - Deleted (6)
18 - Arrive at (5)

No 333

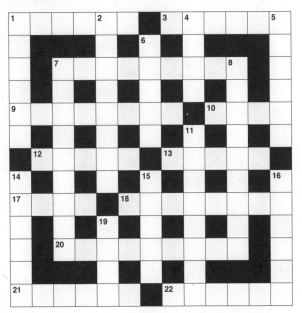

Across
1 - Pleases (6)
3 - Fills up (6)
7 - Shows (9)
9 - Accomplishments (8)
10 - Electrical safety device (4)
12 - Wash out soap (5)
13 - Cat sounds (5)
17 - Fibber (4)
18 - Warriors (8)
20 - Expulsions (9)
21 - Cloaks (6)
22 - Small pieces of land (6)

Down
1 - Transported (6)
2 - Asylum (8)
4 - Young children (4)
5 - Israeli monetary unit (6)
6 - Accent mark (5)
7 - Involve (9)
8 - Small climbing rodents (9)
11 - Paddings (8)
14 - Lanes (6)
15 - Presents (5)
16 - Weigh up (6)
19 - Fennel like herb (4)

No 334

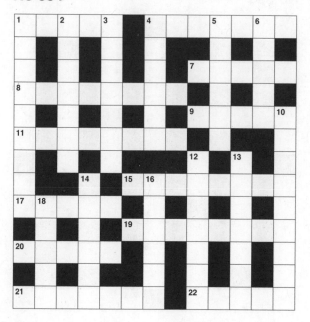

Across
1 - Receiving equipment (5)
4 - Comfort (7)
7 - Slake (anag) (5)
8 - Rush roofer (8)
9 - Examine (5)
11 - Wood preserver (8)
15 - Intestinal parasite (8)
17 - Linear units (5)
19 - In recognition (8)
20 - Roofing materials (5)
21 - Bird of prey (7)
22 - Acquires (5)

Down
1 - Gaucheness (9)
2 - Arguer (7)
3 - Reject (7)
4 - Warning (6)
5 - Cover (6)
6 - Desired (5)
10 - Skullcaps (9)
12 - Delegate (7)
13 - Display unit (7)
14 - Arrival (6)
16 - Street (6)
18 - Farewell (5)

No 335

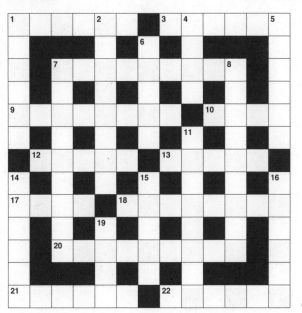

Across
1 - Sayings (6)
3 - American state (6)
7 - Associate (9)
9 - Exemption (8)
10 - Fasten together (4)
12 - Bang (5)
13 - Work out (5)
17 - Center of rotation (4)
18 - Assembles (8)
20 - Spread out (9)
21 - Written document (6)
22 - Top quality (6)

Down
1 - Small cake-like bread (6)
2 - Lenience (8)
4 - Tiny water plant (4)
5 - Arch of foot (6)
6 - Outdoor shelters (5)
7 - Moans about (9)
8 - Perked up (9)
11 - Talk with (8)
14 - A small handbook (6)
15 - Puts in order (5)
16 - Guarantee (6)
19 - Story (4)

No 336

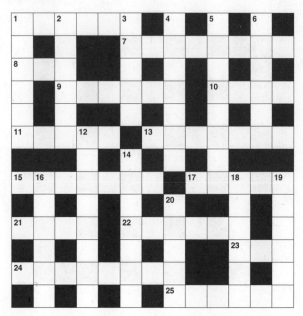

Across
1 - Deep blue color (6)
7 - Pipe fixing craftsmen (8)
8 - Limb used for walking (3)
9 - Irritated (6)
10 - Jealousy (4)
11 - Young females (5)
13 - People (7)
15 - Thrusted into water (7)
17 - Apart from (5)
21 - Aisle of a Church (4)
22 - Ride horse at pace (6)
23 - Flightless bird (3)
24 - Practice of disputation (8)
25 - Fuss (6)

Down
1 - Doing nothing (6)
2 - Soil mover (6)
3 - Opaque gems (5)
4 - Obscured (7)
5 - Preoccupies (8)
6 - Cut into a desired shape (6)
12 - Remained (8)
14 - Short-legged flightless bird (7)
16 - Portable computer (6)
18 - Urges or forces (6)
19 - Go through (6)
20 - Redden (5)

No 337

Across
1 - Heats up (6)
5 - Residue (3)
7 - Ruses (anag) (5)
8 - Swears (7)
9 - Guide (5)
10 - Impeding growth (8)
12 - Newspaper boss (6)
14 - Familiarized (6)
17 - Disentangles (8)
18 - Hits (5)
20 - Ruddy (7)
21 - Diplomat (5)
22 - Rocky hill (3)
23 - Alter (6)

Down
2 - Turned (7)
3 - Place (8)
4 - Allows (4)
5 - Slopes (7)
6 - Stashed away (7)
7 - Applying (5)
11 - Recompensed (8)
12 - Conceited person (7)
13 - Provider of financial cover (7)
15 - Signs up (7)
16 - Way in (5)
19 - Rescue (4)

No 338

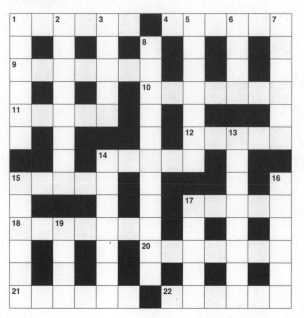

Across
1 - Fill up with gas (6)
4 - Spiny tree or shrub (6)
9 - Call to action (7)
10 - Acted (7)
11 - Absent from country (5)
12 - Ticks over (5)
14 - Sum (5)
15 - Search rigorously for (5)
17 - Clutches (5)
18 - Statement of transactions (7)
20 - Look into (7)
21 - Not dense (6)
22 - Soft mineral: plaster of Paris (6)

Down
1 - Thought intensely (6)
2 - Pink wading bird (8)
3 - Upper class (5)
5 - Amendment to a will (7)
6 - Cereal (4)
7 - Lodgings (6)
8 - Permeated (11)
13 - Secret communications (8)
14 - Groups of actors (7)
15 - Used on ice (6)
16 - Reputation (6)
17 - Small freshwater fish (5)
19 - Closing section of music (4)

No 339

Across
7 - Declared (6)
8 - Holds out (6)
10 - In cigarettes (7)
11 - Web-footed birds (5)
12 - Nose (anag) (4)
13 - Swerves off course (5)
17 - Determine the number of (5)
18 - Hired form of transport (4)
22 - Feign (5)
23 - Traveling very fast (7)
24 - Set out on (6)
25 - Hope to achieve (6)

Down
1 - Liquid containers (7)
2 - Apes (7)
3 - Retrieve (5)
4 - Unions (7)
5 - Smoothed nails (5)
6 - Cinders (5)
9 - Make new (9)
14 - Back up (7)
15 - Large ocean (7)
16 - Mixed (7)
19 - Wind instruments (5)
20 - Cuban folk dance (5)
21 - Sailing vessels (5)

Solutions

No 1

```
N U P . . C B A .
I M P A R T . S O U R E D
B . D . E . B . N . E . U
B R A V E R Y . S N A I L
L . T . N . S U D . T
E W E S . S T E M S . .
S . D . T . A . E . M . L
. . S H U N T . L A V A
S U . U . D . S . S . P
A L B U M . E X C U S E S
U . O . P . R . A . I . I
C R A N E S . P R O V E N
E . T . D . . E . E . G
```

No 2

```
L O C U S T . S T A F F S
O . . A . G . U . . . W
C . T O L E R A N C E . O
A . A . E . I . A . M . O
L A K E S I D E . Y U A N
S . E . M . S . I . L . S
. S A G A S . A N G S T .
O . W . N . M . C . I . E
C L A P . B A L L O O N S
C . Y . H . L . I . N . T
U . S E E D L I N G S . A
R . . R . S . E . . . T
S A C K E D . A D M I R E
```

No 3

```
L . S . S . . S . S . . I
E Q U I T Y . B A R K E D
F . M . R . V . R . U . I
T I M P A N I . C A N T O
I . I . Y . B . A . K . M
S A N D . C R O S S . .
T . G . M . A . M . B . P
. . L A S T S . W E R E
S . P . N . I . S . S . R
C L A N G . O U T L E T S
A . S . E . N . O . E . I
P E T A R D . P R I C K S
E . E . S . . M . H . T
```

No 4

```
I C E B E R G S . M U S K
R . L . E . U . A . I . .
C A M E R A . R O M P E D
. C . E . R U G . M . V .
S K I D . I . E N A M E L
. L . I . N . L . . .
V E X I N G . M U S I N G
. N . . A . . N . A . E
T R A V E L . N . T O W S
. O . A . A I D . R . Y
A M B L E R . A M A Z E D
E . I . G . T . I . A
F O O D . O V E R L O R D
```

No 5

```
A B S O R B . W . A . R
N . E . E M I S S I O N .
V I E . G . D . S . V .
I . I N V I T E . E X I T
L . N . N . N S . N .
S I G H T . M E S S A G E
. U . T . D . E . .
T U R N O U T . I S L E S
P . T . T . B . I . H
U S E S . O R E G O N . I
I . M . R . A . . I O N
I D L E N E S S . N . E
E . N . D . T I N G E S
```

No 6

```
G E N R E S . A M B L E S
I . A . M . C . A . E . E
V E R T I G O . R . E . N
I . C . T . M A T U R E S
N O O K S . P . I . . O
G . T . L . C . A C T O R
. I . C L E A N . O . .
R E C U R . M . O . A
I . A . E . S P E N D .
F O O T M A N . I . A . D
L . O . P . T R E A D L E
E . Z . E . S . V . O . R
S T E A D Y . L E A R N S
```

No 7

```
H E A R S E . S . P U P
. Y . L . P I T C H . O
W E L C O M E . E . A . P
. B . G . T . T O N I C
W R A N G L E S . T . O
O . . I . R . C . O . R
S W A I N S . O I L M E N
M . R . G . W . P . . P
O . I . W A R H O R S E
K U D O S . S . E . I
I . I . A . P A R A B L E
N . T O W N S . E . O
G U Y . S . . A D D I N G
```

No 8

```
M I S N O M E R . C O S T
E . C . I . C . R . . I
A D O R N . H E A V I N G
N . W . T . O . . G . H
. L . M . E G O T I S T
M I S D E E D . V . N . E
O . . N . . E . . N
R . S . T . S T R E A M S
A R T I S A N . C . D .
L . U . O . R A K
I N F E R N O . O R G A N
Z . F . P . W . I . E
E A S T . S Y N D R O M E
```

No 9

```
. P E P P E R M I N T S .
P . G . A . A . N . H . E
L . O . R E P E L . E L M
A L I B I . T . A . T . A
Y . S . A . O . Y E A R S
W A T C H E R S . . . C
R . S . S . . R . P . U
I . . R E F E R R A L
G R A D E . N . T . O . A
H . B . T . T . R I V E T
T U B . H O R D E . I . E
S . E . I . A . A . S . D
. S Y N C O P A T I O N .
```

342

Solutions

No 10

```
R E L A T E D ■ N I C K S
O ■ I ■ E ■ ■ E L ■ U
A N N E X ■ G L O W E R S
S ■ I ■ T ■ A ■ N ■ R ■ T
T I N T ■ O L D ■ S K U A
■ G ■ E ■ V ■ H ■ ■ I
F ■ S T R E A M E R S ■ ■
O ■ ■ A ■ N ■ N ■ C
O P E N ■ G I G ■ F U S S
L ■ Q ■ P ■ Z ■ T ■ P ■ T
E M U L A T E ■ R U P E E
R ■ A ■ W ■ ■ U ■ E ■ A
Y E L P S ■ S N E E R E D
```

No 11

```
S ■ S ■ J ■ ■ P ■ S ■ A
A C T I O N ■ F R O T H S
M ■ R ■ I ■ E ■ E ■ A ■ S
P H O E N I X ■ V I L L A
L ■ K ■ S ■ P ■ A ■ K ■ Y
E W E S ■ P L A I N ■ ■
D ■ S ■ F ■ O ■ L ■ R ■ C
■ ■ S L A S H ■ P E E R
S ■ F ■ I ■ I ■ I ■ F ■ U
C L I N G ■ V E N D O R S
A ■ L ■ H ■ E ■ L ■ C ■ H
R E M O T E ■ M A T U R E
S ■ S ■ S ■ ■ Y ■ S ■ D
```

No 12

```
S H R I F T ■ E ■ A D O
U ■ A ■ C U B E D ■ A
O R G A N Z A ■ B ■ V ■ R
T ■ L ■ I ■ S W A Y S
G L A Z I E R S ■ N ■ M
E ■ G ■ N ■ F ■ C ■ A
P S Y C H E ■ P I G E O N
U ■ E ■ T ■ S D ■ V
E ■ L ■ T H R E S H E D
R U L E R ■ O ■ L ■ R
I ■ I ■ U ■ W R I G G L E
L ■ N E S T S ■ T ■ A
E G G ■ E ■ S Y R U P S
```

No 13

```
M U S S E L ■ B ■ C ■ R
A ■ H ■ U N L O A D E D
P R Y ■ T ■ I ■ M ■ A
P ■ I M P E L S ■ P O S Y
E ■ N ■ S ■ T ■ A ■ O
R A G E S ■ D E S I G N S
■ A ■ L ■ R ■ G
C H A R M E D ■ I N G O T
■ E ■ T ■ A ■ C ■ U ■ I
A R C H ■ S C H I S M ■ N
■ O ■ I ■ H ■ A ■ M U G
R E I N D E E R ■ E ■ E
■ S ■ G ■ D ■ T R A D E S
```

No 14

```
E S C A P I S T ■ S M U T
G ■ L ■ O ■ H ■ A ■ A
G U E S S ■ A C C U S E D
S ■ R ■ T ■ N ■ ■ T ■ P
■ I ■ U ■ T O R P E D O
V I C E R O Y ■ E ■ R ■ L
O ■ ■ ■ I ■ ■ C ■ E
C ■ F ■ N ■ G R O U S E S
A L L E G R O ■ U ■ C
T ■ A ■ B ■ P ■ R ■ T
I N K W E L L ■ I N A N E
V ■ E ■ ■ I ■ N ■ W ■ E
E A S T ■ S N U G G L E S
```

No 15

```
J A G U A R ■ I ■ T U G
V ■ S ■ E S T E R ■ E
T O P S P I N ■ E ■ A ■ N
I ■ ■ E ■ T ■ M A I Z E
A D M I R E R S ■ N ■ S
E ■ I ■ Y ■ A ■ E ■ I
E D I C T S ■ R I P E N S
P ■ N ■ Y ■ S ■ L ■ E
I ■ G ■ R E P E A T E D
S T R I P ■ R ■ R ■ D
T ■ A ■ L ■ G N O S T I C
L ■ T H A N E ■ N ■ N
E W E ■ N ■ A S S I G N
```

No 16

```
D E M A N D E D ■ I C O N
E ■ I ■ A ■ X ■ R ■ O
F I S T S ■ T A L L I E S
Y ■ U ■ T ■ E ■ S ■ E
■ S ■ I ■ N E S T E G G
P R E E N E D ■ H ■ S ■ A
A ■ E ■ ■ O ■ ■ Y
R ■ M ■ S ■ C O W A R D S
A R O U S A L ■ E ■ A
K ■ U ■ ■ U ■ R ■ V ■ D
E A R S H O T ■ I M A G E
E ■ N ■ ■ C ■ N ■ G ■ N
T A S K ■ T H U G G E R Y
```

No 17

```
S L I C E D ■ W ■ I L K
I ■ ■ M ■ S T I N G ■ O
I C E P I C K ■ L ■ N ■ P
E ■ ■ G ■ E ■ D R O V E
U N D E R L I E ■ R ■ C
S ■ A ■ N ■ N ■ E ■ K
H E R O N S ■ H O R D E S
A ■ E ■ T ■ K ■ B ■ J
S ■ P ■ ■ U N C O R K E D
T I L D E ■ E ■ D ■ C
E ■ I ■ R ■ A V I D I T Y
N ■ C U R E D ■ E ■ ■ O
S P A ■ S ■ E S C O R T
```

No 18

```
S A S H E S ■ A V E R T S
T ■ T ■ X ■ P ■ A ■ I ■ U
E M A N A T E ■ S ■ L ■ N
E ■ R ■ M ■ T U S S L E S
D O D O S ■ T ■ A ■ E
S ■ U ■ ■ I ■ L I M I T
■ S ■ H U S K S ■ O
L O T T O ■ H ■ ■ U ■ R
A ■ ■ S ■ N ■ F I R T H
D E S T I N E ■ O ■ ■ N ■ Y
L ■ T ■ E ■ S U G G E S T
E ■ I ■ R ■ S ■ G ■ R ■ H
S P R A Y S ■ G Y P S U M
```

Solutions

No 19

```
S E T T L E S . C H E S S
E . W . A . O . N . Y . .
E V E N S . I N T O N E S
D . L . T . N . S . U . T
S A F E . A T E . G I V E
. . T . E . E . A . . . M
C . H U M A N I S T S . S
U . . U . S . H . . P . .
P O S E . W I T . S L A B
P . E . L . V . G . I . A
I N C L U D E . A U N T S
N . T . D . . . I . E . K
G U S T O . B O N U S E S
```

No 20

```
C A R T O N . C A R E S S
E . F . I . R . . . A . V
R . D E F E N D E R S . A
E . I . E . S . A . E . I
A B S E N T E E . D E A N
L . T . D . T . W . D . G
. H A V E N . F A U L T .
S . N . D . B . I . I . B
P A C E . P R E T E N C E
O . E . G . O . R . G . L
U . D I R T I N E S S . I
S . . . I . L . S . . . E
E X I S T S . A S S E T S
```

No 21

```
C . D . A . . . S . S . B
O N I O N S . B U N K E R
T . G . G . F . R . A . U
T O R P E D O . M O T E T
O . E . R . R . I . E . E
N E S T . A M A S S . . .
S . S . C . . . A . E . R
. . . J O L L Y . H E R O
A . C . N . I . B . J . P
D W A R F . Z O O L O G Y
O . N . U . E . U . I . C
R A D I S H . A G E N D A
N . Y . E . . . H . S . T
```

No 22

```
C A N . S A P . T I R E S
O . U . L . I . U . E . E
N I P S . G A M B L I N G
G . T . I . I . N . M . M
A R I S T O C R A T . E .
. . A . E . E . M . N . N
S A L A M I . A S S I S T
P . S . S . O . N . . . .
O . . M A J O R I T I E S
U . B . N . R . L . M . M
S T R I K E R S . L I Z A
E . I . L . E . Z . L . .
S N O R E . L I E . E E L
```

No 23

```
R E L I C S . A . A G A .
X . R . U R G E S . L . .
D E A C O N S . E . S . I
. M . S . U . S W I N G .
S P O N S O R S . S . N .
T . I . P . V . T . E . .
A S C E N T . M I S S E D
I . U . G . S . L . X . .
R . R . C E L L I S T S .
S P R A T . A . A . R . .
H . A . O . R I G H T E D
I . N O T E S . E . M . .
P E T . S . U S A G E S .
```

No 24

```
. P R O P E L L A N T S .
A . E . I . I . S . R . S
N . S . L A N E S . I N K
T W I L L . I . E . L . Y
I . D . A . N . T I L L S
S T E E R A G E . . . . C
E . D . S . . . E . E . R
P . . A N A C O N D A . .
T E E N S . Y . H . G . P
I . X . P . M . E L I T E
C O T . E X P E L . N . R
S . R . C . H . O . E . S
. H A W K I S H N E S S .
```

No 25

```
M . O S . . . U . K . U .
A F F E C T . S N A R E S
R . F . O . V . I . I . I
S T I M U L I . C O L O N
H . C . T . A . O . L . G
A P E S . A B O R T . . .
L . S . S . I . N . C . G
. . K O A L A . S O L O .
H . A . A . I . G . N . D
O W N E R . T R U S T E D
I . V . I . Y . S . A . E
S K I N N Y . S T R I P S
T . L . G . . . O . N . S
```

No 26

```
M O U N D S . A . T E E .
. P . R . U N D E R . L .
M I S C U E S . D . A . A
. A . N . E . S O U K S .
S T A L K E R S . M . T .
E . A . S . P . A . I . .
A S S E R T . P A R S E C
S . L . D . P . R . L . .
S . E . P A R A M O U R .
A N N U L . E . D . S . .
I . D . A . A S I A T I C
L . E A T E N . G . O . .
S I R E . I M M U N E . .
```

No 27

```
C A U C U S E S . A R M Y
L . H . I . T . N . O . .
S T R E E T . I N G O T S
E . F . U R N . E . T . .
E R R S . A . T A L K E D
E . E . T . U . . . . . .
A D V I C E . R U S T E D
. N . . O . O . . . V . .
S P I R E S . A . P E A R
A . O . H A S . U . C . .
I G U A N A . T O R Q U E
E . D . R . E . E . E . .
O R B S . K E D G E R E E
```

Solutions

No 28

```
G A T E A U ■ P ■ A ■ G ■
R ■ I ■ ■ S L A N D E R S
A R T ■ A ■ S ■ A ■ I ■
D ■ L U N G E S ■ P L E A
E ■ E ■ E ■ I ■ T ■ V ■
D O D G E ■ A V A I L E D
■ ■ O ■ C ■ ■ E ■ N ■ ■
P R O V E R B ■ I G L O O
E ■ E ■ U ■ B ■ ■ O ■ R
S P A R ■ S A L I V A ■ E
L ■ N ■ A ■ U ■ ■ D U E
L A V E N D E R ■ E ■ A
Y ■ D ■ E ■ B R I D A L
```

No 29

```
F L A S H ■ Y E L L I N G
O ■ N ■ E ■ O ■ A ■ O ■
R ■ N ■ R G ■ S U E D E
E N O R M O U S ■ R ■ E
S ■ Y ■ I R ■ G E E S E
I D E N T I T Y ■ L ■ V
G ■ D ■ S ■ ■ S ■ P I
H ■ I ■ P O T T E R E D
T O N N E ■ P ■ A ■ O E
L ■ F ■ F E R R Y M A N
R I V E N ■ N ■ R ■ P C
V ■ C ■ E ■ E ■ T ■ E
F E A T H E R ■ D U S T S
```

No 30

```
P ■ S ■ F ■ G ■ G ■ E
A R T E R Y ■ C A C H E S
R ■ U ■ A ■ H ■ L ■ O T
A D D E N D A ■ L O U S E
G ■ I ■ K ■ N ■ O ■ L R
O P E N ■ A D O P T ■
N ■ S ■ D ■ S ■ S ■ J O
■ ■ T O O T H ■ M E N U
U ■ H ■ O ■ A ■ S ■ R T
S H E A R ■ N E M E S I S
A ■ R ■ M ■ D ■ A ■ E I
G O B L E T ■ P R E Y E D
E ■ S ■ N ■ ■ T ■ S E
```

No 31

```
T A U G H T ■ N O V E L S
Y ■ A ■ W ■ M ■ ■ P
P ■ C O M P I L I N G ■ R
I ■ O ■ M ■ L ■ T ■ U I
F A L T E R E D ■ Y A W N
Y ■ L ■ R ■ S D ■ R ■ G
■ V E X E S ■ V E G A N
A ■ C ■ D ■ A ■ F ■ N A
M A T S ■ I N J E C T E D
U ■ O ■ A ■ G ■ R ■ O U
L ■ R E G I S T R A R ■ L
E ■ U ■ T ■ E ■ ■ T
T A L K E R ■ I D E A L S
```

No 32

```
D U P E S ■ S H A C K L E
I ■ A ■ H ■ T ■ A ■ O
S ■ R ■ E A ■ M U D D Y
D E S O L A T E ■ G ■ G
A ■ E ■ T E ■ S H E E T
I N C R E A S E ■ T ■ H
N ■ S ■ R ■ O ■ S ■ R
E ■ S ■ B A G U E T T E
D U S T S ■ M ■ T ■ R A
S ■ R ■ Q U A D R A N T
C H E E P ■ L ■ O ■ Y E
E ■ E ■ E ■ E ■ E ■ N
P R O T E S T ■ S O D A S
```

No 33

```
H A I L E D ■ A F F O R D
I ■ M ■ N ■ C ■ I ■ V O
S U P R E M O ■ X ■ E U
S ■ R ■ M ■ N A T U R E S
E B O N Y ■ D ■ U ■ E
S ■ P ■ O ■ R A T E D
■ E ■ V A L U E ■ R
C O R G I E ■ E ■ E G
A ■ R ■ N ■ P L A C E
B I V O U A C ■ U ■ S N
I ■ E ■ S ■ E S P O U S E
N ■ E ■ E ■ S ■ P ■ R V
S T R E S S ■ H Y A E N A
```

No 34

```
W I T H E R E D ■ O B O E
E ■ I ■ S ■ L ■ U ■ S
A U D I T ■ E F F O R T S
L ■ I ■ I ■ V ■ S ■ A
■ E ■ M ■ E M P A T H Y
A B S T A I N ■ O ■ S I
L ■ T ■ ■ L ■ L ■ S
L ■ B ■ O ■ P O L E C A T
A Q U A R I A ■ U ■ R
Y ■ R ■ P ■ T ■ Y ■ S
I N E R T I A ■ E D I C T
N ■ A ■ Y ■ R ■ N ■ U
G O U T ■ M A S S A G E D
```

No 35

```
L O V I N G ■ U M B R A S
O ■ I ■ O ■ A ■ A ■ I N
C A R T O O N ■ F ■ F E
A ■ T ■ K ■ T H I S T L E
T R U S S ■ I ■ O ■ R
E ■ O ■ C ■ S E A L S
■ S ■ A L I B I ■ D
D O I N G ■ P ■ M ■ S
A ■ O ■ A ■ S H I F T
C A B I N E T ■ I ■ T A
T ■ A ■ I ■ E S T A T E S
Y ■ R ■ Z ■ S ■ A ■ E I
L A D L E S ■ E R O D E S
```

No 36

```
P H O B I A ■ E ■ O A F
■ A ■ N ■ D U L L S ■ I
S P E N C E R ■ M ■ M S
P ■ I ■ I ■ S T O A T ■
K I N G S H I P ■ S ■ F
E ■ I ■ N ■ P ■ I ■ U
P R O T O N ■ M I S S A L
R ■ B ■ N ■ W ■ L ■ L
I ■ L ■ P A N G O L I N
S P I E D ■ R ■ R ■ G
I ■ G ■ A ■ P O I S O N S
N ■ E M I T S ■ M ■ E
G A S ■ S ■ P S E U D O
```

Solutions

No 37

```
CRUMBS   FRESCO
L   E F O   N
A DEFLECTED I
I I A N S E O
MISPLACE AMEN
S P L E E A S
 LOVED AMONG
S S N T P D A
LOAM PASTRIES
O L H M Y N S
W SHOWERING A
E   M S N   Y
DANGER IGLOOS
```

No 38

```
RULES  SOMEONE
E A P Q   A E
V R O U STARS
UNDERPIN E V
L E T R CRIER
SERPENTS S E
I S D   O P T
O  A CHIMAERA
NOOSE E I R I
R S PARTISAN
ADMIT V T I E
E   G E E S R
PRANCED DOTES
```

No 39

```
LAGGARDS SOBS
 C O O C U R
STYLED RIFLES
 R D EMU F W
KEYS N MOUSSE
 S     T S
ASSESS SEEMED
 L A A   X
LONERS U NETS
 N G TIN O R
BIKINI TANNED
 O E N E C M
GNUS GARNERED
```

No 40

```
PIPED FROTHED
A O A I H G
RS U S MERGE
AUTOBAHN F E
B M I E STUDY
OPENNESS S A
L N G M C R
A E SERAPHIM
SIEVE M L O U
 M E LITTORAL
YAWNS G I A K
 G T R N L E
LEISURE GLENS
```

No 41

```
HECTARES COPY
X E O O U U
SCANTY UNROLL
E O ART R S
AEON L HEAVEN
  D T N
OSPREY FATHER
   O I V
SCHEMA D CLAD
R B GIG R S
NEBULA ELIXIR
P C P T E O
JERK ENSURING
```

No 42

```
KNIGHT WANDER
A   O F N   E
R CHARACTER A
A H R R S E D
TWIDDLER APSE
E H I S G A R
 FUNNY MOTIF
H A G C O R E
ACHE PLODDING
N U S I W N R
D ASCENDING
L A G L   S
ELDERS ALARMS
```

No 43

```
W I S   D F S
ANNULS DREAMT
T V I T A W E
CHARMER GENRE
H D E U O S R
EVEN ENJOY
S D C C N P I
 ROMAN FIRM
R G N T G C M
ETHIC EMULATE
A O E S I D R
PLURAL ELBOWS
S L L   T R E
```

No 44

```
BARGAIN FLARE
U A P E G N
LOVES AMAZING
G A E N T L R
EDGY JET HERO
 E H C A S
R STANDINGS S
E S O T A
LOAN ATE SPUR
I G B E W L A
ENAMELS ONION
V P V L N K
ELEGY REFUGES
```

No 45

```
SCUDDING NIPS
O E N I U I
SMACKS BEDLAM
P A TEE I N
VARY A DISCOS
S L T
ASSAIL SYSTEM
 N     T X
ARMADA E PETS
E T CAP L R
SPROUT PLUMES
E M O E G M
ALLY RESISTED
```

Solutions

No 46

S	U	N	D	R	Y		D	A	M	P	E	R
H			A		W	X				A		
O		P	O	C	K	E	T	I	N	G		I
W		I		C	A		S	R	S			
U	N	K	N	O	W	N	S		R	A	V	E
P		E		O	S		F		V		D	
	U	S	I	N	G		T	I	G	E	R	
B		T		S	B		L		Y		E	
O	V	A	L		H	A	B	I	T	A	T	S
O		F		R	T		G	R	S			
M		F	E	A	T	H	E	R	E	D		A
E			F		E	E				Y		
D	E	P	O	T	S		L	E	V	I	E	S

No 47

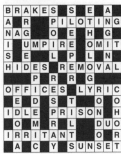

S	E	C		S	K	I		L	A	M	P	S
L		L			N		A	E		E		
U	N	I	T		A	P	O	S	T	A	T	E
M		N	G		U	S		N	P			
P	A	G	I	N	A	T	I	O	N		A	
			I		U	S			W	G		
D	A	N	I	S	H		E	S	T	A	T	E
I		G			M		A	V				
P		A	S	S	I	G	N	M	E	N	T	
P		Y	A	N	K		F	O				
E	M	E	R	G	I	N	G		C	O	L	T
R		T	E	O			R			R		E
S	W	I	M	S		W	H	O		M	U	M

No 48

B	R	A	K	E	S		S	E		A		
A		R			P	I	L	O	T	I	N	G
N	A	G		O		E		H	G			
I		U	M	P	I	R	E		O	M	I	T
S	E		L		P	L		N				
H	I	D	E	S		R	E	M	O	V	A	L
			P		R	R	G					
O	F	F	I	C	E	S		L	Y	R	I	C
E		D	S	T		O		O				
I	D	L	E		P	R	I	S	O	N		H
O		M	R		L		D	U	O			
I	R	R	I	T	A	N	T		O		R	
A		C	Y		S	U	N	S	E	T		

No 49

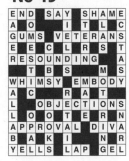

E	N	D		S	A	Y		S	H	A	M	E
A	O		I	T		L		C				
G	U	M	S		V	E	T	E	R	A	N	S
E		E	C	L		R	S		T			
R	E	S	O	U	N	D	I	N	G		A	
	T		B	S		M	S					
W	H	I	M	S	Y		E	M	B	O	D	Y
A		C		R	A		T					
L		O	B	J	E	C	T	I	O	N	S	
L	O		O	T		E		R	N			
A	P	P	R	O	V	A	L		D	I	V	A
B	A		K	I			N		R			
Y	E	L	L	S		L	A	P		G	E	L

No 50

|E|X|O|D|U|S| |M|A|T|T|E|D|
|X| | |N| |P|C| |A| | | | |
|T| |D|E|F|L|A|T|I|O|N| |N|
R		E		R	W		D	O		G		
A	P	P	R	O	V	E	S		I	S	L	E
S		L		Z	D	T	T		R			
	Z	O	N	E	S		B	R	O	A	D	
S		Y		N	F	U	L		S			
P	A	I	R		G	U	N	F	I	G	H	T
R		N	S	R		F	I		R			
U		G	U	E	R	R	I	L	L	A		A
C		E		Y	E		E			I		
E	X	T	E	N	T		A	S	S	I	G	N

No 51

F	L	O	A	T		E	R	R	A	T	U	M
A		R		O	L		P		P			
R	A	R		D		H	O	U	S	E		
M	A	C	A	Q	U	E	S		G		E	
H		L		U	S		L	E	F	T	S	
O	P	E	R	E	T	T	A		E		T	
U		S	S			A	P				A	
S		S		C	O	N	C	E	R	T	I	
E	J	E	C	T		P	Q		E		R	
O		R		R	E	P	U	B	L	I	C	
M	I	N	U	S		N		I		A	A	
N		F	F	E	T		T	T	S			
S	T	A	F	F	E	D		S	I	E	G	E

No 52

|P|A|R|O|D|Y| |A|S|S|A|Y|S|
|U| | |O|A| |E| | |O| | | |
|M| |B|R|O|A|D|N|E|S|S| |N|
I	L		R	U	K		I	N				
C	O	U	N	S	E	L	S		A	G	U	E
E		E		T	T		F	H		T		
	S	P	E	E	D		B	O	O	T	S	
A		R		P	B	U		I	E			
R	U	I	N		R	E	C	L	I	N	E	D
C		N	M		I	P	G				I	
A		T	R	I	A	N	G	L	E	S		C
N			E	G	A					A		T
E	R	R	A	N	D		N	Y	M	P	H	S

No 53

S	U	P	P	L	Y		G	R	A	T	E	S
P		L		A		D	E	A		X	I	
E	X	A	M	I	N	E		S	S	X	N	
E		N		R		P	O	P	P	I	N	G
C	A	K	E	S		O	O				E	
H		T		R		N	O	T	E	D		
	O		M	U	T	E	D		R			
T	A	N	G	O		A		E	E	L		
A			N	T		K	H	A	K	I		
R	A	V	I	O	L	I		E	T	C		
M		A	C		O	S	T	R	I	C	H	
A	M	L	N		C	S	E					
C	O	P	I	E	D		C	H	E	E	S	E

No 54

|F|A|R|E|S| |S|P|O|U|T|E|D|
|L| |E|N| |P| |N| |V| | | |
|A| |P|A| |A|O| |S|T|A|I|N|
S	T	E	E	P	I	N	G		I		C	
H		A		P	G		S	E	C	T	S	
B	A	T	T	E	R	E	D		S			T
U		S	R			I		B		U		
L		O		S	I	G	N	P	O	S	T	
	B	U	M	P	S		T	D	A		T	
M		E		B	A	G	U	E	T	T	E	
A	B	O	R	T		L		C		M	R	
R		A		I		T	E		E		E	
C	A	U	S	T	I	C		S	Y	N	O	D

347

Solutions

No 55

```
R E C E S S ■ S L A L O M
I ■ O ■ U ■ D ■ I ■ A A
C O M P E R E ■ Z ■ K S S
H ■ P ■ D ■ T R A D E R S ■
E V O K E ■ E ■ R ■ ■ E
S ■ U ■ R ■ D I A L S ■ ■
■ N ■ H O M E S ■ ■ I ■
M I D G E ■ I ■ ■ R ■ R
E ■ ■ X ■ N ■ U N I T E
T I M P A N I ■ L ■ N ■ I
R ■ O ■ G ■ N U C L E O N
I ■ A ■ O ■ G ■ E ■ S E
C I T I N G ■ E R A S E D
```

No 56

```
E G R E S S ■ H O U N D S
N ■ I ■ S ■ I ■ ■ E ■
V ■ R I D I C U L E S ■ R
I ■ E ■ E ■ O ■ S ■ E ■ I
E F F U S I O N ■ A R E A
D ■ O ■ H ■ P ■ F ■ E L
■ A R R O W ■ B R U N T ■
G ■ M ■ W U E ■ A ■
R U E S ■ A S C E N D E D
I ■ R ■ A ■ I ■ Z ■ E ■ I
E ■ S T R A N G E R S ■ T
V ■ C ■ G ■ R ■ ■ E ■
E A R T H S ■ I S L A N D
```

No 57

```
L I G H T E N S ■ T U S K
N ■ E ■ M ■ T ■ H ■ E
A D M I R E ■ E R R A N D
U ■ R ■ R U E ■ O ■ S
A C E S ■ G ■ L A N C E T
E ■ ■ E ■ ■ G ■
A D D L E D ■ B U S H E S
E ■ ■ E ■ A ■ N
A P P A L S ■ L ■ P O S T
L ■ F ■ I L L ■ U ■ U
P A L L O R ■ A L L U R E
N ■ E ■ E D S ■ E ■
S T E T ■ S U S P E N D S
```

No 58

```
H I D ■ O A F ■ C A T E R
I ■ E ■ O ■ R ■ H ■ A
R I D E ■ T R A I N E R S
E ■ U ■ U ■ B ■ M ■ N
R E C O N C I L E S ■ E
■ I ■ D ■ D ■ H ■ R
S E N I O R ■ A S S E S S
N ■ G ■ ■ L ■ O ■ A
A ■ O S C I L L A T E D
G ■ T ■ O ■ F ■ E ■ P ■ I
G R A D U A T E ■ H U N G
E ■ L ■ P ■ E ■ M ■ I
D U C K S ■ D A B ■ P I T
```

No 59

```
S ■ S ■ F ■ R ■ S ■ U
O X T A I L ■ F A R C E S
R ■ O ■ N ■ M ■ N ■ E ■ E
T O R N A D O ■ S O N A R
I ■ A ■ L ■ T ■ O ■ E ■ S
E R G S ■ F O A M S ■ ■
S ■ E ■ N ■ R ■ S ■ D ■ C
■ L I M B S ■ L I N E
S ■ K ■ P ■ I ■ U ■ G ■ L
C H I R P ■ K E S T R E L
U ■ L ■ I ■ E ■ H ■ E ■ I
F R O W N S ■ V E R S E S
F ■ S ■ G ■ R ■ S ■ T
```

No 60

```
L I B R A ■ L A N C E T S
A ■ A ■ B ■ O ■ A ■ U
A S ■ R ■ S ■ U ■ G L I N T
S E R G E A N T ■ M ■ N
I ■ I ■ N ■ G ■ B E R Y L
T R E N C H E S ■ D ■ O
U ■ R ■ E ■ P ■ F ■ N
D ■ S ■ L E A R N I N G
E J E C T ■ P ■ O ■ R ■ I
I ■ A ■ C O N T E M P T
G N O M E ■ C ■ E ■ I ■ U
G ■ P ■ H ■ G ■ N ■ D
B O D I C E S ■ E A G L E
```

No 61

```
C H I E F S ■ E ■ T O T
U ■ I ■ A M B E R ■ O
I M P E D E D ■ B ■ A ■ N
■ B ■ D ■ M ■ S L I T S
A L L E L U I A ■ L ■ U
E ■ ■ E ■ T ■ N ■ E ■ R
A S S U R E ■ S A D D L E
P ■ C ■ S ■ W ■ R ■ A
P ■ A ■ D O O R W A Y S
R E N E W ■ R ■ A ■ O
O ■ N ■ A ■ K E T C H U P
V ■ E A R N S ■ E ■ T
E N D ■ P ■ A S S I S T
```

No 62

```
R A I S E ■ B O U D O I R
O ■ C ■ N ■ L ■ A ■ O
W E S T ■ E ■ A G I N G
D E P R I V E S ■ G ■ I
I ■ I ■ G ■ D ■ R E A C H
N I C E N E S S ■ R ■ E
E ■ K ■ S ■ B ■ V ■ P
K ■ A ■ P S A L M I S T
S W I N E ■ H ■ O ■ S ■ A
■ R ■ G ■ R E S C U I N G
C I V I C ■ E ■ K ■ T ■ O
S ■ N ■ T ■ E ■ E ■ N
A T T A C K S ■ D O D O S
```

No 63

```
P A G E R S ■ A Z A L E A
I ■ E ■ O ■ R ■ O ■ I ■ D
C E N S U R E ■ O ■ E ■ H
K ■ E ■ G ■ C O M M U N E
E A R T H ■ I ■ I ■ ■ R
D ■ A ■ T ■ P ■ N U D G E
■ A T ■ S H R U G ■ E
A G E N T ■ O ■ T ■ U
B ■ ■ A ■ C ■ S P A W N
S C H E R Z I ■ W ■ I ■ I
O ■ E ■ V ■ T R I P L E T
R ■ R ■ E ■ Y ■ R ■ E ■ E
B L O N D S ■ B L A D E S
```

Solutions

No 64
```
O U T L A Y S . A V O I D
W . I . P . . . U . P . W
N O T E S . C O R N I C E
E . T . E . I . A . N . L
R E E F . T R Y . Y E L L
. . . R . O . C . P . . E
R . S I N G U L A R S . R
E . . . E . I . T . P . .
D O G S . S T Y . F A C T
O . U . K . R . S . R . I
I N A N I T Y . T A K E R
N . V . S . . . E . L . E
G L A S S . N U T M E G S
```

No 65
```
R E C A L L . R I D D L E
E . . A . F . C . . . . N
C . R E T A I L E R S . T
I . E . E . R . D . T . R
P A L E N E S S . Y O G A
E . A . E . T . G . N . P
. S P A S M . C R E E K .
D . S . S . S . O . W . T
E M I R . B E Q U E A T H
C . N . P . A . N . L . R
A . G O L D M E D A L . E
Y . . . U . S . E . . . A
S Q U A S H . A D J U S T
```

No 66
```
S I E G E S . A V O W A L
O . N . A . H . I . O . O
F A T I G U E . T . R . N
F . I . E . S P A R K L E
I N C U R . I . M . . . R
T . I . . . T . I D O L S
. . N . S T A I N . C . .
R I G H T . . . C . L . L
U . . . R . I . P R U N E
S O P R A N O . U . P . N
I . T . O . Y . N U R S I N G
. . . . . . . . . . . . .
C O M E D Y . S E A R C H
```

No 67
```
S U B U R B . P . O . B
K . Y . R A R E F I E D
I M P . A . E . F . T .
R . A V E N U E . I O T A
T . S . D . N . C . E .
S U S H I . J E W E L R Y
. . . A . K . D . R . .
T W I R L E D . A S T E R
. I . D . T . E . R . O .
A L A S . C A M E R A . U
. T . H . H . B . . U R N
R E T I C U L E . . M . D
. D . P . . P . D E L A Y S
```

No 68
```
R O A S T . P E A F O W L
E . S . E . L . . L . A
C . S . X . A . H O O F S
E M I T T I N G . W . E
P . G . I . E . S E A R S
T O N A L I T Y . R . T
I . S . E . . D . O . E
O . . A . S O C I A B L E
N I N T H . X . S . L . P
. G . T . G Y R A T I O N
P L I E D . G . B . Q . E
O . . S . E . L . U . S
B O A T M E N . E V E N S
```

No 69
```
C O R O N A . S . P . S
I . A . . . P O P U L A T E
N O D . P . I . U . R
D . I S L A N D . M A I L
E . U . L . E . B . C
R E S E T . A R T I S T S
. . X . C . S . N . .
S P E C K L E . A G A P E
R . E . O . M . . L . U
T O W S . S C A M P I . L
. P . S . E . C . . B O O
D E M E N T I A . I . G
L . S . S . . W H I S K Y
```

No 70
```
P . A . L . . . T . H . Z
R E D E E M . F I G U R E
E . O . M . S . L . M . B
C E R A M I C . L E P E R
E . N . A . U . E . S . A
D O E R . S P A R K . .
E . D . C . P . S . C S
. B O W E D . T O F U . .
O . G . L . R . E . P B
R O Y A L . E N J O Y E D
B . P . I . D . E . C U
I N S I D E . S C R A P E
T . Y . E . . . T . T D
```

No 71
```
I G L O O . O U T B A C K
M . A . U . U . . A . R
P . P . T . T . T Y P E S
R E S I D U A L . I . P
E . I . O . G . U N I T E
S U N D E R E D . G . X
S . G . S . . G . C . T
E . . D . M A C A R O N I
S T A I N . R . L . M R
. I . S . L O L L I P O P
A B A T E . U . O . A A
I . I . S . . N . R . T
E A R L O B E . S I E V E
```

No 72
```
V . M . V . . . P . D . C
A D O R E S . P A G O D A
M . O . X . T . U . D . R
P A R V E N U . S U G A R
I . H . S . R . I . E . Y
R U E S . A G E N T . .
E . N . E . I . G . H R
. G L A D E . S A G A . .
R . A . E . I . L . U I
I O N I C . T R I F L E D
S . G . T . Y . N . A E
K E E P E R . M E R G E R
S . L . D . . . R . E S
```

Solutions

No 73

```
W I L D F I R E . A V I D
O . A . O . . O . A . E
O W N E R . B U C K L E S
D . D . E . O . U . S
. E . T . T R A P E Z E
R A D I A N S . L . R . R
O . . I . . S . O . . T
O . I . T . C L O S E T S
S C R E E C H . F . M
T . I . . A . N . B . O
I N S U L I N . E A R E D
N . E . . G . S . Y . D
G I S T . P E N S I O N S
```

No 74

```
B A R R O W . R . D E W
. D . U . T H E M E . I
A D A P T O R . A . F . T
L . C . A . M U L C H
L I T E R A C Y . E . E
N . I . T . F . C . R
A G R E E D . P L A T E S
R . O . S . T . A . N
R O . P O R T H O L E
I N F E R . M . T . I
V . I . I . B E E H I V E
A . N I C K S . N . E
L U G . E . . I S L A N D
```

No 75

```
E S C A P E . O F F I C E
X . L . L . C O D . R
T R E M O L O . N . O . A
O . A . Y . M I D D L E S
R I N K S . M . A . E
T . S . . U . N I N E S
. . E . T E N E T . A
F O R G O . I . . R . S
O . R . W . T . F A C E T
O R I G A M I . O . O . Y
L . D . R . E R R A T U M
I . L . D . S . T . I
C H E E S E . P S Y C H E
```

No 76

```
M O O D S . T S U N A M I
O . P . H . W . A . I
D P . A . E V E N S
U N R A V E L S . I . D
L . E . I . V . S E N S E
A B S E N T E E . S . Q
T . S . G . . S . P . U
E . I . B A C T E R I A
S A I N T . L . O . E . L
. O . T . L I B R E T T I
P R I E S . E . A . E . Z
R . T . N . G . N . E
P A N D E R S . E I D E R
```

No 77

```
C R E C H E . S . A S P
. E . A . A T T I C . H
O V E R R U N . O . R . O
. I . A . G . P H O N E
A S C E N D E D . N . N
. E . G . L . P . Y . I
A S Y L U M . C L I M A X
R . E . E . G . O . N
T . L . S U B T L E T Y
I S L E T . E . T . H
S . I . H . S P I N N E Y
T . N E E D S . N . M
S A G . N . . E G R E S S
```

No 78

```
A V O I D . I T C H I N G
P . R . E . N . U . E
P A V . T . K N O W S
R E T A I N E D . G . T
A . O . A . R . P R I S M
I R R I T A N T . Y . I
S . S . E . . I . B . D
E . S . F A R M Y A R D
S L A K E . M . P . L . L
E . I . N U M E R A T E
I V O R Y . S . T . N . M
E . U . E . U . C . A
B L E N D E D . S H E E N
```

No 79

```
N E G L E C T S . S T U D
O . R . C . H . . H . E
D R I L L . O P P R E S S
S . L . I . N . . R . E
. L . P . G L I M M E R
P R E S S E S . N . S . T
R . . I . . T . . T . E
O . C . N . D R E D G E D
W R A N G L E . R . O
L . R . R . P . V . A
I N E R T I A . L E E K S
N . S . . I . A . R . P
G A S H . P L A Y I N G S
```

No 80

```
D O M A I N . H E I G H T
E . A . V . R . N . I . E
D E C L I N E . L . F . N
U . K . E . P R I N T E D
C H E S S . A . S . . E
E . R . . T . T I M E R
. E . P O R T S . I
B A L S A . I . L S
E . . R A . P R E E N
I M P L A N T . U . P . E
N . A . S . E A R L O B E
G . L . O . D . R . S . Z
S H E L L S . T S E T S E
```

No 81

```
F R O N D S . G . S P Y
. E . O . P R I S E . A
S T I G M A S . R . R . R
. A . I . A . D I V E D
U R G E N T L Y . I . A
. D . I . M . A . C . G
E S C R O W . S L E E V E
X . R . N . B . L . E
A . U . B R U I S I N G
C A S E D . I . A . D
T . H . U . B E N E F I T
E . E V O K E . C . N
D U D . S . . R E F U G E
```

Solutions

No 82

```
F I T T I N G S ■ S O C K
N ■ W ■ A ■ M ■ H ■ H ■
A S S E R T ■ O P E R A S
U ■ E ■ I L K ■ A ■ I ■
G R I D ■ V ■ E X T O R T
E ■ ■ ■ E ■ ■ ■ H ■ ■ ■
A D D E R S ■ C A S T E S
■ L ■ ■ A ■ ■ ■ S ■ ■ ■
T A R I F F ■ M ■ N I C E
V ■ C ■ I C E ■ I ■ A ■
R A D I A L ■ R E C I P E
I ■ T ■ M ■ A ■ H E ■ ■
I L L S ■ S U S P E N D S
```

No 83

```
D I N E R S ■ W H A L E S
I ■ ■ E ■ G A ■ Q ■ ■ U
I P ■ A D V E R S I T Y ■ U
P P ■ I ■ A ■ R ■ E ■ A ■
E X P O S I N G ■ U S E D
D ■ R ■ I ■ T L T ■ S ■
■ M O T O R ■ C O D E S ■
T ■ V ■ N ■ C L R ■ I ■
U N I T ■ C O L L I D E S
N ■ N ■ R ■ U ■ I ■ A S ■
N ■ G E O G R A P H Y ■ U
E ■ E ■ T T O ■ ■ ■ E ■
L A D D E R ■ O P I N E S
```

No 84

```
C U R R E N T S ■ P U F F
N ■ E ■ U ■ L ■ R ■ I ■
S T R E W N ■ A V O W E D
R ■ D ■ N A N ■ T ■ N ■
M U G S ■ E ■ T R E N D S
T ■ ■ ■ R ■ ■ ■ C ■ ■ ■
T H E O R Y ■ P A T T E N
■ V ■ ■ L ■ ■ ■ L ■ ■ ■
A D V E N T ■ U ■ C R E W
O ■ R ■ W A R ■ A ■ M ■
A G O U T I ■ A R C H E R
G ■ S ■ G ■ L ■ H ■ N ■
P Y R E ■ S U S P E C T S
```

No 85

```
M E D I U M ■ P ■ L ■ P
O ■ E ■ ■ A D E N O M A S
T O E ■ G ■ N ■ A ■ T ■
H ■ P L U M E S ■ T O R E
E ■ E ■ A ■ I ■ H ■ O ■
R U N T S ■ P O T I O N S
■ A ■ ■ E ■ N ■ N ■ ■ ■
F L E X I N G ■ A G O N Y
E ■ P ■ D ■ E ■ U ■ A ■
N A S A ■ U P L I F T ■ W
P ■ Y ■ R ■ I ■ ■ B A N
V E H E M E N T ■ I ■ E ■
■ D ■ R ■ D ■ E X U D E D
```

No 86

```
S W O O P S ■ S ■ T O W
A ■ R ■ A G O N Y ■ ■ I
L I Q U O R S ■ N ■ C D
T ■ F ■ T ■ ■ F T ■ S T O N E
V E R I F I E R ■ O ■ N
R ■ E ■ R ■ P ■ N ■ E ■
A S S E R T ■ E R A S E D
N ■ Q ■ S ■ L ■ O ■ D ■
S U ■ U ■ S E R V I N G S
W H A R F ■ E ■ I ■ I ■
E ■ L ■ E ■ R A S P I N G
R ■ O V A L S ■ O ■ G ■
S I R ■ R ■ T S E T S E
```

No 87

```
D ■ T ■ T ■ ■ S ■ F ■ P
O C U L A R ■ U P T A K E
W ■ R ■ L ■ G ■ U ■ I ■ E
S E T T L E R ■ R U N U P
I ■ L ■ Y ■ I ■ R ■ T S ■
N E E D ■ G E N E S ■ ■
G ■ S ■ W ■ V ■ D ■ R A
■ ■ P H I A L ■ H A N G
G ■ L ■ I ■ N ■ A ■ I I
R O O T S ■ C A B I N E T
I ■ G ■ P ■ E ■ Y ■ B A
S O I R E E ■ A S S O R T
T ■ C ■ R ■ ■ S ■ W ■ E
```

No 88

```
L O C K E T ■ G ■ P ■ S
I ■ O ■ ■ S E N T R I E S
M U D ■ A ■ O ■ E ■ D ■
B ■ D E B R I S ■ T A G S
E ■ L ■ ■ S ■ T ■ E ■ E
R E E F S ■ L I O N E S S
■ A ■ D ■ C ■ C ■ ■ ■
G R A N D E E ■ A E G I S
I ■ A ■ S ■ F ■ L ■ Q ■
S P A T ■ P U R I F Y ■ U
P ■ I ■ A ■ A ■ ■ P H I
R E A C T I O N ■ H ■ N
■ D ■ S ■ R ■ C O R S E T
```

No 89

```
K A N G A R O O ■ V I S A
I ■ I ■ E ■ I ■ A ■ H ■
C L E F T S ■ L U S T E R
M ■ T ■ U A E ■ S ■ A ■
B E E S ■ M ■ D W A R F S
N ■ ■ ■ E ■ ■ ■ L ■ ■ ■
S T A Y E D ■ P I S T O N
■ ■ T ■ ■ R ■ ■ B ■ ■
I N S T E P ■ I ■ L A V A
O ■ R ■ H E M ■ A ■ E ■
I N D I G O ■ E M I G R E
C ■ U ■ T ■ R ■ R ■ S ■
S E A M ■ O B S E S S E D
```

No 90

```
S W E A R S ■ C R U T C H
T ■ E ■ M A ■ ■ ■ O ■
R ■ D E P L O R I N G ■ A
E ■ E ■ L ■ U ■ L ■ U X
S U S T A I N S ■ R A V E
S ■ P ■ C ■ T ■ D ■ R R
■ L O V E R ■ F E N D S ■
G ■ T ■ D ■ B ■ S ■ S E
L A I R ■ C O S T U M E S
A ■ S ■ A ■ X ■ R ■ E C
N ■ M A N N E Q U I N ■ A
C ■ ■ O ■ R ■ C ■ ■ P
E X P E N D ■ S T O D G E
```

Solutions

No 91

```
P A G E S   Y E L L I N G
E   I   Q   O   O   O
T   M   U   U   J A M B S
R A M P A R T S   D   L
O   I   L   H   S E X E S
L A C R O S S E   D   W
E   K   R   A   A   A
U   O   S U R V I V A L
M U F F S   R   E   A   L
  S   F   S C E N A R I O
W A I S T   H   U   I   W
  G   E   I   E   C   E
M E N T I O N   S T E E D
```

No 92

```
H O R S E M E N   B E S T
  F   A   A   O E T   U
A F F R A Y   U P S H O T
  E   I   P A N   P   I
G N U S   O   S P E E C H
  C       L   A
S E T T L E   A U K L E T
  E   M   P       I
B A R R I O   I   F I S T
  D   M   A A A   A   I
A D D I C T   B U C K L E
  L   T   H   L   E   O
W E R E   S H E E T I N G
```

No 93

```
C R I T I C   D I S A R M
A   N   S D   A       A
N   I N V E N T O R Y   X
A   N   O   A   L   A
L E T T I N G S   S C A M
S   E   C   S   K   H   S
  B R I E F   D I E T S
R   C   S   S   N   S   A
A P E X   S U B S U M E S
T   P   M   S   F   A   S
I   T O U C H D O W N   O
N   S   I   L       R
G A I N E D   E K E O U T
```

No 94

```
G L A S S F U L   A C M E
  I   A   A   I N   A
S T A G E S   E N G I N E
  E   E   T E N   E   G
E R G S   I   S A L O O N
  A   N   U       U
F L Y I N G   M I S S E S
    M       A       X
P U L P I T   A G   M U C K
S   L   W O N   O   I
B I K I N I   E N T I T Y
  N   E   G   T   T   E
A G E D   S U S P E N S E
```

No 95

```
A G E   P E A   B R A K E
B   N   L   A   P   N
A U R A   A B A C U S E S
T   I   I   U O E   I
E X C I T E M E N T   G
  H   E   S   C   N
T H E R M S   U T T E R S
R   S   S   S H   L
A   E S C A P E M E N T
N   B   O   L   N R   U
S P O O N F U L   L I E N
O   O   G   T   A   E
M E M O S   E R A   C A D
```

No 96

```
D E S K S   R E C A S T S
U   H   C   E   T   H
P   U   A   S   B R O I L
L I N O L E U M   I   N
I   N   L   L   Q U E S T
C H E R O O T S   M   H
A   D   P   A   S   R
T   S   F O R M U L A E
E L G A R   B   A   U   S
  A   C   F L A T F I S H
S T O R Y   I   E   C
  E   U   G   U   E R
E X A M P L E   R U S K S
```

No 97

```
L O U D N E S S   S T I R
I   N   O   H   R   E
M A R E S   A D D R E S S
P   E   E   N   A   I
  S   D   D E C A D E S
P E T R I F Y   R   S   T
E   V   I   O
R   T   E   M A T A D O R
S O A N D S O   I   Y
P   R   I   Q   E   K
I M M E R S E   U N I O N
R   A   T   E   N   O
E A C H   E Y E S I G H T
```

No 98

```
U N I O N S   S   G   A
M   C   T Y P O L O G Y
B Y E   A   H   U   R
R   M U M B L E   E Y E D
A   A   S   R   L   E
S I N K S   P E R I O D S
  E   M   S K
P O L Y M E R   F E T C H
  I   H   M   H   E   A
A L T O   E G O I S M   I
  M   L   N   V   P A L
P A T E N T E E   T   E
  N   S   O   R O U S E D
```

No 99

```
T A R M A C   D E L E T E
R   R   T   V       U
A   P A T E R N I T Y   R
U A   I   A   L   E   E
M O N A S T I C   H A C K
A   I   T   L   C   R   A
  S C A R E   L I M B S
R   K   Y   R   T   O   S
A X I S   P E D A G O G Y
T   N   O   B   D   K   R
I   G A R D E N E R S   U
O       A   L   L       P
N E T T L E   A S I A N S
```

352

Solutions

No 100

```
P A R L A N C E   E V I L
O   E   N   O   I   E
M A P L E   A N C H O R S
P   U   C   T     L   S
    T   D   E M I R A T E
T O E H O L D   N   S   N
U       T           T
R   T   E   G U R G L E D
B R U I S E R   I   A
I   R   I   G   M   S
N E T B A L L   U M B R A
E   L   L   E   D   F
S U E T   S E A S C A P E
```

No 101

```
P   A L     P   S   K
O F F S E T   C I P H E R
R   F   A   A   C   E   I
T E L A V I V   K N E L L
I   I   E   O   L   T   L
N I C K   R I V E R
G   T   S D S   D   C
    A L G A E   V I S A
S   K   I   N   S   S   L
T U N I C   C O M P A N Y
U   A   I   E   A   R   P
D I V I N E   S L U M P S
Y   E   G     L   S   O
```

No 102

```
R E C A S T   K E R N E L
O   E   F   V       E
B   S M A L L N E S S   N
O   T   W   A   N   T   S
T E R R A P I N   M A D E
S   E   T   R   T   R   S
  U T T E R   D R I L L
C   C   R   S   O   I   A
H A H A   I N D U L G E D
E   E   G   I   S   H   V
S   S P E E D I E S T   E
    S   L   E   R     N
E X C U S E   A S S O R T
```

No 103

```
D E V O L V E D   P E E P
  D   R   I   U   R   Q
F U N G U S   C H O R U S
  C   A   I L K   L   I
M A I N   T   S W O O P S
  T       O       N
B E A T E R   B E G G A R
  R       A       R
M I L I E U   I   F O O D
  M   F   N I T   I   U
G A R L I C   I N F U S E
  G   E   L   N   T   A
H E I R   E G G S H E L L
```

No 104

```
F   E   F     D   P   I
O R D E R S   S E C O N D
R   I   E   P   F   U   I
B U F F A L O   O U T D O
I   I   K   S   R   S   M
D O C K   S T U M P
S   E   G   P   S   C   P
    B A R O N   S A R I
W   S   L   N   T   D   P
I M P E L   E X U D A T E
E   A   O   S   R   V   T
L A R Y N X   A F F E C T
D   S   S     S   R   E
```

No 105

```
B E H E S T   L   A W E
  N   P   A R I A S   R
O V E R R A N   L   S O
  Y   I   G   T R I P S
D I A G N O S E   S   I
  N   T   T   W   T   O
A G R E E D   C H O S E N
R   A   R   G   I   A
M   D   D I A S P O R A
F A I T H   P   K   L
U   A   O   S H I E L D S
L   T A L L Y   E   O
S U E   E   A S S U M E
```

No 106

```
L I T E R A T E   C O W L
S   T   N   B   H   I
A S T H M A   O C E A N S
U   O   T A N   R   C
H E N S   O   Y O U T H S
R       M       B
O S P R E Y   P I S T O L
  A       O       M
M A X I M A   T   F L E X
R   L   B R A   E   L
C O B W E B   B L A M E D
S   A   O   L   S   T
D E F Y   T R E A T I S E
```

No 107

```
S I E S T A   C   P   C
H   S   S T A P L E R S
I M P   S   D   U   E
F   R E C E D E   M E A T
T   I   S   N   P   T
S I T E S   S C R I B E S
    M   D   E   N
W R A P P E R   O G R E S
E   E   F   W   I   W
S T I R   E C H O E D   O
A   O   C   I   E A R
V I B R A T E S   R   D
N   S   S   K I S S E S
```

No 108

```
P R E C E D E S   C U S S
  E   O   U   T   H   E
E L E V E N   Y I E L D S
  O   E   G E L   A   A
H A I R   E   I N T O N E
  D   O       E
A S S I G N   T I D I E D
  C       E       A
T A K E R S   T   G O R E
  B   C   P E A   I   N
B O N O B O   N A V I E S
  V   L   O   U   E   R
M E N D   N O S I N E S S
```

Solutions

No 109

```
S Y R U P S . . R . . W A R
E . I . . O P I N E . O .
A L M A N A C . M . E . A
L . I . T . E A V E S .
F O L L O W E R . I . T
W . N . T . P . L . E
I S S U E S . R A I S E D
N . C . D . S . T . L
V . U . P O L I S H E D
I N P U T . A . E . G
T . P . W . P E N G U I N
E . E M I T S . C . E
S I R . N . R E P O S E
```

No 110

```
D R O V E . F I E S T A S
E . P . M R . C . V
F . T . P I . M A N O R
E X I S T I N G . L . I
C . O . I . G . F E N D S
T E N D E R E D . S . E
I . S . D . B . C . M
O . S . B R O U H A H A
N O T C H . O . L L . P
. C . A . F U R L O U G H
S E A M S . T . E . M . O
A . P . E . T . N . R
I N D I C E S . S T Y L E
```

No 111

```
R . F . S . . . P . H . K
U N L O C K . P S E U D O
S . I . R . P . Y . R . A
T O R N A D O . C A R O L
L . T . P . R . H . Y . A
E V E N . O P T I C .
D . D . C . O . C . A . D
. . P A N I C . I D L E
S . A . R . S . O . J . C
T U N E R . E X C L U D E
O . K . O . S . E . N . A
V A L E T S . S A U C E S
E . E . S . . . N . T . E
```

No 112

```
B O D I E S . U S U R P S
E . O . X . C . C . O . E
A V O C A D O . R . L . A
C . R . C . N O O D L E S
O N S E T . F . L . O .
N . T . . O . L E M O N
. O . N O U N S . E .
A L P H A . N . . M . U
S . . R . D . C R O S S
S C H E R Z I . R . A .
A . A . . N A G G I N G
I . N . T . G . A . A . E
L U G G E D . G R I L L S
```

No 113

```
W E D . S A P . O U T D O
H . E . . E . F . A . Y
I D L E . P R E F E C T S
L . U . U . M . A . T . T
E S S E N T I A L S . . E
. . I . D . T . . L . R
P R O L O G . A V O I D S
R . N . . S . E . M .
U . O B I T U A R I E S
N . R . O . O . L . T . W
I R O N W O R K . D I V A
N . T . I . K . . N . R
G R A V E . S O N . G U M
```

No 114

```
I N F O R M . I M P A R T
N . L . A . I . O . R . O
C L A T T E R . D . I . W
I . G . E . O P E R A T E
T E S T S . N . L . L .
E . H . . M . E D I T S . N
. . I . B R O O D . N
I M P E L . N . . Q . A
G . . I . G . B O U T S
L I C E N S E . A . I . S
O . A . D . R E S E R V E
O . K . E . S . I . E . S
S T E A D Y . B L A S T S
```

No 115

```
E N O U G H . C A V I T Y
U . R . T . C . . . E
R . H E A D W I N D S . L
E . A . P . E . E . I . L
K E R C H I E F . A D Z E
A . S . I . D . S . E . D
. C H A T S . P H A S E
B . N . E . F . A . H . I
R E E D . W O O D W O R M
E . S . T . L . O . W . P
. S H U T D O W N S . A
C . . N . S . E . . . C
H O U S E S . A D V E R T
```

No 116

```
P L E A T S . A V E R T S
R . S . R . D . E . O . A
A P P E A S E . S . D . D
N . R . P . M I S U S E D
K E E L S . O . E . L .
S . S . . L . L E D G E
. S . B O I L S . . R
G L O V E . T . . I . P
A . D . I . . R A Z O R
S H A M P O O . E . Z . A
K . R . O . N O V E L T Y
E . E . S . S . E . E . E
T O A S T S . G L I D E R
```

No 117

```
O R D N A N C E . I C E S
U . R . S . A . . H . E
T O I L S . N E T T I N G
S . V . I . A . . L . M
. . E . S . R E P U L S E
D I L U T E D . U . S . N
E . . A . . B . . . T
P P . N . M E L L O W S
R I S O T T O . I . C .
I . Y . . T . S . C . M
V A C C I N E . H O U S E
E . H . . L . E . R . M
S E E D . E S P R E S S O
```

354

Solutions

No 118

C	A	M	E	O		H	O	S	T	E	S	S
O		O		C		I		R		A		
V		P	E	R		R		B	A	S	T	E
E	M	P	H	A	S	I	S		I		Y	
R		I		N		N		S	T	O	R	Y
L	O	N	G	I	N	G	S		S		E	
E		G		C			S		S		A	
T			T		M	A	R	K	E	T	E	R
S	O	L	E	S		Z		I		U		B
	Z		A		F	A	N	D	A	N	G	O
V	O	U	C	H		L		D		N		O
N		U		E		E		E		E		K
T	E	M	P	E	R	A		D	A	R	E	S

No 119

H	O	T	S	P	O	T	S		R	A	G	E
S		A		B		H		E		E		
S	M	A	C	K	S		O	B	L	O	N	G
O		K		E	W	E		E		I		
U	S	E	S		R		S	T	A	V	E	D
I			V		S			S				
E	S	T	A	T	E		K	E	E	P	E	R
			L			A		S				
D	I	V	I	D	E		R		D	O	S	E
G		A		R	I	A		E		E		
P	L	A	S	M	A		O	I	L	I	N	G
O		E		S	K		T		C			
L	O	W	S		E	L	E	V	A	T	E	S

No 120

M	I	G	H	T	Y		A	S	S	I	G	N
I		U		I	G		I		S	U		
S	H	E	A	R	E	R		T		L		R
S		R		E		A	B	U	S	E	R	S
E	V	I	L	S		M		A				E
D		L			O		T	I	C	K	S	
		L		A	P	P	L	E		O		
S	T	A	I	N		H		R		E		
T			A		O		S	E	V	E	R	
O	C	T	A	G	O	N		C		E		O
N		O		R		E	N	A	C	T	E	D
E		O		A		S		N		T		E
S	A	L	A	M	I		U	S	H	E	R	S

No 121

S		S		P			R		A		B	
H	A	T	F	U	L		R	E	N	D	E	R
U		I		P		D		D		M		A
F	O	L	I	A	G	E		U	S	I	N	G
L		E		D		C		T		S		S
L	I	E	D		M	I	S	E	R			
E		D		C		C		S	T		P	
			S	H	O	A	L		U	R	G	E
S		V		A		T		S	A		R	
I	L	E	U	M		E	X	P	E	N	D	S
F		I		O		D		R	C		I	
T	E	N	N	I	S		G	I	V	E	R	S
S		S		S			G		S		T	

No 122

H	U	B	B	U	B		D	O	N	O	R	S
U			N		A		V			E		
M		M	E	R	I	D	I	A	N	S		E
B		E		A		O		L		T		K
U	N	C	O	V	E	R	S		U	R	G	E
G		H		E		N		T		I		R
	B	A	I	L	S		G	R	A	D	E	
S		N		S		G		A		E		O
K	N	I	T		P	R	E	V	E	N	T	S
I		Z		S		E		A		C		T
N		E	X	T	R	E	M	I	T	Y		L
N			E		N		L			E		E
Y	A	C	H	T	S		U	S	U	R	E	R

No 123

N	A	U	S	E	A		T		F		I	
I		N		B	R	O	I	L	I	N	G	
G	A	S		Y		A		A		G		
G		E	R	A	S	E	S		M	I	E	N
L		E		S		T		E		S		
E	N	N	U	I		R	E	U	N	I	T	E
			N		D		R		C			
H	E	A	D	S	E	T		C	O	D	E	S
D		E		S		S		O		H		
T	I	E	R		P	L	A	N	E	D		A
T		C		A		U		G	U	M		
D	E	L	U	S	I	O	N		E		E	
D		T		R		A	M	U	S	E	D	

No 124

P	O	P		N	E	T		F	O	O	L	S
R		R		I		U		M		I		
I	B	E	X		E	M	I	T	T	I	N	G
N		S		I		E		O		T		N
T	H	U	N	D	E	R	I	N	G			A
	M		L		S			L		L		
G	R	E	B	E	S		P	L	A	I	T	S
A		D			U		U		M			
R		D	I	S	P	E	N	S	E	R	S	
N		F		M		H		G		R		T
E	X	E	M	P	T	E	D		P	I	E	R
T		L		L		L		C		A		
S	U	L	K	Y		D	U	B		K	E	Y

No 125

M	A	N	G	O	S		A		T	A	R	
C			P		A	N	G	E	R		E	
S	C	R	E	E	D	S		E		A	F	
U			R		T		S	K	I	R	L	
I	S	O	L	A	T	E	S		N		E	
E		T		R		B		E		C		
E	S	C	R	O	W		C	R	E	D	I	T
V		H		R		C	A		S			
A		A		D	O	W	N	H	I	L	L	
S	C	R	U	B		U		D		A		
I		R		R		P	A	I	N	I	N	G
O		E	D	I	T	S		S		D		
N	O	D		G		T	H	I	R	S	T	

No 126

F	L	E	E	C	E		A	S	I	D	E	S
A		X		R		F		C		I		H
T	R	E	M	O	L	O		O		V		I
H		M		N		R	E	F	R	A	I	N
E	M	P	T	Y		L		F				E
R		L			O		E	V	E	N	S	
		A		H	I	R	E	D		N		
F	O	R	G	E		N		T		C		
I			X		N		F	I	R	T	H	
B	A	N	D	A	G	E		A		A		I
U		O		G		S	P	I	N	N	E	R
L		O		S		N		T		T		P
A	W	N	I	N	G		S	T	A	S	I	S

Solutions

No 127

```
B . A . S . . M M . A . .
R A B B I S . H A T I N G
O . A . N . L . R . D . E
T O N S U R E . V E G A N
H . D . S . V . E . E . T
E G O S . G I R L S . . .
R . N . F . A . S . B . C
. . F O O T S . L A M A .
B . D . R . H . A . N . T
A D O P T . A S S U A G E
L . D . U . N . S . N . R
S C O R N S . R E N A M E
A . S . E . . . T . S . D
```

No 128

```
I N T E R V A L . O M I T
T . R . H . C . . O . E .
E V O K E . C O M P A R E
M . L . U . U . N . T . .
. . L . M . S C R E E C H
D I S E A S E . E . R . I
O . . . T . . . M . . . N
L U . . I . B O I L I N G
P A N A C E A . T . M . .
H . I . . . K . T . P . P
I N S P I R E . I R A T E
N . O . . . R . N . L . N
S U N G . R Y E G R A S S
```

No 129

```
S C H I S M . H . P A T .
O . A . A V A I L . A . .
I N C I T E S . U . A . V
C . . I . S . L A T H E .
R E V E R T E D . E . . R
R . I . T . L . N . N . .
A T T E S T . F E A S T S
G . H . T . D . G . . . A
O . U . . S E P A R A T E
N O M A D . R . T . . . T
I . P . E . B L E A T E D
Z . E N E M Y . E . . . R
E N D . D . . . T S E T S E
```

No 130

```
F A C E L I F T . H A T S
. R . B . L . I . O . . I
S C H O O L . T I N G L E
. H . N . I L . E . E . .
D E N Y . E . E N S U R E
. R . . . S . T . . . . .
N Y M P H S . A S Y L U M
. . . A . . R . . R . N .
S H I R T S . T . N I C K
. I . R C H I . I . . H .
I G N O R E . S A N D A L
. H . T . N . T . T . I .
I S I S . E L E P H A N T
```

No 131

```
B E I N G S . O . L O B .
. L . R . U M B R A . A .
M A N U A L S . O . T . T
. . . S . D . E L E C T .
S T A T U A R Y . R . L .
. I . . A . Y O A . E . .
I N G O T S . B U G L E S
M . R . E . V . T . Y . .
P A . B I P L A N E S . .
R E F I T . E . O . . L .
O . T . A . W H O O P E D
V E V I L S . K . T . . .
E N D . L . . A S S I S T
```

No 132

```
R E G U L A R S . C Z A R
E . O . U . E . . I . . O
A N V I L . V O Y A G E S
L . E . L . I . . Z . . E
. . R . A . E X T R A C T
L O N G B O W . E . G . .
A . I . . . R . . R . . E
U S E . F A M I N E S . .
R I P O S T E . I . O . .
E . O . . . L . N . T . A
A R O U S A L . A R I A S
T . F . . . O . T . C . K
E A S T . T W E E T E R S
```

No 133

```
S A L I V A . S . P . A .
L . I . . S U P P R E S S
A R M . S . O . U . S . .
Y . I N V E N T . P L U M
E . T . T . T . E . R . .
R E S I N . L E A R N E D
. . R . E . R . T . . . .
S P L O D G E . L Y R I C
E . N . O . M . I . I . H
C R O W . I T A L I C . I
. M . O . S . G . . . H E M
L I B R E T T I . . E . E
. T . K . S . C E N S U S
```

No 134

```
S W A G G E R . S O L I D
Y . N . A . . . E . Y . I
R A I N S . S C A R I N G
U . M . H . T . S . N . G
P E A L . F E D . A G U E
. . T . A . A . S . . . R
S . E S T I M A T E D . S
P . . . E . S . Y . E . .
I M P S . C H I . Y E L L
N . A . T . I . O . P . U
A I R S H I P . B L E A T
C . K . U . . . O . N . E
H E A R D . C R E A S E S
```

No 135

```
P I N . I V Y . T O N G S
I . U . . E . H . E . U .
A C M E . T A M E N E S S
N . B . E . R . T . D . P
O R N A M E N T A L . . E
. . E . I . S . . S . C .
B E S E T S . S P R O U T
A . S . . . G . A . N . .
N . . S W E A T S H I R T
Q . A . A . R . T . N . O
U P R I S I N G . F L E W
E . E . P . E . . A . E .
T E A R S . R O W . W A R
```

Solutions

No 136

```
I M P O R T   P L A Y E R
N   R   A   A   O   E   U
C H E M I S T   R   T   I
O   S   D   T O R S I O N
M A S T S   E   I       E
E   M       N   E R R E D
    E   N O D E S   E
L A N C E   A       V   P
E   S   N   E P O C H
A Q U A T I C   B   L   A
S   S   E   E V O L V E S
E   E G S   N   E   E   E
D O S A G E   H Y B R I D
```

No 137

```
M O O R I N G S   I C E D
E   C   N   R   H   A
N E C K S   I N Q U I R Y
U   U   P   N   N   D
    R   E   D O U B T E R
I N S E C T S   T   Z   E
N   T       I       A
D   S   O   G A L L I U M
E M P O R I A   I   M
N   R   L   Z   P   W
T R A M M E L   I R A T E
E   Y   E   N   L   D
D U S T   E Y E G L A S S
```

No 138

```
J   U   B     R   S   P
O Y S T E R   S E T T L E
L   U   L   S   C   E   S
T U R N O U T   O P A R T
I   P   W   R   R   M   S
N E E D   F E N D S     E
G   D   S   A   S   M   E
    S W I M S   D O O M
S   B   I   I   A   L   B
K N O L L   N O V E L L A
I   S   L   G   E   I   S
T O O L E D   C R A F T S
S   M   D     S   Y   Y
```

No 139

```
I N D O O R   P L Y I N G
D   B   D   O       R
I   A S S A I L A N T   O
O N E   E   T   M   U   W
M I N O R I T Y   T R E E
S   O   V   Y   G   N   R
    B Y T E S   P R O S E
F   A   S   G   I   T   A
L A N D   C L A P P I N G
O   C   D   O   P   L   E
O   E C O N O M I Z E   N
R   V   M       N       D
S K A T E S   I G U A N A
```

No 140

```
S C R A W L   W   R I B
R   O   U N I T E   R
M A S C O T S   F   F E
D   D   I   E L I T E
F L A I L I N G   N   D
E   I   G   D   E   E
A D V I C E   W I N D E R
C   E   E   B   V   N
C   R   H E D O N I S M
R A D I I   B   R   U
U   I   R   O R C H A R D
E   C H I R P   E   E
S O T   S   A D J U S T
```

No 141

```
D O M E S T I C   S C U M
A   E   C   N   A   A
R E T R O   S E M I N A R
E   R   R   I   A   A
    I   E   D O U B L E T
R E C Y C L E   P   S   H
E   A   G           O
D   S   R   S U R G E O N
C I T A D E L   A   N
O   O   I   D   T   B
A C R Y L I C   I M A G E
T   E   E   N   I   D
S A Y S   W R I G G L E S
```

No 142

```
I N C I T E   A B O D E S
M   U   U   P   O   I   E
P A R T N E R   A   M   N
O   T   E   O Y S T E R S
R O S E S   H   T   E
T   I   I   E R R E D
    E   E B B E D   A
M O D E M   I   I   D
I   P   T   C O N G O
S A M U R A I   A   C   O
T   O   E   O F F L O A D
E   W   S   N   E   A   L
D I S U S E   T S E T S E
```

No 143

```
S A C R U M   S   S   D
N   H   E N T I T I E S
O A R   L   A   I   S
U   O B L O N G   F O P S
T   M   N   G   L   O
S I E G E   M E D I A T E
    A   C   R   N
R E T R E A T   A G R E E
D   M   R   G   U   M
A D Z E   A C U M E N   P
I   N   V   E   N I L
N E U T R A L S   E   O
S   S   N   T H O R N Y
```

No 144

```
C L O T H I N G   J U N K
L   U   A   I   M   E
A S T E R   G R U B B E D
P   F   N   H   R   G
    I   E   T O N N A G E
D E T E S T S   A   S   R
U   S   M       E
M   S E   S W E E T I E
B R E A D T H   P   O
N   R   A   L   M   H
E L I T I S M   A D A G E
S   E   E   T   T   E
S A S H   A S T E R O I D
```

357

Solutions

No 145

```
G O A D S   I N F U S E S
O   B   P   N   P     A
S R O   G   S K I T S   E
S T A T U T E S     E   E
I   D   T   S   H E I R S
P R E C E P T S   P     I
I   D   D     E   B     N
N     T   C H A N G I N G
G L U E S   O   R   K   U
  O   N   T U T O R I A L
S C U D S   R   B   N   A
  A   E     L   E   I   R
C L A R I F Y   D I S C S
```

No 146

```
E V E   Z O O   C U B E D
X   N       C H A   A   O
A I L S   A C T U A T O R
C   A   S   U   R H   M
T H R O T T L I N G   E
    G   U   T   P R   R
F I E N D S   F J O R D S
I   S       W E A   A
L   S T R A T E G I E S
T   S   E   F   R R   T
E X P A N D E D   S I L O
R   A   E   R     E   R
S P R A T   S I N   S U M
```

No 147

```
F R I G A T E S   O A S T
  I   U   E   K   B   T
G O S P E L   I N S E R T
  T   P   E Y E   E   A
D E F Y   X   S H R E W S
  R       E   E   V
U S H E R S   E V E N T S
      Y       N     R
S C H E M A   D   S K I D
  U   L   B O O   A   R
T R O I K A   W I L L E D
  D   D   E   T   E   M
U S E S   E N D A N G E R
```

No 148

```
B U R E A U   F   O   P
U   I   S H E E P D O G
R E D   A   D   E   S
I   E M I G R E   R E I N
A   R   E   R   A   T
L I S P S   F A N T A S Y
    A   C   L   E
B U R S A R S   U S H E R
N   S   E   H   A   E
I D E A   W E A S E L   P
O   G   M   T   V I E
S E R E N A D E   E   N
  S   S   N   S U N S E T
```

No 149

```
D E D U C T   G   B A R
R   O   D R O N E   O
M A G N A T E   L   L   S
  S   L   T   F L O U T
L E S S E N E D   V   R
  R   S   R   M E U   U
A S P E C T   W I S D O M
  I   R   M   N   U
R O   C O G I T A T E
S E C T S   T   M   S
H   U   A   H A I R P I N
I   R U C K S   Z   Z
P I E   K   W E A V E S
```

No 150

```
D R A W I N G S   N U L L
  E   O   U   M   E   A
A C C O R D   I N G O T S
  T   F   G U T   A   H
A I L S   I   H A T T E R
  F       N       E
T Y P I N G   I N S U R E
      N       N     E
C H U C K S   V   L O C H
  E   O   P H I   E   Y
A L U M N I   T R A N C E
  P   E   L   E S   L
A S P S   L I S T E N E R
```

No 151

```
L I C E N S E S   A C E S
  I   A   I   N   A   O
R E R U N   V A L E N C Y
  R   E   I   O   B
  O   P   E N H A N C E
F A T N E S S   E S   A
A   N       R       N
N   S C   D A M S O N S
L I Q U E U R   I C
I   U       I T E E
G R A D U A L   A L A R M
H   T       L   G   N   U
T O S S   A S S E S S E S
```

No 152

```
C H A R G E   C A C T U S
H   A   S   L       O
A   W O R K P L A C E   L
N   O   M   A S Q   Q   V
C O N V E N T S   R U S E
E   D   N   E   I   D
  D E P T H   C H A P S
D   R   S E   U M   E
E M I T   S M O T H E R S
B   N   S   P D   N   C
A   G R E A T C O A T   O
R   E   R   Y   W   R
S P R I N T   E N L I S T
```

No 153

```
S O L I T U D E   O D D S
I   I   E   O   Y   U
L I F T S   G A R N E T S
T   T   T M   I   P
  E   I   A B S E N C E
T A R I F F S   I   G   C
O   I   I   M   T
M   I E   M E M B E R S
A M N E S I A   E   F
H   S   G   R   F   D
A N T W E R P   I R O N Y
W   I   I   N   R   A
K I L L   W E I G H T E D
```

358

Solutions

No 154

```
S T A T I C S . I . W
T . G . . A N T E N N A E
A R E . F . A . C . X
K . N I C E T Y . I R I S
E . D . S . I . T . N
D R A Y S . U N H I N G E
. . E . C . G . N .
I G N O R E D . I G L O O
. A . M . R . B . A . N
A U R A . T A R G E T . R
. G . N . I . O . . T A U
R E T R O F I T . . E . S
. D . Y . Y . H E A R T H
```

No 155

```
O D E . R O W . S H R U B
C . C . E . C . E . R
T U S K . S A B O T A G E
E . T . A . P . U . R . A
T R A N S P O R T S . T .
. T . P . N . F . H .
F L I M S Y . S Q U A T S
O . C . B . U . M .
R . . B E A U T I F I E S
M . T . M . R . Z . L . T
A T O M I Z E R . L I M O
T . F . R . A . . E . M
S O U R S . U S E . S O P
```

No 156

```
E U G E N I C S . S E W N
P . N . N . I . C . H
U S H E R S . Z E R O E S
U . M . U K E . I . A
G R A Y . L . D E P U T Y
G . . . I . . . T . .
R E A S O N . B A S H E S
. . E . . . O . . . X
B A N T A M . Y . P I P S
. M . T . A S H . A . L
G A T E A U . O U T L A Y
S . R . V . O . E . I
A S P S . E N D U R I N G
```

No 157

```
P . A . I . C . B . A
R O B I N S . C H E E R S
O . A . L . D . E . I . T
B E L I E V E . R I N S E
A . O . T . F . O . G . R
T E N T . S L O O P . . .
E . E . F . A . T . M . W
. . . S L O T H . R A S H
F . C . O . I . E . R . I
R E L I C . N A N N I E S
E . E . K . G . J . N . P
S P A R E S . L O C A L E
H . T . D . Y . S . R
```

No 158

```
A I R C R A F T . D O W N
N . R . N . H . I . H
S K I I N G . R E V E A L
. L . B . E M U . O . L
P I T S . L . M E R M E N
N . . . U . U . . . E
A G E N T S . P E E L E R
. E . . . . O . . . L
F O R M E R . C . S T A B
M . E . E L K . M . S
S I E S T A . E X A C T S
T . I . C . T . L . I
U S E S . T U S S L I N G
```

No 159

```
P A N . Y A K . G O R G E
A . E . N . L . E . S
N E A R . V I G I L A N T
I . T . S . V . N . P . U
C O N D I M E N T S . . A
. . E . F . S . . . R . R
P O S I T S . I D I O C Y
R . S . . . H . R . L
I . . C H R O N I C L E S
N . H . E . R . P . C . P
T R A C T O R S . T A K E
E . L . U . O . L . . N
D R O O P . R I P . L I D
```

No 160

```
S O U R N E S S . B Y T E
. R . A . N . W . U . U
C A B I N S . A C C E N T
. T . N . I V Y . K . I
H I T S . G . S T I T C H
. O . . . E . N . . N .
S N I P E S . R I G O R S
. R . . . . E . . . E
G A T E A U . A . T I D Y
. D . P . S E C . A . R
P O T A S H . T E L L E R
. R . R . E . O . O . S
K N E E . R A R E N E S S
```

No 161

```
R . A . S . . K . B . A
E D I C T S . D E M A N D
A . R . A . A . Y . W . U
D E M O T I C . P E D A L
E . A . E . C . A . Y . T
R A I L . F I N D S . . .
S . L . T . D . S . V . D
. . . L U R E S . W E I R
S . L . S . N . S . N . A
C H U G S . T I T L I N G
O . P . L . S . R . S . N
F A I L E D . R E M O V E
F . N . S . . W . N . T
```

No 162

```
L A C U N A . C . K . R
A . O . . D E R A I L E D
Y E W . E . A . N . A
E . A D A P T S . G O L D
R . R . T . H . D . M
S O D A S . H E R O I S M
. L . S . D . M . . .
C R E A S E D . U S I N G
. E . C . N . C . N . O
S P A R . S C R U F F . L
A . I . O . U . . O A F
D I S T U R B S . R . E
. D . Y . S . T R E M O R
```

359

Solutions

No 163

```
D E C I S I O N   S I L K
S   D   S   O   C   E
S C H O O L   T H R O A T
A   L   A L E   A   S
O P U S   N   D O W N E D
E       D       L
H E D G E S   L A S H E D
L       A       X
A B S O R B   G   R U C K
I   B   L O G   O   E
A N N U L I   I S S U E S
D   L   M   N   I   D
I S L E   P A G A N I S M
```

No 164

```
S W I T C H E D   O R B S
U   M   I   L   E   U
D E P O T   I C I C L E S
S   O   I   C   I   P
    R   Z   I M P A S S E
F I T T E S T   E H   N
O   N       H   S   S
O   C R   C H E M I S E
T A L L Y H O   S   N
W   O   Y   T   S   H
O N T H E G O   A L I B I
R   H   T   L   T   V
K I S S   R E A S S U R E
```

No 165

```
Q   P   G   P   F   H
U N I T E S   S L E E V E
O   E   N   L   A   N A
T E R M I N I   Y A C H T
I   C   I   M   E   E S
N O E S   H E A R T
G   S   P   S   S O   C
        F L U T E   P U R R
V   B   A   O   S   T U
E J E C T   N O T I C E S
N   A   O   E   O   R H
T E M P O S   I M P O S E
S   S   N   P   P   D
```

No 166

```
O G R E S   L I Z A R D S
P   A   I   U   N   R
T   N   M G   S C O U R
I N K L I N G S   H   M
C   I   L   E   T O A S T
I N N U E N D O   R   I
A   G   S   A   D   T
N   B   H E A D G E A R
S N A R E   X   M   L A
O   O   P U G I L I S T
E B O N Y   D R G   I
L   C   E   E   H   O
R E T O R T S   S A T I N
```

No 167

```
L A P T O P   C   P   S
O   A   L E A F L E T S
P O T   U   P   A   R
P   R U S S E T   T R I O
E   O   H   I   O   V
R O L E S   C O R O N E T
    N   T   N   N
D U D G E O N   I S S U E
N   I   O   L   C   X
G R I N   L O A N E R   R
O   E   K   R   A R T
A L T E R I N G   P   E
L   R   T   E X P E N D
```

No 168

```
C L E M E N C Y   C Z A R
U   N   N   O   E   E
E A V E S   H O M I N I D
S   I   H   O   I   H
E   R   R   R O S E T T E
B A S S I S T   A   H D
L   N   L   A
A   C E   I N V E R T S
C L A S S I C   A   E
K   R   E   G   V   D
E R R A T U M   I R O N Y
N   O   A   N   K   E
S I T E   S N U G N E S S
```

No 169

```
H E A T E R   S P L I N T
A   S   V   I   R D   H
B A S T I O N   I   O I
I   E   L   H O S T L E R
T A S K S   A   O   S
S   S   L   N I G H T
    O   C L A W S   A
L A R V A   T   R   C
A   R   I   M O D E L
M A E S T R O   I   E O
B   P   O   N A M I N G S
D   I   N   S   E E   E
A C C U S E   A D O R E R
```

No 170

```
  I M M I G R A T I O N
A   I   N E   A   M   N
M N   S O N A R   E Y E
B L I M P E   N   G   W
A   M   E G   S W A Y S
S O U S C H E F       R
S   M   T   V   G   E
A     S C H E M A T A
D E A L T   A   R R   D
O   L   R S   A M B L E
R O B   O N I O N   A R
S   U   L   N   D G   S
  A M E L I O R A T E S
```

No 171

```
W I G W A M   P   O H M
N   V   S L U G S   O
A F F L I C T   S T   I
A   A   A   H E R B S
A N N O T A T E   I   T
T   I   E   S   C   E
E S C R O W   P Y T H O N
Y   U   N   L   R   R
E B   M A R I N A D E
B L I N D   M   N   E
R   C   E   B I G O T R Y
O   L O A M S   E   E
W O E   R   E S C U D O
```

360

Solutions

No 172

```
S C R E E N E D   S T A G
A   A N   X   U     A
L I N E D   C A S T L E S
E   G   A E     I   W
  E   N   S H A M P O O
F O R A G E S   B   S   R
I     E     O     K
E   T   R   T U M U L U S
F O R E S E E   I   A
D   A   S   N   Z   F
O C U L I S T   A M U S E
M   M   E   T   L   T
S W A P   A D H E S I V E
```

No 173

```
T   E   B       D   G   E
R U N W A Y   R A G I N G
A   C   T   B   B   L   G
P E R G O L A   B U D G E
P   U   N   R   L   S   D
E A S T   O B O E S
D   T   E   E   D   H   G
    E D I C T   L O G O
L   S   U   U   A   R   O
I O N I C   E N D U R E D
M   A   A   S   D   O   B
B I G O T S   B E T R A Y
O   S   E       D   S   E
```

No 174

```
H E R O N S   P   T   S
I   E     H A R V E S T S
K I T   O     A   A   R
E   A V O W A L   C O I L
R   I     S   I   H   P
S Y N O D   I N V E R S E
      B   A   E   R
H E A T E R S   A S S A Y
X   A   C   A     I   E
M I D I   H O P I N G   O
T   N   W   P     H A M
D E M E R A R A     E   A
D   D   Y   L O N D O N
```

No 175

```
S E E   E B B   S K I R T
O   S     L   E   D   A
I T C H   B O U N C E R S
L   A   C   U   S   A   T
S U P P R E S S E D   E
    I   E   E     P   R
S I N E W S   M A T I N S
A   G     Q   L   V
M   A B D U C T I O N S
O   W   U   O   O   T   A
V E R A C I T Y   K I L N
A   E   K   E     N   D
R U N T S   S U M   G U Y
```

No 176

```
S   B   G     B   G   A
U N L O A D   Y E L L E D
B   A   U   V   D   I   I
J A C U Z Z I   R A N G E
E   K   E   N   O   T   U
C H E W   E D I C T
T   N   S   I   K   E   J
    Q U A C K   K N E E
S   S   N   A   S   D   R
M A T E R   T I T T E R S
A   A   I   E   R   M   E
C A R E S S   M U T I N Y
K   T   E     M   C   S
```

No 177

```
  C O N U R B A T I O N
C   C   N   I   R   W   S
A   T   M A N I A   I L K
T I A R A   D   S   N   Y
A   G   S   E   H I G H S
S T O C K A D E     C
T   N   S       A   O   R
R       M O U S S A K A
O P T I C   C   P   R   P
P   H   O   E   H A S T E
H O E   C I L I A   M   R
E   M   O   O   L   E   S
  D E V A S T A T I N G
```

No 178

```
S U R F A C E S   S T E M
W   E   R   N     A   I
A L T E R   S T O R I N G
T   U   A   I     L   R
U   R   I   G O N D O L A
H A N D G U N   A   R   I
E     N     M     I   N
L   T   E   E L E V A T E
P A R A D O X   P   D
I   E     P   L   I   H
N E B U L A E   A R E N A
G   L     L   T   U   I
S T E W   A S S E S S O R
```

No 179

```
C A R R O T   O   E N D
U   P   I N D E X     I
I G N I T E D   D   T   S
U   I   O   I   S T R I P
P R E A M B L E   A   O
E   I   S   B   C   S
A D V I S E   B E E T L E
L   I   M   H   H   O
I   R   D I R E C T O R
M O T H S   P   M   T
O   U   L   P R O T E I N
N   E M E R Y   T   N
Y E S   D     C H A N G E
```

No 180

```
D I N E S   P E R F U M E
E   O   H   O     R   A
M   T   R   T   D O O R S
O R I G I N A L   L   R
C   C   N   T   V I N Y L
R E E F K N O T   C   A
A   S   S     A   E   U
T     C   S P E C I M E N
S E A R S   R   C   P   D
  R   E   M O N O T O N E
T O G A S   M   S   W   R
  D   T     P   T   E   E
R E C E I P T   S H R E D
```

361

Solutions

No 181

```
M A Y . P E T . M A K E S
A . E . . R . O . N . I .
C H A T . S A L U T I N G
E . R . M . C . R . T . N
S U B J E C T I N G . . A
. . O . N . S . . H . L .
S C O L D S . S C O O P S
H . K . . S . A . . S . .
E . . S K A T E B O A R D
E . H . I . A . S . N . O
T R A M W A Y S . E N V Y
E . R . I . . E . . A . E
D A M E S . D E N . S O N
```

No 182

```
S H I E L D . P . N A G
U . A . A G R E E . R .
G R A I N E D . I . G . E
. L . D . D . G R A Z E
V I L I F I E D . T . T
N . . I . D . V . E E .
A G E O L D . R A I D E D
B . S . L . Q . P . N .
S . T . H U M O R I S T
C R U M B . E . R . N .
O . A . A . S L I P W A Y
N . R O B O T . Z . R .
D R Y . Y . . B E L I E F
```

No 183

```
L E G . F O E . S W E L L
A . O . . X . T . O . A .
P E G S . A T T A I N E D
E . F . R . I . S . D .
E N T E R T A I N S . . E
T . . E . S . . B . R .
C L E F T S . U S H E R S
R . R . . W . T . N . .
A . . S C A R C E N E S S
C . H . A . I . W . F . T
K E E N N E S S . B I E R
E . I . O . T . . T . I .
R E R U N . S A Y . S A P
```

No 184

```
A . B H . . R . A S .
R E L I E F . L E N G T H
R . U . A . C . F . O . I
E M B A R G O . R U N I N
A . B . S . N . A . Y . S
R E E D . E D I C T . . .
S . R . D . E . T . R R
. . H A U N T . P A G E
T . B W . S . S . I . V
A I R E D . E X P E N S E
N . I . L . D . I . B . A
K I D N E Y . R E C O I L
S . E D . . D . W . S
```

No 185

```
J A C K A L . A G R E E D
O . O . B . G . R . A . E
T O M B O L A . A . S . C
T . M . D . M O N S T E R
E L A T E . E . A . . . E
R . N . K . R A N G E .
. . D . E M E R Y . U .
S T O M A . E . M . E
E . . R . P . D E B A R
C L E A N S E . O . N . A
O . L . E . R E D D E N S
N . L . R S . G . S . E
D I S U S E . L E S S E R
```

No 186

```
R E F U S E . R E V O K E
E . . W . D . M . . . P
P . C R I T I Q U E S . O
E . O . N . E . S . M . C
A L M I G H T Y . M O T H
T . P . I . S . B . U . S
. C A N N Y . C A L L S .
B . N . G . F . N . D . A
A C I D . T O D D L E R S
N . E . J . O . A . R . S
T . S P I L L A G E S . U
E . . B . S . E . . . M
R O U T E S . A D V I C E
```

No 187

```
V I E W I N G S . I D E A
I . Y . M . U . . O . U .
O P E R A . I M P E D E D
L . L . G . D . . G . I .
. E . I . E A R N E S T .
O U T I N G S . E . R . I
I . I . . . C . . . N .
L . K . N . C L O S I N G
S H I N G L E . U . G . .
K . S . . N . P . U . M
I N S I S T S . I R A T E
N . E . . O . N . N . L
S A S H . B R A G G A R T
```

No 188

```
D I S C O V E R . A C N E
N . L . I . E . S . O .
I G U A N A . A B S E I L
R . S . D A M . U S . .
J E E P . U . S E R V E D
S . . . C . . . E . . .
A S C E N T . E R S A T Z
. R . . . X . . . I .
P E D A N T . E . P A C K
L . S . R I M . I . K .
A D H E R E . P I X E L S
E . R . S . T . I . E .
U R N S . S U S P E N D S
```

No 189

```
A T T I C S . M . S . I
N . H . . T W E A K I N G
N A Y . . O . R . I . J
U . M I X I N G . N E E D
A . U . . C . I . H . C
L I S T S . I N V E R T S
. . I . . R . G . A .
B O G G L E S . A D D E D
U . H . S . E . . I . E
S T E T . T A X I N G . T
. L . E . A . I . . I R E
M A G N A T E S . . T . R
Y . S . E . . T E A S E S
```

362

No 190

```
M O D E L S . R E N D E R
U . A . A . O . . . A
S . R U M I N A N T S . V
L . I . B . G . S . T . E
I N G E S T E D . D O O R
N . M . K . L . B . P . S
. B A S I S . D R A W N
V . R . N . R . O . A . A
I R O N . M O N A S T I C
E . L . A . U . D . C . U
W . E I G H T I E T H . M
E . . U . E . N . . . E
R I O T E R . A S S I G N
```

No 191

```
R E C I T E . A M B L E S
A . H . A . I . A . O . N
C H E V R O N . C . F . O
K . S . D . S C A T T E R
E S S A Y . T . Q . . T
. M . . I . B U G L E . L
. E . B U G L E . L
L U N G E . A . . E . A
O . D . T . L I C K S
S H A M P O O . E . T . S
I . L . O . R E A L I Z E
N . T . S . S . V . O . T
G R O W T H . F E I N T S
```

No 192

```
F E D O R A . B . A . S
E . A . P O L Y G L O T
V A N . P . I . E . R
E . C Y C L E S . N U T S
R . E . Y . T . C . E
S Y R U P . R E M I N D S
. P . S . R . E
R U S H I N G . I S L E S
S . E . A . H . . U . H
L A V A . P R O P E L . E
G . V . P . S . L E E
D E C A D E N T . E . T
S . L . D . A B O D E S
```

No 193

```
R . S . G . . S . C . A
E X P E N D . E Y E L I D
S . A . A . N . O . U
O U T G R O W . E Q U A L
R . U . L . F . R . T
T A L E . R U N G S
S . A . S . L . Y . D . A
. A M E N D . M E L D
S . A . E . C . S . D
P A R K A . S C R U P L E
A . I . R . S . E . O . N
W I S H E S . D E N I E D
N . E . D . . D . L . A
```

No 194

```
F R A U D S . L E A S E S
A . O . E . E . . C
R . F O O T B A L L S . R
O . A . M . B . S . C O
F I N I S H E D . O R A L
F . T . D . D . P . I . L
. B A N A L . P O P P Y
H . S . Y . F . L . T . F
A V I D . A L T I T U D E
S . E . Y . E . T . R . L
S . S H O R E L I N E . L
. G . T . C . E
E N J O I N . A S C E N D
```

No 195

```
F L I C K . C A U S T I C
A . N . N . O . I . D
R A I Y . I D L E D
M U N I T I O N . I . A
S . I . T . A N G S T
T O T T E R E D . G . R
E . Y . R . D . L . I
A . B . R E L E G A T E
D I V E R . R . V . M . N
D . I . H O M E S P U N
L Y I N G . D . L . O . I
L . G . E . O . O . A
F L A S H E S . P A N E L
```

No 196

```
S O L I D S . A . A L E
U . I . C A G E S . . M
S T R E T C H . E . H . E
W . H . U . D E T E R
R O U L E T T E . R . G
R . R . E . S . A . E
S K A T E R . S W A Y E D
Y . R . D . S . E . Y
M . I . A P P E A L E D
B A S I S . E . P . W
O . I . O . W E E K D A Y
L . N O D E S . R . S
S A G . S . P S Y C H E
```

No 197

```
A M P E R E . A S S A Y S
N . I . O . S . L . G . I
G A Z E L L E . Y . U . E
E . Z . E . G E N D E R S
L E E K S . R . E . . T
S . R . E . S C U B A
. I . R A G E S . N
T E A S E . A . D . T
A . T . T . B R U S H
T I M P A N I . R . L . R
T . O . I . O R I G A M I
O . O . N . N . B . T . L
O N R U S H . R E V E A L
```

No 198

```
S H R U B S . S . S A P
E . L . A D M I T . U
G I R D I N G . U . R . R
R . S . R . T R U S S
B E A U T I E S . D . U
S . E . E . M . E
E S C O R T . B U T L E R
V . R . S . F . S . P
O . E . B U S I N E S S
K H A K I . D . C . I
I . S . D . G R I Z Z L Y
N . E R O D E . A . O
G A S . L . O N I O N S
```

Solutions

No 199

```
M E T E R . D I M M I N G
I . H . A . O . E . . . O
T . I . I . C . S T R U M
I M M U N I T Y . E . . N
G . B . B . O . L O O S E
A L L F O U R S . R . . V
T . E . W . . A . E . . I
E . . P . P A R D O N E D
S A L S A . R . M . D . E
. U . Y . R E L I G I O N
E D I C T . N . R . N . T
I . . H . A . E . G . L .
A T T E N D S . R I S K Y
```

No 200

```
A U G U S T . E . W A R .
. P . . U . E V A D E . E
F L O U R E D . S . T . C
. I . . M . . T U N N Y .
A F F L I C T S . E . C .
. T . . S . S . C S L . .
I S S U E S . M O U S S E
M . A . . R . M . E . . .
A L . M U L B E R R Y . .
G L O O M . F . I . V . .
E . O . O . F A N A T I C
R . N E W T S . E . N . .
Y E S . N . . A S S I G N
```

No 201

```
O N E . M A R . G O R E S
V . A . U . L . U . U . .
O A R S . A N T E N N A S
I . P . A . W . B . E . P
D E H Y D R A T E D . . E
. O . D . Y . . . D . N .
F I N I S H . D E P E N D
I . E . . B . R . R . . .
L . . A S S E M B L E R S
T . F . O . J . S . L . H
E L E V A T E D . T I E R
R . T . R . C . . C . U .
S O A P S . T O M . T A B
```

No 202

```
U . P . S . . P . A . A .
P O R T A L . D O U G H S
S . E . L . . I . R . H .
T R E M O L O . N I E C E
A . N . N . O . T . E . N
R E E L . U S H E R . . .
T . D . V . E . R . B . D
. . G I A N T . Y O G I .
S . S . B . E . M . M . O
T A P E R . S O A P B O X
O . U . A . S . Y . A . I
C O M E T S . P O I S E D
K . E . E . . R . T . E .
```

No 203

```
R E A L I Z E S . S C A N
O . V . M . L . E . E . .
B R O O M . E A R D R U M
E . I . U . V . E . A . .
. D . N . E X T R A C T .
C U S H I O N . R . L . O
L . . I . Z . I . D . . .
A . S . E . S I L E N C E
S P I N D L E . O . U . .
H . E . . N . G . R . H .
I N S T A L S . I S S U E
N . . T . O . E . E . A .
G N A W . P R E S I D E D
```

No 204

```
S O W . R O E . L I N E D
W . E . N . A . E . . I .
A I D E . E G G S H E L L
N . D . S . I . E . D . A
S H I P O W N E R S . . T
. N . U . E . . . B . E .
A N G E R S . C O W E R S
R . S . . C . A . T . . .
T . . S C U L P T U R E D
I . D . O . I . H . A . E
S T O R M I N G . H Y M N
A . D . A . G . . E . I .
N O O N S . S E C . R I M
```

No 205

```
M A N A G E . . S . M E W
. T . . H . S N O R E . H
S T U D E N T . U . R . A
R . . T . R . L I G H T .
V A C A T I O N . E . N .
. C . O . P . O R O . . .
S T A P E S . G U S S E T
W . C . S . C . T . N . .
A . T . . C L A R I N E T
Y O U T H . O . A . M . .
I . A . A . W A G T A I L
N . R A V E N . E . E . .
G U Y . E . . T S E T S E
```

No 206

```
F L O O R S . C . E . H .
L . D . . K I L L J O Y S
A D D . I . O . E . B . .
K . I N F E R S . C O R E
E . T . D . I . T . I . .
S T Y L E . U N W I N D S
. . E . K . G . N . . . .
B U R G E R S . A G I N G
P . A . Y . T . M . R . .
B R A T . P H O B I A . O
O . E . T . W . . G N U .
D O V E C O T E . . E . N
. T . S . N . L O O S E D
```

No 207

```
R A N K S . P A R A B L E
E . O . I . U . X . O . .
C . T . T . T . G I P S Y
A L I Q U O T S . O . E .
P . O . A . E . U M B R A
T I N C T U R E . S . . I
U . S . E . . A . J . R .
R . . I . H A N D C U F F
E B O N Y . I . D . G . I
. O . C . P R O L O G U E
B O S O N . W . I . L . L
. T . M . A . N . E . D .
S Y N E R G Y . G Y R O S
```

364

Solutions

No 208

```
R O B . S I N . L I M E S
A L . U . I . O . C . . .
V E A L . O D O M E T E R
E . S . A . I . B . H . E
L I T I G A T I O N . . A
. I . E . Y . . S . M . .
S Y N O D S . E C H O E S
N . G . . . G . O . N . .
U . . S W A L L O W I N G
G G . I . A . K . N . . U
G R O U P I N G . F L E A
L . N . E . C . . A . . N
E A G E R . E B B . W O O
```

No 209

```
T E A R D R O P . F E A T
A . R . E . P . D . H . .
R E R U N . I N S P I R E
T . A . T . A . C . O . .
. Y . I . . T W I S T E R
R O S E T T E . N . S . I
E . . I . . T . . . . . E
T . S . O . P L E D G E S
R O T U N D A . N . R . .
I . A . L . S . O . T . .
E S T O N I A . I N C U R
V . U . T . V . E . I . .
E V E N . T E L E G R A M
```

No 210

```
D I N G H Y . B O S S E S
E . . . I . G . P . . . T
C . L E G I O N A R Y . O
I . A . H . A . L . A . R
D E C I B E L S . U R G E
E . E . R . S . D . M . D
. B R O O D . L E M U R .
C . A . W . S . C . L . I
H U T S . E M B A R K E D
E . E . S . A . G . E . I
E . D E C I S I O N S . O
R . . A . H . N . . . . T
S M E A R S . U S A G E S
```

No 211

```
S U S T A I N S . Y A R D
P . H . S . E . . C . . E
O V E N S . U N L O C K S
T . L . E . R . . E . P .
. . L . M . O R G A N Z A
D U S T B I N . L . T . I
E . . . L . . A . . . . R
P . P E . F A S C I A S .
U T E N S I L . S . S . S
T . T . O . W . S . H . H
I N E R T I A . A M U S E
Z . R . T . R . E . E . .
E A S T . A S C E N D E D
```

No 212

```
T O U C A N . D R O O P S
H . D . P . A . A . . . A
A . D E V I A T I O N . L
T . E . O . S . D . O . O
C A P A C I T Y . A M E N
H . I . A . E . A . I . S
. A C U T E . B U R N T .
B . T . E . A . G . A . A
O M I T . A N I M A T E D
X . O . S . V . E . E . V
I . N U T R I E N T S . I
N . . . Y . L . T . . . C
G A I N E D . A S S U M E
```

No 213

```
M A R C H . P R A Y E R S
E . A . A . R . O . U . .
N . N . M . I . S K I L L
D O C U M E N T . E . E .
A . H . O . C . B L U R S
C L E N C H E S . S . T .
I . S . K . . P . C . I .
T . . G . S T A R S H I P
Y E T I S . O . E . E . U
V . R . S U R V I V A L .
M E N D S . T . I . R . A
N . L . E . E . O . T . .
U T T E R E D . W I N C E
```

No 214

```
M O N I T I O N . E M I R
E . O . H . U . . A . E .
S A T Y R . S C A N N E D
H . I . E . T . . T . H .
. C . A . E N Q U I R E .
C R E S T E D . U . S . A
I . E . . . A . A . . . D
P . E N . S H R I M P S .
H A N D S E T . R . I . .
E . I . . O . Y . N . A .
R E G U L A R . I V I E S
E . M . . E . N . M . P .
D E A R . E Y E G L A S S
```

No 215

```
G H E T T O . T . S . U .
R . V . . P L A Y T I M E
E W E . E . L . I . P . .
A . N U A N C E . F L I T
S . T . S . N . L . R . .
E A S E L . S T R I V E N
. . X . H . S . N . . . .
C L A P P E D . I G L O O
. Y . L . A . T . O . P .
U N D O . D A H L I A . .
X . D . W . R . . D E N .
R E N E G A D E . E . E .
. S . D . Y . W E E D E D
```

No 216

```
. D I S R E S P E C T S .
D . N . E . P . M . O . P
R . V . S E R R A . E . A
A D I E U . O . I . I . R
G . T . M . U . L U C R E
O P E R E T T A . . . . N
N . D . D . . P . C . . T
F . . . H U S H H U S H .
L U R E S . N . E . R . .
I . A . T . I . L O T U S
E N D . E A S E L . A . E
S . I . A . O . U . I . S
. C O M M A N D M E N T .
```

Solutions

No 217
```
POSTBOX.CREEK
I.I.O...A.X.E
VANES.MAGNATE
O.G.S.E.E.M.P
TILT.EGO.ISLE
..E.S.A.A.R..
F.TAPEWORMS.S
U.A.A.E.P....
ROCK.STY.LINK
R.O.M.T.C.R.I
ORCHIDS.AVAIL
W.O.S..L.L.L.
SWATS.NEMESIS
```

No 218
```
CARAMELS.NEST
R.V.N.E.O.K..
ACCORD.DISPEL
H.I.ERG.E.I..
OWED.M.EBBING
A..I.A.......
MYSTIC.DOGMAS
DECAMP.T.LULL
V.P.ASH.A.E..
REMEDY.EMIGRE
N.Z.E.R.R.O..
ISLE.RESIDENT
```

No 219
```
NOTED.MARROWS
E.R.E.I.A.O..
M.A.S.N.CZARS
ADVOCACY.O.L.
T.E.E.E.GRADE
OILINESS.S..M
D.S.D.P.A.E..
E.A.OBSERVER.
STILT.L.S.O.G
.E.B.BASELINE
EMAIL.Z.T.D.N
P.N.E.A.E.C..
DISOWNS.SIDLE
```

No 220
```
BURROW.EARNED
E.U.L.V.R....
F.ACTUALITY.A
O.M.B.Y.D.A.G
RUPTURES.BRIO
E.L.R.P.D..I.
.MIDST.MARSH.
J.F.T.B.R.T.T
OMIT.CAVALIER
I.E.P.R.S.C.A
N.ROADBLOCK.M
E.C.S.L......
DEFIES.ASTHMA
```

No 221
```
WED.MAR.LEEKS
H.O.O.E.R.C..
OVUM.STRENGTH
O.B.B.O.C.S.I
PATRIARCHY.S.
.I.D.S.C.M...
FINISH.ONIONS
E.G.S.O.L....
R.PSYCHOLOGY.
R.W.Y.K.N.E..
UBIQUITY.FETA
L.N.D.H.L.R..
ESSAY.EBB.SIN
```

No 222
```
UTMOST.STAFFS
N.A.L.D.I.T..
COTTAGE.G.L.A
O.E.I.SCHEMES
RERUN.I.T..I.
K.I.C.EARLS..
.A.PECAN.O...
BALSA.A.O.A..
O.R.T.BOSOM..
ORIGAMI.I.T.U
C.D.D.OUTFITS
K.O.E.N.E.N.E
SOLIDS.USAGES
```

No 223
```
BIPLANES.USED
I.I.T.Q.T.I..
LASSO.UNDRESS
L.T.N.I.E.P..
.O.E.THUNDER.
CALUMNY.N.S.O
O.E.D.O.O....
N.F.N.SHERIFF
STRATUM.R.M..
E.E.U.S.P.O..
NEEDLED.HEATH
T.Z.G.O.I.M..
SHED.LECTURES
```

No 224
```
NADIR.VAGRANT
O.I.I.H.O....
N.S.S.Z.LYING
EUPHORIA.M.C.
N.L.T.E.DETER
TRAITORS.D.E.
I.Y.O.C.K.C..
T.O.DEFIANCE.
YEAST.X.P.O.I
.T.T.NIGHTCAP
SHELF.T.E.K.T
I.E.E.R.E.E..
SCORNED.SHRED
```

No 225
```
FRACTION.MAST
E.A.N.E.U.W..
HAGGLE.WISHES
L.E.RUT.I.A..
WIGS.T.SENTRY
Z...I.G......
GENERA.ISSUER
.X.N.M.......
ELECTS.H.TIPS
E.I.PHI.E.L..
MANTRA.BONGOS
S.E.S.I.O.Y..
WHYS.MATTRESS
```

Solutions

No 226

```
B R I D L E S ■ S W O R E
L ■ R ■ A ■ A ■ U ■ N
O W I N G ■ A R S E N A L
B ■ D ■ S ■ B ■ H ■ C ■ I
S L I T ■ U S E ■ S E E S
■ ■ U ■ A ■ U ■ D ■ ■ T
S ■ M U S H R O O M S ■ S
Q ■ ■ P ■ D ■ T ■ C ■ ■
U N D O ■ K I T ■ R U B Y
E ■ R ■ L ■ T ■ S ■ D ■ A
A C I D I F Y ■ C I D E R
L ■ E ■ O ■ ■ A ■ E ■ N
S E D A N ■ P A R A D E S
```

No 227

```
S L I N G S ■ U ■ R I M
■ A ■ R ■ B A S T E ■ I
E P I T O M E ■ E ■ F ■ S
■ S ■ U ■ A ■ S T E W S
M I L E P O S T ■ R ■ I
■ N ■ I ■ T ■ S ■ E ■ O
A G E I N G ■ S P L E E N
■ I ■ M ■ G ■ D ■ R ■ Y
R ■ P ■ G I R A F F E S
S E A R S ■ G ■ Y ■ B
H ■ T ■ T ■ I N I T I A L
I ■ H O I S T ■ N ■ L
P L Y ■ R ■ A G E O L D
```

No 228

```
S ■ S ■ D ■ I ■ L ■ S
L O C K E R ■ I N V E N T
I ■ A ■ M ■ B ■ H ■ A ■ U
P E R S O N A ■ A I R E D
P ■ V ■ N ■ N ■ B ■ N ■ S
E V E N ■ S K E I N
R ■ S ■ S ■ R ■ T ■ A ■ F
■ S T R U T ■ K N E E
O ■ S ■ R ■ P ■ G ■ A ■ R
F A U N A ■ T R A I L E R
F ■ G ■ T ■ S ■ V ■ O ■ A
A B A C U S ■ M E R G E R
L ■ R ■ M ■ ■ L ■ Y ■ I
```

No 229

```
A M B E R ■ S U B S E T S
C ■ O ■ U ■ E ■ L ■ A
C ■ T ■ M P ■ M A I L S
E X H I B I T S ■ T ■ O
N ■ E ■ L ■ E ■ V E I N S
T O R R E N T S ■ D ■ P
I ■ S ■ S ■ I ■ K ■ L
N ■ S ■ C O M M A N D O
G A I T S ■ V ■ P ■ O ■ T
■ L ■ R ■ M O N A S T I C
S I N U S ■ I ■ C ■ T ■ H
B ■ N ■ D ■ T ■ E ■ E
G I G G L E S ■ S I D E S
```

No 230

```
B U R I E D ■ T W A N G S
A ■ E ■ N ■ P ■ H ■ A ■ U
K N I T T E R ■ I ■ V ■ N
E ■ N ■ E ■ O Y S T E R S
R I D E R ■ J ■ P ■ ■ E
Y ■ E ■ E ■ E V E N T
■ E ■ V I C A R ■ N
F O R T E ■ T ■ T ■ Q ■ W
E ■ R ■ I ■ B R U S H
N O M I N A L ■ U ■ I ■ I
N ■ A ■ I ■ E F F O R T S
E ■ S ■ E S ■ F ■ E ■ K
L O S E R S ■ O S P R E Y
```

No 231

```
M U D ■ D O E ■ P H O N E
A ■ U ■ N ■ E ■ M ■ N
L A R K ■ E J E C T I N G
L ■ A ■ U ■ O ■ A ■ T ■ R
S A T I S F Y I N G ■ A
■ I ■ E ■ S ■ S ■ V
S W O R D S ■ O R A N G E
C ■ N ■ G ■ U ■ I
H ■ T H R O U G H P U T
E ■ D ■ U ■ S ■ S ■ P ■ W
M A Y O R E S S ■ H E R E
E ■ E ■ R ■ I ■ T ■ E
D E R B Y ■ P E N ■ S E T
```

No 232

```
S C R E E N E D ■ I S L E
A ■ U ■ X ■ M ■ T ■ C
V I S I T ■ P I G T A I L
E ■ T ■ E ■ L ■ R ■ I
■ E ■ N ■ O P E N T O P
M O D E S T Y ■ V ■ S ■ S
I ■ I ■ A ■ ■ ■ E
S ■ B ■ V ■ C A C K L E S
T W O Y E A R ■ U ■ A
A ■ D ■ A ■ A M G
K N I T T E D ■ T U B E R
E ■ E ■ L ■ D ■ I
N E S T ■ H E A D L A M P
```

No 233

```
D ■ S ■ S ■ R ■ O ■ I
E S T A T E ■ Y E O M E N
S ■ U ■ E ■ T ■ C ■ I ■ G
T A B L E A U ■ L O T T O
I ■ B ■ D ■ R ■ A ■ S ■ T
N U L L ■ S P L I T
Y ■ E ■ I ■ I ■ M ■ Q ■ C
■ U N I T S ■ T U N A
B ■ E ■ S ■ U ■ U ■ A ■ L
U N I T E ■ D E S T R O Y
D ■ D ■ R ■ E ■ U ■ R ■ P
G H E T T O ■ G R E E T S
E ■ R ■ S ■ ■ P ■ L ■ O
```

No 234

```
C H E E S E ■ M I S U S E
A ■ ■ E ■ G ■ R ■ ■ N
N ■ D R A M A T I Z E ■ G
A ■ I ■ P ■ U ■ S ■ T ■ I
R E S P O N D S ■ C Y A N
Y ■ T ■ R ■ Y ■ C ■ M ■ E
■ P U T T S ■ B A C O N
D ■ R ■ S ■ R ■ S ■ L ■ B
E B B S ■ S E A S H O R E
F ■ E ■ U ■ S ■ E ■ G ■ A
O ■ D E N T I S T R Y ■ T
R ■ ■ D ■ N ■ T ■ ■ T
M O R R O W ■ R E C E D E
```

367

Solutions

No 235

```
C R E V I C E S ■ R O A R
■ E ■ A ■ U ■ W ■ U ■ O
A D J U S T ■ I N F O R M
■ U ■ L ■ T A N ■ F ■ T
S C O T ■ E ■ G U I T A R
■ E ■ ■ R ■ ■ A
E S S A Y S ■ D O N K E Y
■ U ■ ■ ■ E ■ ■ M
M U S C A T ■ P ■ S E E N
N ■ T ■ H U E ■ A ■ R
S I L I C A ■ N O U G A T
■ F ■ O ■ W ■ D ■ C ■ L
H Y M N ■ S U S P E N D S
```

No 236

```
D A M S E L ■ S ■ M A P
■ G ■ V ■ L O T T O ■ U
C O M P A R E ■ A ■ U ■ R
■ N ■ S ■ V ■ R U S T S
A I R L I N E R ■ S ■ U
■ Z ■ O ■ L ■ D ■ E ■ E
R E F U N D ■ P U R S E D
U ■ A ■ S ■ L ■ R ■ J
M ■ L ■ F I N A N C E D
P A S T A ■ L ■ T ■ C
L ■ I ■ S ■ A N I M A T E
E ■ T O P I C ■ O ■ O
D A Y ■ S ■ E N C O R E
```

No 237

```
C A P T I V E S ■ V E R B
A ■ R ■ N ■ N ■ D ■ I
M A I D S ■ T A G G I N G
S ■ C ■ E ■ R ■ S ■ H
■ K ■ R ■ A P P R O V E
D E S K T O P ■ R ■ N ■ A
R ■ I ■ ■ E ■ ■ D
A ■ H ■ N ■ C H A L E T S
W R I G G L E ■ M ■ N
I ■ A ■ ■ L ■ B ■ A ■ U
N A T U R A L ■ L I M E S
G ■ U ■ A ■ E ■ E ■ E
S A S H ■ W R E S T L E R
```

No 238

```
C O R R O D E S ■ E A R N
■ C ■ O ■ I ■ P ■ Y ■ O
R E B A T E ■ E N E R G Y
■ A ■ C ■ T E N ■ S ■ U
I N C H ■ A ■ D R O V E S
■ I ■ ■ R ■ ■ E
O C C U P Y ■ P L E N T Y
■ N ■ ■ A ■ ■ R
S T A D I A ■ S ■ P O E T
■ H ■ R ■ G A S ■ A ■ A
E U R E K A ■ I N C I S E
■ M ■ S ■ P ■ V ■ E ■ O
A P E S ■ E V E N S O N G
```

No 239

```
C O W S L I P S ■ E V I L
L ■ A ■ O ■ R ■ I ■ U
O F F A L ■ O Y S T E R S
D ■ F ■ L ■ O ■ W ■ H
■ L ■ I ■ F I F T E E N
S T E P P E S ■ I ■ R ■ E
K ■ O ■ S ■ S ■ S
I ■ P ■ P ■ A D H E R E S
P E R U S A L ■ E ■ E
P ■ O ■ ■ L ■ R ■ F ■ I
E M B A R G O ■ M O O N S
R ■ E ■ ■ W ■ E ■ R ■ I
S A S H ■ T S U N A M I S
```

No 240

```
S L O S H I N G ■ C O W S
■ I ■ Y ■ N ■ A ■ O ■ I
S T O R E D ■ U P S I D E
E ■ U ■ E N D ■ T ■ T
D R O P ■ X ■ Y O U T H S
A ■ ■ E ■ ■ M
C L O V E S ■ C R E D I T
■ U ■ ■ O ■ N
B E L L O W ■ N ■ D O V E
■ B ■ T ■ H A S ■ E ■ I
P O P U L I ■ O R B I T S
N ■ R ■ F ■ R ■ A ■ E
L Y R E ■ F U T U R I S M
```

No 241

```
R E P A I R ■ C L A M P S
A ■ A ■ D ■ P ■ I ■ I ■ N
M A N G L E R ■ N ■ D ■ E
B ■ D ■ E ■ O R I F I C E
L E E K S ■ H ■ N ■ ■ R
E ■ M ■ ■ I ■ G O L D S
■ I ■ D E B T S ■ A
O C C U R ■ I ■ ■ N ■ S
P ■ ■ E ■ T ■ M I D S T
T S U N A M I ■ E ■ M ■ A
I ■ R ■ M ■ O R D E A L S
C ■ G ■ E ■ N ■ A ■ S ■ I
S T E E R S ■ C L O S E S
```

No 242

```
R E H A S H ■ C U P P E D
A ■ P ■ U ■ N ■ ■ O
S H A R D S H I P S ■ T
C E ■ O ■ I ■ T ■ Y ■ I
A D D U C I N G ■ E L A N
L ■ O ■ K ■ G ■ D ■ L ■ G
■ K N E E S ■ T R E A T
S ■ I ■ T ■ B ■ I ■ B ■ R
P O S T ■ C O N V U L S E
O ■ T ■ T ■ N ■ E ■ E ■ A
U ■ S H U T D O W N S ■ S
T ■ B ■ S ■ A ■ ■ O
S A C H E T ■ T Y C O O N
```

No 243

```
B R O O C H ■ H ■ O R E
■ A ■ L ■ S T A F F ■ R
A F F L I C T ■ V ■ F ■ O
■ T ■ M ■ A ■ E M I R S
P E A S A N T S ■ C ■ I
R ■ T ■ E ■ C ■ O
I S S U E D ■ F L O R I N
N ■ A ■ S ■ C ■ O ■ N
K ■ F ■ ■ P R E S S I N G
L L A M A ■ I ■ I ■ ■ A
I ■ R ■ R ■ B A N N E R S
N ■ I V I E S ■ G ■ D
G A S ■ A ■ ■ A S S I S T
```

Solutions

No 244

```
E F S . C K . O
C H O I C E . R O W I N G
S . R U C . M W . R
T W E L F T H . B R I B E
A . S F . E I S . S
S I T E . S C O N E
Y . S N K . G C R
. . J E L L Y . H O N E
A E S . I . P C V
D U V E T . S P A R K L E
O . O I T . D P R
R A K I N G . T R A I L S
N . E G . E . T E
```

No 245

```
C H E E P . B L O U S E S
O X . L E . P V
M . T A W . S H O A L
P A R T I S A N . O D
A E . T R . P L I E D
N U M B E R E D . D I
I . E D . E . C C
O . M . G A U N T L E T
N A T A L . R D E . A
L . M . E M I G R A N T
F I L M S . P A . V O
B A . I . M E R
A I R L I F T . E A R N S
```

No 246

```
B R U I S E . B E L O N G
R . . T F A . N
R O . P A R A L Y S I S O
N . R A A . T O M
C R O W N I N G . G L E E
O M . G K . M E S
U P P E R . J I M M Y
D . T R A S . N I
E V I L . E M I T T I N G
D . N E B A T . L
U . G I M M I C K R Y O
C . U T E . O
E L D E S T . U S H E R S
```

No 247

```
E S C R O W . V E S T E D
X A . L U X E . E
C A U T I O N . P A B
E . L V . D R E A M E R
S E D G E . E N . I
S R . R . D E N T S
O . C A S E S . E
T A N G O . C . E A
I . O O . F A D E D
T R A C K E R . L L A
B L . I . E L U D I N G
I T N . S E N E
T R O U G H . U S A G E S
```

No 248

```
K N O C K E D . P L A I D
N C . I . R B I
E X E R T . V O I D I N G
E A . S O M . D R
S E N T . I C E . H E R E
. I . Y A C . S S
P . C H E S T N U T S . S
I . S . I T O
C H E W . L O T . B L O T
K X . S N O . I H
L O T I O N S . V I C A R
E R A . E . I U
S H A R P . E R R A T U M
```

No 249

```
S . B C . S D C
C O U G A R . S C R O L L
R F . R C R . N A
I N F E R N O . E B O N Y
B O Y . N A R S
E G O S . S T O M A
S N T R . S P P
. . M A D A M . W E R E
S S M . S C A R
T R U M P . T R A N C E S
R I E . S L O I
U T T E R S . S M O C K S
M S S . S K T
```

No 250

```
L O P . R O B . A P P L E
A A . A M . I N
M O R E . A N C I E N T S
B A D . I G T . U
S U S P E N S I O N . R
. I S H . S E
U P T A K E . S W E A R S
P E . C E T
R . A F F I D A V I T S
I R A T . R A T
G U I L D E R S . S T I R
H C E U . E I
T A K E S . S K I . D I P
```

No 251

```
U P B E A T . U R C H I N
L N . H A A
C F O S T E R I N G . M
E R W A L R I
R E A G E N T S . G A I N
S N R S S T G
. S K I E S . C H O I R
B N R G U T S
R E E L . I N S T R U C T
E S E A D D I
A S U N S T R O K E . L
D V S W L
S P R A Y S . U N I T E S
```

No 252

```
Q U O T A S . T . E G G
N . I . L A S T S U
M C E N R O E . A C . I
H L A . R O O S T
W A R R I O R S . R A
I N N C T R
U N D O E S . C R I S P S
K I S M E E
U L . H U M A N I S T
L E A R N C M E
E T O . U N E A R T H
L E A V E S R A
E N D A . T Y P I S T
```

Solutions

No 253

```
P E R M E A T E . C O T S
. N . A . M . R . H . H .
E Q U I N E . U N I T E D
. U . Z . N I P . C . T .
H I D E . D . T W O W A Y
. R . . . E . R . . . . .
H Y B R I D . H E Y D A Y
. . . E . Y . . . . . S .
S T U D I O . D . S E A L
. O . O . F A R E . R . .
E N G U L F . A D I E U S
. E . B . A . N . Z . L .
E D I T . L I T T E R E D
```

No 254

```
W I L D C A T S . W O O S
A . E . E . I . C . U . .
R I S E R . C H O I C E S
S . . S . T K . . U . P .
. O . . I . E N D O R S E
C O N I F E R . I . S . N
R . . I . . . S . S . . S
A . F E . T U R B I N E .
S P I N D L E . U . A . .
H . R . L . P . M G . . .
I N I T I A L . T A B B Y
N . N . E . E I . M . . .
G A G S . P R O D U C T S
```

No 255

```
O V E R T A K E . B I E R
. O . A . S . V . U . L .
H Y E N A S . E Y R I E S
. A . G . U R N . S . C .
A G U E . M . S H A N T Y
. E . . . E . . E . . R .
I S L A N D . F L Y I N G
. . . M . . . O . . O . O
S A L A M I . R . G A V E
. R . S . D E C . O . E .
M O U S S E . E R R I N G
. S . E . A . P . S . A .
D E A D . S U S P E N S E
```

No 256

```
D E V O U R E D . H I N T
O . I . N . I . . C . U .
M O O D S . G E Y S E R S
E . . L . C H . . M . S .
. A . . R . . T O R N A D O
C A S K E T S . E . N . C
A . . W . . . P . . . . K
S . J . E . E Q U A T E S
T H U N D E R . D . O . .
L . M . . A . I . M . E .
I M P R E S S . A V A I L
N . E . . E . T T . M . .
G Y R O . F R E E D O M S
```

No 257

```
S T R A P S . F A T H O M
T . . E . E L . I . . . I
R . I D E O G R A M S . N
A . N . R . G . S . H G .
I N F L A T E S . P A I L
T . L . G . D . M . R . E
. W A K E S . H I P P Y .
L . M . S . R . D . E . E
I R I S . H E L P I N G S
N . N . B . P . O . E . T
T . G R E N A D I E R . E
E . . S . Y . N . . . . R
L I M I T S . S T E E R S
```

No 258

```
S T I F L I N G . S T A R
O . N . U . A . . R . E .
I N D E X . M I R R O R S
L . U . U . I . . I . L I
. . C . R . N E S T L E S
T I T L I N G . E . S . T
R . . A . . . C . . E . E
I . T . T . O B L I G E D
C A R V E U P . U . Y . .
K . U . E . S . P . E . E
E M I T T E R . I S S U E
R . S . A . O . U . L . .
Y A M S . T S U N A M I S
```

No 259

```
P O T A T O . A S S E R T
O . E . R D . A . A . O .
K A R A O K E . D . R . S
E . M . T . R O D E N T S
R U I N S . A . L . . E .
S . N . . N . . E A S E S
. . A . P A G E D . . C .
H E L L O . E . . A . L .
E . . R . M . E N N U I .
A T T A C H E . A . N . S
L . U . H . N E G L E C T
T . B . E . T . E . R . E
H E A R S E . E R A S E D
```

No 260

```
L A N G U A G E . E G O S
O . I . P . R . E . U . .
O C C U R . O U T C R O P
P . K . O . O . . B . P .
. E . O . M A R T I A L .
S A L U T E S . E . L . I
M . . I . . . S . . . . E
A . I . N . R O O S T E R
L A S A G N E . N . H . .
L . O . . M . A . R S . .
E M B A R G O . N O I S E
S . A . V . C . V . C . .
T I R E . T E N E M E N T
```

No 261

```
D E A L T . S T A M I N A
E . F . R . T . U . I . .
V F A . Y . . I S L E T .
O V E R C A M E . T . C .
T . C . E . I . J E W E L
I N T E R N E D . R . I .
O . S . Y . . A . P . M .
N . . F . B A L L Y H O O
S T O R Y . I . I . A . U
. R . A . B L O G G E R S
F I E N D . N . T . I . .
. P . K . N . E . O . N .
M E S S I N G . D A N C E
```

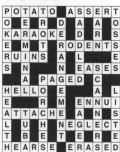

Solutions

No 262

```
D E R A I L   V I S O R S
A   E   D   F   N   V   E
M I D W I F E   S   E   N
P   D   O   A S P I R E S
E V E N T   R   I       E
N   N   F R A N K S      
    E   G A U Z E   A    
N A D I R   L     R   M  
U       A   N   T O R S O
C O L L I D E   E   A   U
L   I   N   S E N A T O R
E   E   E   S   D   E   N
I N S I D E   A S I D E S
```

No 263

```
D U D   R O D   B E A N S
A   E       E   A   P   I
R I L E   S T A R T E R S
E   I   T   A   O   S   T
D I G E S T I O N S     E
    H   A   N     I R    
A L T E R S   P L A N E S
N   S       C   A   F    
N   U P H O L S T E R Y  
U O   A   Y   T   R   A  
A E R A T I O N   D I S C
L   A   H   T     O   H  
S A L T S   E F T   R A T
```

No 264

```
C E R I S E   A G E N D A
O   H   O   A   R   U   B
O V E R L A P   A   T A  
K   T   V   H A N D S E T
E V O K E   R   A       E
R   R   O   R I L E D    
    I   T E D D Y   O    
M A C H O   I     C   S  
A       U S   C H A R M  
S A M U R A I   O   T A  
I   O   I   A P P L I E R
N   S   C       S   N   T
F L O U T S   L E D G E S
```

No 265

```
H A U N C H E S   V E T O
G   O   O   A   A   H    
C O M M A S   V A L U E D
N   A   I C E   E   M    
G I R D E   R I N G E R  
Z       R     R   C      
F E L O N Y   R H Y M E R
    I       E   E   X    
S A L L O W   J   C O P Y
P   S   E G O   O   A    
S P H E R E   I O D I N E
L   E   K   C   E   S    
D Y A D   S H E R R I E S
```

No 266

```
P L U M E S   C   D   S  
R   P   C U R R E N T S  
I L K   O   I   V   E    
M   E S P R I T   O V A L
E   E   E   I T   K      
D E P O T   E C L I P S E
    B   A S O       E    
C O N J O I N   G N O M E
P   E   R   G   P   X    
E P I C   M U E S L I   U
O   T   A   E   A I D    
A S C E T I C S   T   E  
    E   D   L   E X C E E D
```

No 267

```
S I G H T   R I P P I N G
C   R   A   U   A   E    
R O L   S   S C A R S    
E Q U A L I T Y   K   V  
E   P   I   I   F E V E R
C L E M E N C Y   D     E
H   D   S     S   E T    
E   D   T O R T I L L A  
D A R E S   R   E   E   I
N   B   S A L E S M A N  
A N V I L   N   P   E   E
U   T   G   E   N   R    
C L O S U R E   D O T E S
```

No 268

```
F A B R I C   S   C   G  
A   A   R E T U R N E D  
C A N   E   U   A   N    
A N U R S E D   C U E S  
D   E   T   I   K   R    
E R R O R   V E T E R A N
    U   F   D   R        
P R O T E I N   A S H E S
E   C   E   M   I   E    
E C H O   S T A T I C   R
O   M   T   S       C H I
A R T E F A C T     U   E
D   S   S   S H A P E S
```

No 269

```
G   S   M       S   F T  
L E T T E R   U M B R A S
U   A   M H   A   E   A  
C O R P O R A   S T E E R
O   T   S N   H   S   S  
S E E S   I D L E D      
E D   C   S   S C S   O  
    L A T H E   L U R K  
A   H   R   A L S I      
C R I S P   K R Y P T O N
I   N   O   E   R   O N  
D E T E R S   K I N D L E
S   S   T       C Y D
```

No 270

```
B L E A T E D   T A R T S
L   N   I   O   O   I    
U R G E D   S L U I C E S
N   U   Y Y   T   K   T  
T A L C   I M P   I S L E
    F   O B   J       R  
F   S E N I O R I T Y   S
O   E   L   B   I        
R O D S   K I N   D E C K
G   I   S Z   H   L   A  
E N T I T L E   A D D E R
T   T   I       L   E T  
S P O O R   S O L I D U S
```

371

Solutions

No 271

```
C O N S U M E R   R I D E
  U   I   E   A   E   A
S T A G E D   I M P O R T
  D   H   D I N   R   E
C O T S   L   S T E A D Y
  E       E   S       X
I S O B A R   D A S H E S
  O       E       E   X
P L A N E T   C   R I P S
  A   A   S I R   A   E
S T A N Z A   E X T E N T
  T   Z   R   E   E   S
B E T A   S I D E S T E P
```

No 272

```
D I G I T S   B R U T E S
  E   R   I   P   E   A   A
P R A T T L E   A   X   W
  E   D   L   R E C T I F Y
N O I S E   S   T       E
  D   E   O   E L D E R
  E   N   T O N E D   A
P E T E R   I   Y   Y   M
A   A   F   A F   H E L L O
T E R M I N I   O   I   U
  O   L   E N S I G N S
E   T E   T   S   T H   S
D R E A D S   T S E T S E
```

No 273

```
B O U D O I R S   T A S K
  V   O   N   C   O   L
L E A D E R   O P E R A S
  R   G   O A F   H   K
B L U E   A   F R O Z E N
  I       D   D       L
V E G A N S   M U D D L E
  V       O   O       I
L E V E L S   R   S A G S
  A   R   W A S H   H
I G U A N A   E J E C T S
  L   G   M   L   E   E
F E T E   P O S I T I N G
```

No 274

```
P R O L O G U E   T H U D
O   L   P   N     O   E
U N I T E   I N C L U D E
T   V   R   O     S   P
  E   E   N O W H E R E
P E S E T A S   H   S   N
U   T       E   E   E
R   S A   N O T E P A D
I M P A S S E   S   O
F   A     E   T   N   B
I N C I T E D   O C C U R
E   E   L   N   H
S A S H   H E G E M O N Y
```

No 275

```
W I D E N I N G   C A V E
  S   V   N   O   O   A
A S S E S S   W A N G L E
  U   R   U R N   V   U
L E V Y   L   S L O W E D
  R       A   Y
I S O M E R   P O S E R S
      A       R       U
F O R G E S   O   N I C E
  M   E   C U P   O   T
L E A N T O   O U T B I D
  G   T   N   S   C   O
P A P A   E L E P H A N T
```

No 276

```
W A G E R S   F   O   A
O   A   C R I M P I N G
R E D   R   A   E   N
K   F E V E R S   R O U T
E   L   E   C E A   A
R A Y O N   M O N T H L Y
    U   S   S T
F O R T U N E   R A D I O
  R   R O L   I   C
W A K E   W O O F E R   T
  C   A   M   S     E R A
B L O C K A G E   C   N
  E   H   N   S E P T E T
```

No 277

```
V U L T U R E S   A U R A
  N   E   A   T   T   E
S W E A R S   O C T A V E
  I   M   C A N   R   U
I N K S   A   E V A D E S
  D       L       C
A S I D E S   D O T A G E
  A       E   E   A
S C O N E S   F   W A R E
  R   G   L E A   A   M
N U C L E I   U N S E E N
  S   E   M   L   T   N
S T U D   E N T R E A T Y
```

No 278

```
N O R M S   C U T T E R S
  E   E   T   E   R   A
W   D   R   R   Y E T I S
S T R A I N E D   A   S
  R   E   V A   E T H E R
E A S T E R L Y   Y   A
  E   S   N     A C T
  L   S   B R O C C O L I
S Y L P H   E T   O   O
  E   I   S H R U N K E N
G L A D E   A   I   A
  P   E   S   T   N   L
O S T R I C H   E A G L E
```

No 279

```
C E N S U S E S   O P U S
L   O   N   X     R   E
A C U T E   U P S T A R T
N   G   A   L     Y   B
  A   R   T A F F E T A
E S T A T E S   I   R   C
Y   H       L L   K
E G E   S A T N A V S
B O R E D O M   E   R
R   E     O   R R A
O B E L I S K   I D E A L
W   T   E   N   S   P
S O S A   F R I G A T E S
```

372

Solutions

No 280

```
M O T E L ■ ■ D O C K E R S
O ■ H ■ O ■ A ■ I ■ O ■ ■
O R ■ A ■ C ■ P ■ E L B O W
T O W P A T H S ■ T ■ S ■ ■
■ I ■ ■ I ■ T ■ N ■ D E L T A
F I N G E R E D ■ R ■ ■ T ■
I ■ G ■ D ■ ■ P ■ W ■ T ■
E ■ ■ F ■ S A B O T A G E ■
D O E R S ■ M ■ N ■ R ■ N
■ P ■ O ■ N U R T U R E D ■
C E L L S ■ L ■ I ■ A ■ E
■ R ■ I ■ E ■ F ■ N ■ E ■
H A T C H E T ■ ■ F E T E S
```

No 281

```
N E A T E N ■ E F F E C T
E ■ P ■ N ■ W ■ L ■ A ■ R
C H I M E R A ■ E ■ R ■ A
T ■ A ■ M ■ T R E B L E D
A R R A Y ■ E ■ C ■ ■ E
■ ■ ■ S ■ L A M B S ■ E
D I T T O ■ E ■ ■ C ■ G
I ■ ■ W ■ L ■ D R Y E R
S U P R E M O ■ E ■ C ■ A
M ■ A ■ R ■ N I B B L E D
A ■ N ■ E ■ S ■ A ■ E ■ E
Y I E L D S ■ C R U S T S
```

No 282

```
C R E C H E ■ C H O R U S
E ■ ■ A ■ G ■ A ■ ■ U ■
R ■ M O R B I D I T Y ■ M
E ■ E ■ D ■ F ■ R ■ E ■ M
A I L M E N T S ■ D A M E
L ■ L ■ N ■ S ■ U ■ R ■ R
■ C O M E S ■ K N O L L ■
S ■ W ■ D ■ S ■ C ■ I ■ A
E M I R ■ C O C O O N E D
T ■ N ■ A ■ L ■ V ■ G ■ O
T ■ G O D L I N E S S ■ P
L ■ ■ D ■ D ■ R ■ ■ ■ T
E G O I S T ■ A S S E S S
```

No 283

```
M ■ O ■ A ■ ■ S ■ S ■ R
U N F O L D ■ S T U C C O
G ■ F ■ B ■ W ■ R ■ A ■ N
G E S T U R E ■ O I L E D
E ■ E ■ M ■ I ■ K ■ P ■ O
R A T S ■ E G R E T ■ ■
S ■ S ■ V ■ H ■ S ■ V ■ S
■ S I F T S ■ L I E U ■
D ■ G ■ B ■ I ■ U ■ S ■ G
E R R O R ■ N I P P I N G
V ■ I ■ A ■ G ■ P ■ T ■ E
I S L E T S ■ L E M O N S
L ■ L ■ O ■ ■ R ■ R ■ T
```

No 284

```
O R G A N I S T ■ C O M E
■ E ■ D ■ C ■ E ■ O ■ A
S C A M P I ■ M A N A G E
O ■ I ■ N I P ■ F ■ I ■
W R I T E ■ ■ T R E N C H
D ■ ■ ■ S ■ S ■ ■ ■
I S L E T S ■ M U S K E T
■ A ■ ■ I ■ ■ ■ X ■
S C A R A B ■ N ■ D U T Y
R ■ N ■ E M U ■ E ■ R ■
S E R E N A ■ S E L V E S
P ■ S ■ C ■ E ■ T ■ M ■
B E S T ■ H O S T A G E S
```

No 285

```
F E V E R S ■ S T R E A M
A ■ E ■ E ■ A ■ S ■ V ■ O
T A N K A R D ■ H ■ E ■ U
H ■ D ■ C ■ A V I G N O N
E L E C T ■ P ■ R ■ ■ D
R ■ T ■ T ■ ■ T I N T S ■
■ T ■ S W A P S ■ E ■
P I A N O ■ T ■ ■ U ■ R
L ■ R ■ I ■ S P R E E ■
E M B A R G O ■ A ■ O ■ A
A ■ R ■ O ■ N E M E S I S
S ■ I ■ W ■ S ■ B ■ I ■ O
E G O I S T ■ D A M S O N
```

No 286

```
O P E R A T E D ■ S A S H
■ R ■ A ■ H ■ E ■ T ■ C
L O N G E R ■ A C U M E N
■ M ■ E ■ O W L ■ P ■ N
L O A D ■ N ■ T O O L E D
■ T ■ ■ G ■ ■ R ■ ■ ■
S E R I E S ■ D A S H E D
■ N ■ ■ E ■ ■ ■ X ■
G O S S I P ■ G ■ N A P E
■ P ■ I ■ E R R ■ U ■ O
S I E S T A ■ E A R F U L
■ N ■ T ■ R ■ E ■ S ■ N
M E S S ■ S U S P E N D S
```

No 287

```
A R R O W S ■ T ■ T U G
E ■ A ■ H A S T E ■ R
S A N G R I A ■ A ■ M ■ I
■ L ■ R ■ I ■ R U P E E
D I S C I P L E ■ T ■ V
Z ■ O ■ S ■ F ■ E ■ E
R E S O R T ■ B L A R E D
I ■ W ■ S W Y ■ ■ X ■
B ■ I ■ B R O W B E A T
B U F F S ■ I ■ H ■ M
O ■ T ■ U ■ T H E R A P Y
N ■ E V I L S ■ E ■ L
S I R ■ T ■ ■ B L A M E D
```

No 288

```
C L I M B E D ■ G H O S T
L ■ M ■ O ■ A ■ M ■ E
A L A R M ■ C I P H E R S
S ■ G ■ B ■ O ■ S ■ G ■ T
S L I P ■ E N D ■ S A V E
■ N ■ A ■ T ■ S ■ ■ R
M ■ G E N E R A T O R ■ S
O ■ T ■ A ■ Y ■ E ■
T H A W ■ I L L ■ W A F T
I ■ O ■ P ■ T ■ P ■ W
V E R T I G O ■ E L I T E
E ■ T ■ C ■ A ■ N ■ E
S T A L K ■ U P R I G H T
```

373

Solutions

No 289

```
T U T O R S . F . T . D
W . A . T E A M W O R K
I L L . A . B . I . O
N . C O N F E R . N O O N
E . U . F . I . N . L
D U M M Y . E C L I P S E
. . U . H . S . N .
F R A N K E D . E G G E D
U . C . A . S . R . E
F I S H . D A H L I A .
. N . E . W . E . P H I
R E C R E A T E . . H . R
. D . S . Y . T U S S L E
```

No 290

```
W H I F F S . A G E N C Y
O . R . H . R . . . A
N . G R O C E R I E S . C
D . R . N . R . P . H . H
E R U P T I O N . M A T T
R . F . I . N . T . R S
. O F F E R . B E E P S
B . N . R . A . M . N A
O V E R . A D A P T E R S
B . S . R . A . O . S S
B . S L U G G A R D S . A
E . . . D . E . A . . Y
D I N N E R . A L T E R S
```

No 291

```
C A P . T E N . C H A F F
H . E . I . O . C . O
E T N A . A M E N D I N G
E . A . U . B . G . D . H
P E N I N S U L A S . . O
. . C . D . S . . F . R
O C E L O T . U P T U R N
X . S . . M . E . T
I . U L T I M A T U M S
D . A . O . T . K . R . C
I N C U B A T E . M I R O
Z . R . B . E . . S . R
E N E M Y . N U B . T A N
```

No 292

```
P R A I S E . C H E R R Y
E . M . C . O . . . A
T . T A U T O L O G Y . N
A A . G . U . P . E . K
R E K I N D L E . V A S E
D . E . D . S . R . E
. S A L S A . S T U B S
N . W . S . S . A . O . A
A L A S . S W A N S O N G
T . Y . B . E . D . K . E
U . S A U C E P A N S . T
R . . . R . T . R . T
E X P O R T . A D I E U S
```

No 293

```
S C H O O L . S C A M P I
Q . O . V . S U O R . R
U N L E A S H . D O . I
I . O . T . E N D U R E S
R O G U E . P . L . . E
T . R . R . A . E A V E S
. A T R E N D . I
L I M B O . R . S . F
I . U . D . T R I L L
S A M U R A I . Y . T . A
T . A . I . N A P K I N S
E . I S . G . E . N . K
D E L E T E . U S A G E S
```

No 294

```
D E M O N . U R C H I N S
E . O . U . P . O . O
V . M . R . T . S A I N T
O V E R S H O T . R . C
L . N . E . W . A D D E D
V E T E R A N S . S . E
I . S . Y . . E . I F
N . . S . C O M M A N D O
G I L T S . R . U . V . R
. G . E . B A L L R O O M
B L E A T . T . A . L . I
. O . D . O . T . V . T
P O L Y M E R . E L E G Y
```

No 295

```
T A I N T S . B A D G E S
H . . . R . S . T . . H
U . E X E R T I O N S . I
M . V . A . U . M . T V
B O O S T I N G . J A D E
S . L . I . G . P . M . R
. T U N E R . F L I P S
H . T . S . M . U . E . O
A C I D . O U T M O D E D
M . O . F . S . B . E
M . N U L L I F I E D . S
E . . U . C . N . . . S
R I D G E S . A G E N D A
```

No 296

```
N I B B L I N G . U S S R
U . L . A . E . . . A . O
N O O K S . C O P I L O T
S . C . S . T . . . O . A
. K . I . A I R P O R T
V I S I T O R . E . N . O
I . . . U . . I . O
S . S S D . D U N G E O N
C A L D E R A . S X .
O . A . . . S T O . A
U N L E A S H . A L T A R
N . O . . . E . T . I . M
T A M P . E S S E N C E S
```

No 297

```
U P S I D E . I G N O R E
S . C . E . N . R . B . X
H E R B A G E . A . O . I
E . U . L . W A V I E S T
R O B E S . S . I . . E
S . B . R . T I R E D
. E . E M E R Y . E
M A D A M . A . . . M . S
A . P . D . T R O V E
D E V O T E E . O . U . N
C . E . I . R A T I N G S
A . E . S . A . T . E
P U R I S T . B L A S T S
```

374

Solutions

No 298

```
G R A I N   G R A M M A R
O N   O E   O B
D D S   N   S N O B S
M A R K E T E R   K   O
O O   B V   B E A T S
T R I M A R A N   Y   K
H   D G   A   I E
E   I   P E R S O N A L
R H Y M E   V S   T E
I   P   P A R A K E E T
O N S E T   D Y   N O
  G L   E E   T N
F E A S T E D   R U S T S
```

No 299

```
L A C E R A T E   S A V E
  P   L   G R T   E
S P O U S E   U N I O N S
  L   D   N A P   U
D A M E   D   T U R E E N
  U   A   E
I D E A L S   R U D D E R
    T   E   X
C U R A T E   D   C O C A
  N   V   G O D   I
A C H I N G   E Q U I T Y
  L   S E   N D E
T E A M   D I S P E R S E
```

No 300

```
E A T E R S   B A   I
D   I   K N E A D I N G
G E L   I   D   V D
I   T H I R S T   A G U E
L E   T   I N C
Y O D E L   S M A C K E D
  N T   E E
D I S C A R D   A D M I T
  S   L O G   A H
A L T O   T H R E A D   E
  A   S T A   M O M
I N T E G E R S   A E
  D S R   P L A N T S
```

No 301

```
M I D S T   S L U M B E R
E   O A   I L
M M   T G   I D L E S
E X A L T I N G   D C
N   I E A   W A L T Z
T E N D R I L S   Y   O
O S S   P F O
E   K   D O O R N A I L
S P L I T   N E J O
R M   T R A M P I N G
B I S O N U   I T I
M N   S E A S
R E T O U C H   R E S E T
```

No 302

```
E X C I T E   I M P A C T
X E R T E N U
T O R P E D O   N O R
O E A   B E A T N I K
R E M I T   A C E
T O C E N E M Y
N   T A C O S M
F O Y E R O B V
A U N E V A D E
T S U N A M I R R N
H P N   S H A C K L E
O O O C T S E E
M O N E Y S   L E A D E R
```

No 303

```
C A P T U R E D   R A S P
R O N L R E
O G R E S   E N G A G E D
W T C V E D
E R E T H A N O L
S U R G E O N U T I
U W R N
N R E W A R P I N G
B R E A D T H I G
E C I C U N
A M A L G A M A M A Z E
M L S N N S
S A L T   T Y P E C A S T
```

No 304

```
L S C C K I
O S P R E Y   S H I N E S
P E D S A E L
P L A T E A U   P H A S E
I K D C E D T
N E E D   S C A L E
G R F E S R T
V I X E N B E A U
S S S D S S S
P L A N T   E X C E E D S
I T F D A N O
T R Y O U T   C R I T I C
E R L F S K
```

No 305

```
E M B R Y O A E A
X O M O M E N T U M
P I N E E C R
E D R A G O N O D O R
C E A D D R
T O D A Y S E M I N A R
M R D N
D E B A T E R I G L O O
N S A B A S
O I L S P R O V E N M
G I I W C H I
E M I N E N C E E U
A G G D I C T U M
```

No 306

```
M E R I D I A N S E T T
L N O P W
L E S S O N T H E S I S
V E A W E C R
L A S T R S W I R L S
T D F
D E B U T S F L Y E R S
M U E
Y E L L O W C D U F F
L A A S H E E
A D J U S T S O L V E R
E T C I T S
A R C S H E A D A C H E
```

Solutions

No 307
```
R A T I N G . E . E . J
I . R . I N V E S T O R
D U E . P . A . C . . I
D . M E S S E S . A U N T
L O . Y . I . P . E .
E A R T H . T O P I A R Y
. . E . L . N . S .
I N V A D E D . A M E N D
. E . S . A . C . . A . U
I T C H . V U L G A R . S
. T . O . E . A . . N U T
C L A P T R A P . . E . E
. E . S . S . S O A R E D
```

No 308
```
L . C . J . . A F E
U M L A U T . A D D L E D
R . E . L . T . M . I
C H A T E A U . I O N I C
H . V . P R R R G . T
E V E N . S N E A K .
D . R . P . O L G D
. . G U A V A . H E R E
A . B . N . E B N . N
G O R E D . R O L L E R S
R . A . I . S . A S . I
E I G H T H . A S S I S T
E . S . S . . T . S Y
```

No 309
```
S C R I B E . S C H O O L
O . . O . S . L . . . I
U . D O U G H N U T S . G
N . E . D . O . B . A H
D I P L O M A S . D U E T
S . U . I . L . R . C S
. S T O R Y . R A P I D .
A . I . S . H . M . N R
D A Z E . C O M P L E T E
V . E . L . L . A . S . I
I . S P I L L A G E S . N
C . . A . Y . E . . . N
E M B E R S . A S S E S S
```

No 310
```
E N F O R C E . D E L T A
A . I . U . O . O . . W
G A N G S . J A V E L I N
E . A . E . O . E L . I
R A N T . E Y E . H Y M N
. . C . J . S . V . . G
G . E X A C T N E S S . S
A . . W . I . X . M .
M U S T . A C E . D I E T
B . L . K . P . T . E
L E S S O N S . L A T E X
E . H . O . . A . E T
D R I F T . B A N A N A S
```

No 311
```
C O G N A C . C . F . P
U . E . . R O U T I N E S
T A N . I . R . N G .
L . I S O B A R . A L G A
E . U . S . I . L . E
T E S T S . R E M I N D S
. H . M . S . T .
C H O I C E S . S Y N O D
A . R . P . O . A
U N I T . M A R K E T . S
. G . E . A . I . A S H
B A S E L I N E . T . E
. R . N . D . S L E E P S
```

No 312
```
F R E N C H . L . L O W
E . A . A . U S A G E . E
O P P O S E S . N . A . A
R . E . U . D I V A S .
T E A M W O R K . I . E
S . . O . P . S . N . L
E S C O R T . P U R G E S
X . O . K . H . R . X
H . P . C O R V E T T E .
A B Y S S . O . E . R
L . I . W . F L Y O V E R
E . S T A G S . O . M
D O T . B . D R I V E R
```

No 313
```
S C R A P . A L G E B R A
T . E . R . G . C . I
A . S . A E . O Z O N E .
R E U N I O N S . E S .
L . L S D . E M B E R .
I N T H E B A G . A . E
G . S S . . I N . P .
H . . E . P R I M R O S E
T O A D S . U . P . H R
. W . I . M I L E P O S T
U N I T E . N . D P . O
. E . E . E . E E R .
D R E D G E D . D E R B Y
```

No 314
```
A B S O R B . P . C . A
I . E . U N I C O R N S .
M A N . G . S . L . N
I . A M U L E T . L O U T
N T . E . O . O . L
G R E E D . E L L I P S E
. X . C . S . D
S Y M P T O M . U S A G E
E . O . X . U . L . V
H O A R . C U S T O M . E
M . T . O . I . O W N
S A L E S M A N . S . E
N . R . B . G I F T E D
```

No 315
```
F O R M A T . S U P P L Y
L . . D . I N . N . . O
I . C E M E N T I N G . G
N R . I . L . T . A U
C L E A R W A Y . B L U R
H . A . I . Y . T . L .
. S T U N G . B R E A D .
C . I . G . P . A . N E
O D O R . E L E V A T E S
L . N . D . A . A . R P
O . S T O L I D I T Y . I
R . . D . N . L . . . I
S A L O O N . A S S E N T
```

376

Solutions

No 316

S		C	L			P	E	S		S
U	P	R	O	O	T		C	R	A	V	A	T
B		A	C		C		A		I		E
S	A	T	I	A	T	E		Y	U	C	C	A
I		E	L		N		E		T		M
D	A	R	T		S	T	E	R	N		
E	S		P		E		S		L		D
		Q	U	E	R	Y		Y	O	G	I
S		O	B		I		S		G		L
M	O	D	E	L		N	O	T	A	B	L	E
O		I		I		G		U		O		M
C	O	U	R	S	E		I	N	F	O	R	M
K		M		H			S			K		A

No 317

H	E	C	T	A	R	E		I	D	I	O	T
U		U		P		N		D			I
M	A	I	Z	E		C	O	N	S	E	N	T
P		R		D		O		S		A		T
S	O	A	R		E	M	U		I	S	L	E
		S		S		P		E			R
P		S	U	P	P	O	R	T	E	R		S
E			Y		N		A		O		
R	U	S	H		P	E	W		R	O	D	E
F		I		M		N		A		S		T
I	N	S	T	A	N	T		C	A	T	C	H
D		A		T		E		E		E		O
Y	O	L	K	S			I	N	S	U	R	E	S

No 318

I	M	P		N	U	B		C	A	P	E	D
N		O		U		E		O		I
C	O	L	D		E	S	C	A	P	E	E	S
U		Y		A		K		S		T		E
R	E	G	I	S	T	E	R	E	D			A
		A		K		R			E		S
D	A	M	A	S	K		R	O	S	C	O	E
E		Y			G		N		H		
A			E	M	P	L	O	Y	M	E	N	T
N		B		O		O		X		L		E
E	X	E	R	T	I	O	N		W	O	R	M
R		E		E		M			N		P
Y	A	R	D	S			S	O	B		S	I	T

377

Solutions

No 319

No 320

No 321

Solutions

No 322

```
N  S  A     D  U  A
ENCODE    PEARLS
M  A  D  D     S  G  S
EXTREME    SUEDE
S  T  D  S  E  D  T
IDEA   STARS
S  R  B  R  T  R  I
      PYLON   REIN
A  S  G  Y  O  P  V
BANJO   EARLOBE
O  A  N  D  G  S  R
RIGGER   CATERS
T  S  S     N  D  E
```

No 323

```
WORTHY    L   AMP
R   A  EXAMS  S   A
CAMERAS   M   S   P
T   D  S  ELUDE
HORNBEAM   M   R
R   A  Y   S   E   E
ASPECT  BONDED
C  L  K  R  L   P
R  A    AEROFOIL
YACHT  A   I   G
L  I  A  MASTERY
I  NEXUS  T   A
COG  I  ASTHMA
```

No 324

```
BASKET  A  B  A
I  A   SENILITY
TOW    A  I  U  T
T  YEARNS  EMIT
E  E   S  E  B  C
RERUN  REVERSE
   N  B  D  L
OUTFLOW   CLOWN
N  A  B  S   F  O
EBBS  BEHALF  T
E  T  I  R  SKI
ANTENNAE   E  O
D  N  G  WANTON
```

379

Solutions

No 325

```
P A G E D   G L A N C E S
R   L   E   R   A   A   L
I   U   A   A   A V A I L
N I C K N A M E   I   T
T   O   E   M   S E V E N
O B S E R V E S   S   E
U   E   Y   F   L   C
T     A   S E M I T O N E
S H A R D   C   T   B   S
  U   M   P L U M B E R S
S M E A R   A   E   L   A
A   D     I   N   I   R
I N H A L E R   T O A D Y
```

No 326

```
W A V E R I N G   E N V Y
  F   A   N   E   X   A
O F F S E T   C L E N C H
  R   E   O A K   R   U
S O U L   N   O U T L A W
  N     E       E
S T A G E D   R I D G E D
    A     U     X
S I Z I N G   B   L U T E
  L   N   N I B   O   R
R E T I N A   E L U D E S
  U   N   R   R   S   M
S M O G   L I S T E N E R
```

No 327

```
P R O F I T   H E L P E R
R     N   G   O       A
O   O F F E R I N G S   I
M   P   L   U   S   H   S
P R E S A G E S   T I L E
T   R   T   L   C   E   D
  B A G E L   B U L L Y
S   T   D   L   R   D   A
H A I L   P A N T R I E S
R   V   H   M   A   N   I
I   E X E M P T I N G   D
N     R   S   N       E
K L A X O N   I S S U E S
```

380

Solutions

No 328

	T		P		R			C		C		T
	E	A	R	N	E	D		M	A	K	E	R	S
	A		A		E		U		S		N		A
	S	T	I	F	F	E	N		C	A	T	E	R
	E		S		S		C		A		S		S
	R	U	E	S		M	O	O	D	S			
	S		S		J		V		E		L		D
				R	A	T	E	D		M	I	D	I
	S		S		R		R		C		A		S
	H	A	T	E	R		E	V	O	K	I	N	G
	O		A		I		D		R		S		U
	O	F	F	E	N	D		D	E	P	O	T	S
	T		F		G				S		N		T

No 329

B	I	C	Y	C	L	E	S		S	W	A	B
A		A		A		V			A		A	
N	O	T	E	S		I	N	V	O	K	E	D
D		E		T		C			E		G	
		R		A		T	R	A	I	N	E	E
C	A	S	I	N	O	S		S		S		R
A			E			C					E
V		I		T		S	H	E	A	R	E	D
A	M	N	E	S	I	A		R		A		
L		F		L		T		C		A	
I	K	E	B	A	N	A		A	P	I	N	G
E		C		D		I		S		E	
R	U	T	S		T	S	U	N	A	M	I	S

No 330

F	I	N	C	H		P	O	S	T	B	A	G
L		O		E		I		O		V		
I		V		A		C	W	I	N	E	S	
C	L	E	A	V	I	N	G		L		R	
K		L		I		I		P	E	L	T	S
E	N	T	R	E	N	C	H		R		T	
R		Y		R			S		H		R	
E			R		T	H	A	N	K	Y	O	U
D	O	T	E	D		E		A		G		C
	U		P		M	I	S	P	R	I	N	T
S	T	E	A	K		F		P		E		U
	D		I		E		E		N		R	
B	O	U	D	O	I	R		R	E	E	V	E

Solutions

No 331

No 332

No 333

Solutions

No 334

R	A	D	I	O			C	O	N	S	O	L	E
U		E		U		A		H		I			
S		B		T		V		L	E	A	K	S	
T	H	A	T	C	H	E	R		A		E		
I		T		A		A		S	T	U	D	Y	
C	R	E	O	S	O	T	E		H			A	
I		R		T			D		M			R	
T		A		T	A	P	E	W	O	R	M		
Y	A	R	D	S		V		V		N		U	
	D		V		M	E	M	O	R	I	A	L	
T	I	L	E	S		N		L		T		K	
	E		N			U		V		O		E	
V	U	L	T	U	R	E		E	A	R	N	S	

No 335

M	A	X	I	M	S		H	A	W	A	I	I
U			I		T		L					N
F		C	O	L	L	E	A	G	U	E		S
F		O		D		N		A		N		T
I	M	M	U	N	I	T	Y		G	L	U	E
N		P		E		S		C		I		P
	B	L	A	S	T		S	O	L	V	E	
M		A		S		N		E		A		A
A	X	I	S		C	O	N	V	E	N	E	S
N		N		T		R		E		E		S
U		S	C	A	T	T	E	R	E	D		U
A			L		S		S					R
L	E	T	T	E	R		D	E	L	U	X	E

No 336

I	N	D	I	G	O		M		O		G		
D		I			P	L	U	M	B	E	R	S	
L	E	G			A		D		S		A		
I		G	A	L	L	E	D		E	N	V	Y	
N		E			S		I		S		E		
G	I	R	L	S		P	E	R	S	O	N	S	
		I		P		D		E					
P	L	U	N	G	E	D		A	S	I	D	E	
	A		G		N		B			M		N	
A	P	S	E		G	A	L	L	O	P		D	
	T		R		U		U			E	M	U	
P	O	L	E	M	I	C	S			L		R	
	P		D		N		H	A	S	S	L	E	

Solutions

No 337

No 338

No 339